D0291817

[illegible]

[illegible]

[illegible]

[illegible]

[illegible]

[illegible]

[illegible]

« Un texte fort, un personnage attachant [...] En dépit de l'admiration manifeste que lui inspire son sujet, Mlle Gilbert nous offre un portrait sans complaisance de M. Conway en nous amenant à comprendre en quoi ses défauts sont somme toute bien naturels. »

New York Times

« Gilbert s'inspire habilement d'une vie unique en son genre pour en tirer un récit aussi captivant que mûrement réfléchi. »

Los Angeles Times

« Un portrait vivant, nuancé, d'un homme d'une complexité infinie. »

San Fransisco Chronicle

« L'étude la plus fine de l'identité masculine en Amérique depuis *Voyage au bout de la solitude (Into the Wild)* de John Krakauer. »

Outside Magazine

« Sacrément bien ficelé [...]. Comme Elizabeth Gilbert nous en fait prendre conscience dans *Le Dernier Américain*, il est presque impossible à qui que ce soit, homme ou femme, de ne pas tomber sous le charme d'Eustace Conway [...] ; ce qu'il a accompli, sa joie de vivre et son énergie, tiennent du miracle. »

The New York Times Book Review

« *Le Dernier Américain* relate l'odyssée captivante de Conway, issu d'une famille aisée mais aujourd'hui propriétaire de quatre cents hectares de bois et de pâturages dans les montagnes de Caroline du Nord. Gilbert présente la vie de Conway sous la forme d'une parabole qui illustre tout ce que nous a fait perdre notre culture contemporaine, à savoir : l'essentiel. »

Chicago Tribune

« Très bien vu [...]. En prenant pour point de départ la vie d'Eustace Conway, Gilbert s'interroge sur notre fascination moderne pour le mythe du pionnier et réussit à nous faire toucher du doigt la réalité humaine qui le sous-tend. »

Los Angeles Times

« Conway offre un personnage presque trop beau pour être vrai [...]. Il semblerait qu'il ait trouvé en Gilbert l'écrivain idéal pour raconter son histoire [...] ; en partant de la vie de Conway, Gilbert s'autorise de savoureuses digressions sur la virilité, les communautés utopiques, l'histoire de la frontière et le mythe du pionnier. Son sujet dépasse largement le cadre d'une simple biographie. Elle s'intéresse à ce que nous avons perdu à cause du progrès et à ce que nous pouvons encore espérer regagner. »

The Atlanta Journal Constitution

« Il y a tant de bonnes raisons de lire ce livre ! Il faut le lire pour le portrait d'un homme qui ne vit pas en rupture avec la terre qu'il foule ni avec le ciel qui le surplombe et dont la lassitude a émoussé les ambitions de sa jeunesse. Ainsi que pour la manière dont Gilbert cerne son sujet sans jamais le prendre en traître. »

Entertainment Weekly

« Un ouvrage essentiel, un chef-d'œuvre [...]. Gilbert a vraiment su l'épingler. Difficile d'imaginer un portrait plus fouillé, plus convaincant [...] ; un livre plein de sagesse »

Men's Journal

« Gilbert nous présente Conway comme un vestige de la tradition américaine de la frontière ; le dernier pionnier plein de ressources et de courage [...] ; son récit nous offre un portrait attachant d'un homme qui ne laisse pas d'intriguer »

The Washington Post

« Rencontrer Eustace Conway, c'est être ébloui [...]. Lire *Le Dernier Américain*, c'est un peu comme d'écouter un ami vous parler d'un personnage incroyable en partageant une bouteille de bon vin. »

Outside

« Un portrait de Conway exécuté de main de maître [...], captivant et drôle, rempli de réflexions décoiffantes et de commentaires humoristiques [...]. Gilbert rédige dans un style vif et percutant. Lire *Le Dernier Américain*, c'est comme écouter une histoire au coin d'un feu de camp de la bouche d'un conteur-né : les mots sont transfigurés, les personnages prennent vie. »

The Christian Science Monitor

« Elizabeth Gilbert possède le don de mettre le doigt sur ce qu'il y a de marginal mais de terriblement vivant en Amérique […]. Eustace Conway, le sujet de son dernier livre, l'emporte haut la main […]. Gilbert maintient par rapport à Conway une distance aussi subtile que remarquable. Le meilleur de son œuvre reste encore le portrait psychologique qu'elle dresse de Conway lui-même. »

The Milwaukee Sentinel

« Le point de vue de Gilbert sur les exploits de Conway s'avère aussi original et fascinant que son sujet […]. Conway est peut-être le dernier de sa race ; une survivance de l'esprit de la frontière américaine, mais le récit captivant et habile de Gilbert le hissera au rang de légende inoubliable. »

Town and Country

« Gilbert signe là ce qui est sans doute son meilleur livre à ce jour ; […] elle nous dépeint un homme brillant mais d'autant plus fascinant qu'il possède lui aussi ses défauts […]. Gilbert associe un langage terre à terre à des envolées inspirées pour sonder les problématiques au cœur de notre culture. »

Houston Chronicle

« *Le Dernier Américain* nous invite à découvrir quelqu'un d'incroyable. Le lecteur en reste bouche bée quand il mesure de quoi Conway est capable. »

The Raleigh News and Observer

« Gilbert, une journaliste de grand talent, mêle au portrait inspiré qu'elle dresse de Conway des remarques subtiles et dérangeantes sur la frontière américaine, le mythe de l'homme des bois et l'état de la société contemporaine, "profondément aliénée" de la nature. »

Booklist

« Gilbert parle de Conway d'une manière complexe et nuancée […] en ajoutant à son croquis sur le vif des apartés sur les mouvements communautaires, l'échec de certains idéaux et notre culture profondément faussée, Gilbert nous offre un reportage de tout premier ordre. »

Kirkus Review

LE DERNIER AMÉRICAIN

DU MÊME AUTEUR
aux éditions Calmann-Lévy

Mange, prie, aime, 2008

Elizabeth Gilbert

LE DERNIER AMÉRICAIN

Traduit de l'anglais par Marie Boudewyn

calmann-lévy

Titre original anglais :
THE LAST AMERICAN MAN

Première publication : Viking Penguin, New York, 2002

ISBN 978-2-7021-4024-6

Aux deux femmes les plus brillantes de ma connaissance :
Ma grande sœur Catherine Murdock
Et ma chère amie Deborah Luepnitz.
Votre influence ne saurait se mesurer.

« Il en résulte que l'esprit américain doit ses principes les plus marquants à la frontière. La rudesse et la vigueur ajoutées à la clairvoyance et à une curiosité sans répit : une tournure d'esprit pratique, inventive, fertile en expédients ; une remarquable intelligence de la matière, au détriment, certes, de l'art, mais susceptible de grands desseins ; une énergie nerveuse, jamais au repos ; un individualisme forcené, pour le meilleur comme pour le pire, sans oublier la capacité à rebondir et l'enthousiasme jailli de la liberté – voilà ce qui caractérise la frontière... »

Frederick Jackson TURNER

CHAPITRE PREMIER

En voilà, une vie sauvage ! En voilà, une existence revigorante !

Henry Wadsworth LONGFELLOW, à propos d'un poème épique qu'il envisageait de composer à la gloire de l'explorateur américain John Frémont

À sept ans, Eustace Conway était capable de lancer un couteau sur un tronc d'arbre avec assez d'adresse pour y clouer un tamia. À dix, il pouvait atteindre, au tir à l'arc, un écureuil en train de détaler à quinze mètres devant lui. Quand il entra dans sa treizième année, il partit en forêt, seul et sans le moindre outil en poche. Il se construisit un abri où il passa une semaine entière en ne subsistant que des ressources de la nature. Quand il eut dix-sept ans, il quitta sa famille pour s'installer en montagne où il vécut sous un tipi fabriqué de ses propres mains ; il allumait du feu en frottant deux bouts de bois l'un contre l'autre, se baignait dans des torrents glacés et s'habillait de peaux d'animaux qu'il chassait pour se nourrir.

Cela se passait en 1977. L'année de la sortie sur grand écran de *La Guerre des étoiles.*

Un an plus tard, Eustace Conway remonta le Mississippi à bord d'un canoë en bois qu'il avait lui-même conçu, en luttant contre des courants d'une force telle qu'ils aspiraient parfois un arbre de douze mètres de long au fond du fleuve pour ne le laisser remonter à la surface qu'un kilomètre et demi en aval. L'année suivante, il parcourut les trois mille cinq cents kilomètres du sentier des Appalaches, du Maine jusqu'à la Géorgie, en ne se nourrissant que de ce qu'il cueillait et chassait en chemin. Au cours des années suivantes, Eustace fit de la randonnée dans les Alpes en Allemagne (chaussé de simples tennis), traversa l'Alaska en kayak, escalada des falaises en Nouvelle-Zélande et vécut avec les Navajo au Nouveau-Mexique. À l'approche de la trentaine, il décida d'étudier une culture primitive de près afin d'assimiler des techniques venues du fond des âges. Il partit donc au Guatemala où, sitôt descendu d'avion, il demanda autour de lui : « Où peut-on rencontrer les peuples primitifs ? » On lui indiqua la jungle, où il marcha, des journées entières, jusqu'à un village reculé d'Indiens mayas dont la plupart n'avaient encore jamais vu un Blanc de leur vie. Il resta près de cinq mois parmi les Mayas dont il étudia la religion et apprit la langue tout en perfectionnant sa technique de tissage.

L'aventure la plus formidable d'Eustace remonte toutefois à 1995, quand l'idée lui vint de traverser l'Amérique à cheval. Son frère cadet, Judson, et l'une de ses amies l'accompagnèrent. Une pure folie ! Eustace ne savait même pas s'il était possible ou légal de rejoindre la côte Ouest à cheval en partant de l'Atlantique. Il prit un copieux repas de Noël en famille, hissa son fusil en bandoulière, exhuma une selle de la cavalerie des États-Unis vieille de près d'un siècle (tellement usée par endroits qu'il sentait la chaleur de sa monture entre ses jambes), enfourcha son cheval, et le voilà parti. Selon ses estimations, ils rejoindraient l'océan Pacifique à Pâques. Et pourtant, tous ceux à qui il osa l'affirmer lui rirent au nez.

Les trois cavaliers galopèrent du début à la fin, en avalant près de quatre-vingts kilomètres par jour. Ils se nourrirent de carcasses de cerfs renversés par des voitures et de soupe à l'écureuil. Il leur arriva de passer la nuit dans des granges ou chez des autochtones émerveillés mais pas toujours très rassurés puis, une fois dans l'Ouest, ils prirent l'habitude de s'endormir à l'endroit même où ils s'écroulaient en mettant pied à terre, le soir venu. Ils faillirent laisser leur peau sur une voie rapide où leurs montures se cabrèrent en pleine circulation à cause d'une embardée d'un semi-remorque. Des officiers de police manquèrent de peu les arrêter dans le Mississippi parce qu'ils ne portaient pas de chemise. À San Diego, ils firent paître leurs chevaux entre un centre commercial et une autoroute à huit voies. La nuit venue, ils dormirent sur place et, le lendemain après-midi, ils atteignirent le Pacifique. Eustace Conway poussa son cheval jusque dans l'écume. Le lendemain serait le dimanche de Pâques. Eustace venait de traverser le pays en cent trois jours, en établissant ainsi un record mondial.

De la côte Est à la côte Ouest, des Américains de tous les milieux levèrent les yeux vers Eustace Conway et son cheval en soupirant : « Comme j'aimerais en faire autant ! »

À chacun d'eux, Eustace adressa la même réponse : « Rien ne vous en empêche. »

Mais je m'avance un peu trop.

Eustace Conway est né en Caroline du Sud en 1961. Les Conway occupaient alors un confortable pavillon de banlieue dans un quartier qui en comptait une quantité de semblables, mais il y avait un bois juste derrière chez eux, qu'à l'époque personne n'avait encore rasé pour y bâtir de nouvelles maisons. Une étendue de forêt primaire, sauvage, intacte, sans même de sentier qui la traverse. Une antique sylve encore pleine d'ours et de sables mouvants. Ce fut là que le père d'Eustace Conway (qui savait tout et portait lui aussi le nom d'Eustace Conway) emmena son jeune fils pour lui apprendre à identifier les plantes, les oiseaux et les mammifères du sud des États-Unis. Ils se promenèrent des heures dans les bois en examinant la cime des arbres et en discutant de la forme de leurs feuilles. Tels furent donc les premiers souvenirs d'Eustace Conway : une forêt qui s'étendait à n'en plus finir ; les rayons obliques du soleil filtrant à travers un dais de verdure ; la conversation ô combien instructive de son père ; le charme des mots *sauterelle* et *peuplier* ; le plaisir intellectuel inédit de l'apprentissage et son étourdissement de petit garçon dont la tête s'inclinait si loin en arrière qu'il manquait de peu tomber à la renverse à force d'observer tant d'arbres si longtemps.

En dehors de cela, ce fut sa mère qui se chargea de son éducation. Petit à petit, elle lui apprit à établir un bivouac, préparer un hameçon, allumer un feu, apprivoiser des animaux sauvages, fabriquer des cordages à l'aide de plantes et dénicher de l'argile dans les lits des cours d'eau. Elle l'incita à se plonger dans des livres aux titres enchanteurs tels que *Davy Crockett et les Peaux-Rouges*. Elle lui apprit à coudre ensemble des peaux de daim. À tout mener à la perfection. La mère d'Eustace Conway ne ressemblait pas à la plupart des mamans de ce temps-là. Elle avait bien plus de cran que la mère de famille lambda du sud des États-Unis au début des années 1960. Son père, qui s'occupait de colonies de vacances au cœur des montagnes d'Asheville, en Caroline du Nord, lui avait donné une éducation typiquement masculine. En vrai garçon manqué, elle montait à cheval à cru, et mieux que personne. À vingt-deux ans, elle vendit sa flûte en argent pour se payer un aller simple à destination de l'Alaska où elle vécut sous une tente près d'une rivière avec son fusil et son chien.

Quand Eustace entra dans sa sixième année, un promoteur immobilier rasa les bois du voisinage. Heureusement, ses parents ne tardèrent pas à s'installer dans un pavillon de quatre chambres d'un autre lotissement de banlieue, à Gastonia, en Caroline du Nord. Une forêt touffue poussait à deux pas de chez eux. Dès qu'ils surent marcher, Mme Conway autorisa Eustace et ses cadets à vadrouiller dans les bois pieds nus, sans chemise et sans surveillance, depuis le lever jusqu'au coucher du soleil ; sauf, bien sûr, quand il leur fallait aller à l'école ou à la messe (parce qu'il ne faudrait pas s'imaginer non plus qu'elle élevait des « sauvages »).

« Je suppose que j'ai été une mauvaise mère », avoue aujourd'hui Mme Conway, d'un ton pas très convaincant.

Naturellement, ses méthodes d'éducation horrifièrent les autres mères de Gastonia. Certaines, dévorées d'angoisse, téléphonaient à Mme Conway en affirmant : « Vous ne pouvez pas laisser vos petits jouer dans les bois ! Il y a des serpents venimeux là-bas ! »

Trente ans plus tard, Mme Conway trouve encore leur inquiétude aussi cocasse que touchante.

« Enfin, quoi ! Mes enfants ont toujours su distinguer les serpents venimeux des autres ! proteste-t-elle. Ils se débrouillaient comme des chefs dans les bois. »

En gros, l'histoire de l'Amérique se résume à ça : il y avait une frontière puis, soudain, il n'y a plus eu de frontière. Tout s'est passé très vite. Aux Indiens ont succédé des explorateurs, des colons, des villes, puis des métropoles. Personne n'y a vraiment prêté attention tant que la nature sauvage n'a pas été décrétée officiellement domestiquée. À ce moment-là, cependant, tout le monde s'est mis à le regretter. L'épidémie de nostalgie qui a suivi (le *Buffalo Bill's Wild West Show*, les cow-boys peints par Frederic Remington) a déclenché une panique culturelle unique en son genre, que résume assez bien la question : que vont devenir nos p'tits gars ?

Les romans d'apprentissage européens racontent en général le départ d'un provincial pour la ville où il se métamorphose en gentleman raffiné, alors que, dans la tradition américaine, c'est tout le contraire. Le jeune Américain type devient un homme (et non un gentleman, appréciez la nuance) en quittant la civilisation pour aller vivre dans la nature où il renonce à ses bonnes manières en apprenant à ne plus compter que sur lui-même.

Il faut avouer qu'il correspond à un genre d'homme assez singulier, cet Américain type formé au contact de la nature sauvage. Il n'a rien d'un intellectuel. Il ne s'intéresse ni à l'étude ni à la spéculation pure. Comme l'a remarqué Tocqueville : « Tout ce qui est ancien lui inspire une sorte de dégoût. » Il apparaît le plus souvent tel que l'explorateur John Frémont a décrit Kit Carson, l'homme de la frontière par excellence : « monté à cru sur un magnifique cheval, galopant tête nue dans les prairies », quand il ne manie pas la hache en « abattant à tour de bras des cèdres et des chênes » d'un air de ne pas y toucher, comme en a témoigné un étranger extrêmement impressionné au siècle passé.

Les Européens en visite aux États-Unis aux XVIIIe et XIXe siècles considéraient l'Américain type comme une attraction touristique en soi, presque aussi fascinante que les chutes du Niagara, le nouveau réseau ambitieux des chemins de fer ou les Indiens aux coiffes de plumes folkloriques. Bien entendu, tout le monde ne tomba pas sous le charme. (« Il n'existe sans doute pas de peuple plus vain que les Américains ; même pas les Français, se lamente un observateur britannique en 1818. Les Américains sont convaincus de ne rien avoir à apprendre des étrangers, ils croient avoir en tête une encyclopédie complète. ») Quoi qu'il en soit, pour le meilleur ou pour le pire, tous s'accordaient sur l'originalité foncière de l'Américain, capable de s'en sortir en toutes circonstances et de surmonter les obstacles liés à la création d'un nouveau monde dans une nature vierge et sauvage. Les citoyens des États-Unis, que ne bridaient ni la barrière des classes ni la bureaucratie ni la décadence au sein des villes, abattaient plus de besogne en un seul jour que quiconque l'aurait cru possible. Voilà d'ailleurs l'essentiel : personne ne parvenait à croire à la vitesse à laquelle œuvraient ces types.

Gottfried Duden, un Allemand qui se rendit dans l'ouest des États-Unis en 1824 à la recherche de terrains convenant à des familles de son pays, candidates à l'émigration en Amérique, leur raconta, ébahi : « En Amérique du Nord, des travaux d'aménagement que des siècles ne suffisent pas à mener à bien en Europe s'achèvent en quelques années, grâce à la coopération volontaire des citoyens. » À l'époque de la visite de Duden, des fermiers creusaient un canal de trois cent soixante-dix kilomètres de long dans l'Ohio sans l'aide du moindre ingénieur diplômé. Duden vit de « magnifiques villes » prospérer là où, deux ans plus tôt, ne se dressait pas même une simple bourgade. Il aperçut de nouvelles routes, de nouveaux ponts, « des milliers de nouvelles fermes » et « une centaine de bateaux à vapeur » flambant neufs, d'une conception ingénieuse bien qu'artisanale et qui naviguaient à merveille. Quand un Américain manquait de quoi que ce soit, il se débrouillait aussitôt pour se le procurer.

L'image d'Épinal d'un citoyen du Nouveau Monde intrépide et capable ne manquait pas d'attrait. L'Anglaise Isabel Lucy Bird (célèbre pour le style froid et détaché de ses récits de voyage) se mit à délirer d'enthousiasme ou peu s'en faut en découvrant les hommes mal dégrossis qui peuplaient l'Amérique des années 1850 :

« On ne saurait donner une idée de "l'homme de l'Ouest" à qui n'en a pas croisé au moins un spécimen [...] : grand, beau, large d'épaules, de carrure athlétique, le nez aquilin, les yeux gris perçants, la barbe et les cheveux bruns bouclés [...] ; vêtu d'une veste et d'une culotte en cuir, chaussé de hautes bottes aux revers brodés et aux éperons d'argent, coiffé d'un chapeau écarlate orné de fil d'or un peu terni, sans doute offert par quelque ravissante demoiselle sous le charme de ce chasseur à l'allure intrépide. Sa simple présence dissipe l'ennui ; c'est un conteur-né qui sait siffler et chanter mieux que personne. [...] Décidément, l'Américain a le cœur joyeux ! Chevaleresque dans ses manières et libre comme l'air, il a des tas d'anecdotes hautes en couleur à raconter sur la vie dans l'Ouest. »

Entre nous : je n'y étais pas. Difficile de déterminer dans quelle mesure une telle rhétorique se fondait sur la réalité ou sur le vif désir d'une presse étrangère impressionnable de diffuser la dernière tendance à la mode. Tout ce que je sais, c'est que nous, les Américains, avons adhéré à la tendance. Nous y avons adhéré en la mêlant au pot-pourri à la saveur déjà corsée de notre propre mythologie avant de concocter à l'intention du reste du monde un archétype de l'Américain et des circonstances dans lesquelles il a vu le jour. Pecos Bill. Paul Bunyan. L'homme qui détourne le cours des rivières avec l'aide de son bœuf bleu. Celui qui dompte des chevaux sauvages en se servant de serpents à sonnette en guise de rênes. Un héros tout-puissant né de la communion avec la frontière. Cela, personne ne l'ignorait.

Frederick Jackson Turner ne fut pas le seul à s'alarmer quand le Bureau du recensement annonça la suppression officielle et soudaine de la frontière en 1890. Il fut toutefois le premier à s'interroger sur ce que cela impliquerait pour les générations futures. Son inquiétude fut contagieuse. De multiples questions surgirent. Qu'allaient devenir nos p'tits gars en l'absence de terres sauvages où prouver leur valeur ?

Eh bien, ils risquaient de s'amollir, trop choyés, de sombrer dans la décadence.

Que le Seigneur nous vienne en aide ! Ils risquaient même de s'européaniser !

C'est à New York qu'il a fallu que je rencontre Eustace Conway. Eh oui ! En 1993.

C'est son cow-boy de frère qui me l'a présenté. J'ai travaillé avec Judson Conway dans un ranch des Rocheuses, dans le Wyoming, à l'époque où je me prenais pour une cow-girl de l'Ouest, à vingt-deux ans ; ce qui ne manquait d'ailleurs pas de culot de ma part vu que je n'étais en réalité qu'une ancienne joueuse de hockey sur gazon du Connecticut. Je suis partie dans le Wyoming à la recherche d'une authenticité que je n'espérais plus trouver que le long de la frontière ou, à défaut, de ce qu'il en restait.

J'ai poursuivi ma quête avec tout le sérieux de mes parents, du temps où ils se prenaient pour des pionniers en élevant des poulets, des chèvres et des abeilles sur un terrain de cent vingt ares en Nouvelle-Angleterre, en cultivant eux-mêmes de quoi nous nourrir. À cette époque-là, ils allaient même jusqu'à confectionner nos vêtements et nous laver les cheveux dans un baquet où ils récoltaient de l'eau de pluie. Ils chauffaient notre maison (deux pièces seulement) avec du bois qu'ils débitaient à la main. Mes parents nous ont donné, à moi et à ma sœur, une éducation XIXe siècle des plus rudes, bien que nous ayons grandi sous la présidence de Reagan au sein d'une des localités les plus riches du Connecticut, dans une petite ferme le long d'une autoroute à même pas deux kilomètres d'un country-club huppé.

Et alors ? me direz-vous. Mes parents nous incitaient, ma sœur et moi, à ignorer cet aspect de la réalité. Nous ramassions des mûres le long des haies qui bordaient l'autoroute, vêtues de nos robes cousues main tandis que les voitures filaient à toute allure et que le sol tremblait au passage des semi-remorques. Nous allions à l'école, les manches tachées de lait de chèvre. Nous apprenions à mépriser les valeurs de la culture qui nous cernait de toutes parts en gardant à l'esprit cet antique et vénérable précepte américain : un esprit fertile en expédients est l'indice de la plus haute vertu.

Personne ne s'étonna donc quand je décrétai à vingt-deux ans que poursuivre mes études ne me satisferait pas plus que d'opter pour un quelconque métier respectable. Je nourrissais d'autres aspirations. Je voulais éprouver les limites de mon ingéniosité. Or, selon moi, je n'y parviendrais que dans le Wyoming ou un endroit dans ce goût-là. L'exemple de mes parents m'incitait à l'émulation, au même titre que le conseil vivifiant de Walt Whitman aux jeunes Américains du XIXe siècle : « Faites fi des choses établies ! Partez à la rencontre de votre pays ! Allez à l'ouest et dans le sud !

Rendez-vous parmi les hommes, là où règne l'esprit des hommes ! Domptez des chevaux, apprenez à tirer à l'arc et à pagayer. »

En un sens, je suis partie dans le Wyoming pour devenir un homme.

J'adorais mon travail au ranch. Je me nourrissais de tripes que je cuisinais moi-même. Je montais des chevaux à travers des étendues sauvages. Je passais mes soirées devant un feu de camp. Je picolais et je racontais des anecdotes et je jurais comme un charretier. En somme, je me la jouais authentique. Quand des inconnus me demandaient d'où je venais, je répondais : « De Lubbock, au Texas ». Tant que personne ne me posait deux fois la même question, j'arrivais à peu près à passer pour une authentique cow-girl. Les autres employés du ranch me donnaient même un surnom d'authentique cow-girl : ils m'appelaient Blaze.

Mais seulement parce que je le leur avais demandé.

Mon attitude relevait de l'imposture pure et simple. Cela dit, je considérais l'imposture comme un droit et même un privilège pour la jeune citoyenne des États-Unis que j'étais alors. Je perpétuais un rite national. Mon attitude ne me paraissait pas plus fausse que celle de Teddy Roosevelt au moment de quitter New York, un siècle plus tôt, sous les traits d'un dandy pomponné, pour se rendre dans l'Ouest afin d'y devenir un homme, un vrai. Il se vantait auprès de ses proches de sa nouvelle vie à la dure et de sa garde-robe de mâle viril en leur écrivant, très imbu de lui-même : « Cela t'amuserait sans doute de me voir sous mon stetson, vêtu d'une chemise en peau de daim à franges ornée de perles et chaussé de bottes en cuir de vache aux éperons d'argent. » Cette lettre de Roosevelt à l'un de ses amis de la côte Est, je la connais par cœur. J'en ai pondu des dizaines dans la même veine. (« Je me suis acheté une paire de bottes en peau de serpent la semaine dernière, ai-je écrit à mes parents en 1991, et je les ai déjà bousillées en travaillant au corral, mais c'est fait pour, bon sang ! »)

J'ai rencontré Judson Conway le jour de mon arrivée au ranch. C'est sur lui que mon regard s'est posé en premier après mon long trajet sur les pentes montagneuses du Wyoming. Un coup de foudre, en quelque sorte. Pas du genre : « Il faut à tout prix que je l'épouse ! ». Non ! Plutôt : « Merci Seigneur de me l'avoir envoyé ! » En ce temps-là, Judson Conway, beau gosse, la silhouette élancée, disparaissait à moitié sous son chapeau de cow-boy, entouré en permanence d'un nuage de poussière qui ajoutait encore à son charme. Il lui a suffi de me frôler en se déhanchant (comme dans les westerns de Hollywood : « S'cusez-moi, ma p'tite dame, mais j'viens d'parcourir une sacrée longue route. ») et hop ! me voilà à ses pieds.

Judson m'attirait avant tout parce qu'il était beau à en tomber raide et que je n'étais pas aveugle, mince alors ! Cela dit, j'ai tout de suite remarqué que nous avions un point commun, lui et moi. Comme moi (et au même âge : vingt-deux ans), Judson était un parfait imposteur. Rien d'authentique en lui, pas plus que chez sa nouvelle amie Blaze (ou encore que chez Frank Brown, l'autre cow-boy de vingt-deux ans qui travaillait au ranch et qui demandait à ce qu'on le surnomme Buck alors qu'il étudiait à l'université du Massachusetts). Et je ne vous parle pas de notre cow-boy en chef, Hank, qui criait toujours : « Allez ! On va leur tanner le cuir ! » quand sonnait l'heure de monter à cheval alors que son père était l'assistant du procureur général de l'Utah. En résumé, tous autant que nous étions, nous nous donnions en spectacle.

Ma préférence allait toutefois à Judson parce qu'il appréciait le spectacle plus que quiconque. Il disposait d'un léger avantage culturel sur nous : lui au moins venait du Sud, dont il conservait d'ailleurs l'accent traînant. Et quelle allure ! Walt Whitman aurait adoré le style de vie de Judson. Non content de tirer à l'arc et de pagayer à la force de ses bras, il avait traversé l'Amérique à bord de wagons de marchandises avant de revenir en stop, et embrassé des filles venues d'un peu partout. Il possédait en outre un sacré talent de conteur et de chasseur. Et à cheval, alors là ! Il avait appris tout seul à décoller de sa selle en piquant un galop et des tas de trucs pas tellement pratiques pour le travail au ranch mais vraiment sensationnels.

Nous avons passé du bon temps dans le Wyoming, lui et moi. Puis nos chemins se sont séparés deux ans plus tard. Nous avons tout de même gardé contact. Tel un brave combattant de la guerre de Sécession, Judson prit la bonne habitude de m'adresser de longues missives. Il ne me téléphonait jamais mais ne manquait jamais non plus de m'écrire. Or, il avait beaucoup à raconter sur la vie idyllique qu'il menait : au printemps, il chassait la colombe en Caroline du Nord ; l'été, il pêchait en Alaska ; l'automne, il chassait le wapiti dans le Wyoming et, l'hiver, il emmenait les touristes attraper des poissons dans les Keys, en Floride.

« J'ai l'intention d'apprendre à pêcher en haute mer et j'espère décrocher un boulot à bord d'un bateau de location pour touristes, m'a-t-il écrit lors de son premier séjour en Floride. Je loge chez un couple que j'ai emmené en balade à cheval, un jour, dans le Wyoming. On a commencé à discuter et me voilà ici… J'ai passé pas mal de temps au parc national des Everglades, à observer les oiseaux et à me battre contre les alligators. »

« Je ne "gagne" pas ma vie, m'a-t-il confié peu après son arrivée en Alaska, je la vis, un point c'est tout. »

Judson jurait qu'il passerait me voir à New York où je venais de m'installer entre-temps (« Il y a des poissons dans l'Hudson ? »). Puis les années s'écoulèrent sans qu'il frappe à ma porte. J'ai fini par renoncer à le voir débarquer un jour. (« Tu vas te marier, alors ? m'a-t-il écrit en réponse à une longue lettre de ma part. Je suppose que j'ai attendu trop longtemps pour te rendre visite. ») Puis, de but en blanc, alors qu'on ne s'était plus parlé depuis des années, il m'a passé un coup de fil. En soi, c'était déjà incroyable. Judson ne se sert jamais du téléphone, du moins pas quand il a des timbres sous la main. Là, il s'agissait d'un cas d'urgence : il devait prendre un avion pour New York le lendemain. À l'en croire, il s'était décidé sur un coup de tête, curieux de voir à quoi ressemblait une grande ville. Son frère aîné, Eustace, a-t-il précisé, l'accompagnerait.

Pour débarquer, ça ! les frères Conway ont bel et bien débarqué le lendemain matin. Un taxi jaune les a déposés pile devant mon immeuble où ils ont offert le spectacle le plus incongru qu'on puisse imaginer. Voilà donc le ténébreux Judson, qui ressemblait à s'y méprendre à l'un des héros de la série télé *Bonanza*. Et à côté de lui, son frère : ce satané Davy Crockett.

Je m'en suis rendu compte parce que c'est ce dont tout le monde dans les rues de New York s'est mis à le traiter.

« Hé, mec ! Mais c'est ce satané Davy Crockett ! »

« Mate-moi ça : on dirait ce satané Davy Crockett ! »

« Le roi de la putain de frontière ! »

Bien entendu, quelques New-Yorkais l'ont aussi pris pour ce satané Daniel Boone. En attendant, tout le monde avait son mot à dire sur ce curieux visiteur qui arpentait les rues de Manhattan vêtu de peaux de daim cousues main, un couteau qui en imposait à la ceinture.

Ce satané Davy Crockett.

Voilà dans quelles circonstances j'ai fait la connaissance d'Eustace Conway.

Les deux jours suivants, dans le décor improbable de New York, j'ai tout appris sur la vie d'Eustace Conway. Le premier soir, Judson, Eustace et moi sommes allés boire un verre dans un bar à la clientèle d'habitués de l'East Village. Pendant que Judson n'arrêtait pas de danser avec de jolies filles en racontant des anecdotes palpitantes sur sa vie au ranch, Eustace m'a tranquillement expliqué, assis dans un coin, qu'il vivait depuis dix-sept ans sous un tipi au fin fond des Appalaches, en Caroline du Nord. Il a baptisé son domaine l'île de la Tortue en référence à la légende indienne de la tortue qui porte le monde sur sa carapace. Eustace m'a confié qu'il possédait quatre cents hectares de forêt : un bassin parfaitement circonscrit et intact délimité par une ligne de partage des eaux sous protection.

Ça m'a étonnée qu'un type qui se nourrissait d'opossums et s'essuyait les fesses avec des feuilles d'arbre ait acquis quatre cents hectares de terres sauvages. Je n'allais pas tarder à m'apercevoir qu'Eustace Conway était décidément très habile. Il avait constitué son domaine au fur et à mesure qu'il gagnait de l'argent en racontant à des écoliers médusés qu'il se nourrissait d'opossums et s'essuyait les fesses avec des feuilles d'arbre. La terre, m'a-t-il expliqué, correspondait à sa principale (et pour ainsi dire unique) dépense. Tout ce qu'il lui fallait, il le fabriquait lui-même, le cultivait ou le tuait. Il chassait pour se nourrir, buvait de l'eau qu'il puisait dans la nappe phréatique, cousait ses propres vêtements…

Eustace m'a confié que la plupart des gens se figurent son existence sous un jour plus romanesque qu'en réalité. Quand on lui demande ce qu'il fait dans la vie, Eustace répond invariablement : « J'habite dans les bois ». Ses interlocuteurs prennent alors une mine rêveuse en soupirant : « Ah ! Les bois ! Les bois ! Le bonheur ! », comme si Eustace passait son temps à laper la rosée sur les feuilles de trèfles. Ce n'est pourtant pas ce qu'habiter les bois signifie du point de vue d'Eustace Conway.

Un jour d'hiver qu'il chassait le cerf, voici quelques années, il s'est trouvé nez à nez avec un magnifique daim en train de paître parmi les sous-bois. Il a tiré. Le daim s'est écroulé. Ne sachant pas s'il venait de le tuer ou non, Eustace a attendu et attendu encore au cas où l'animal tenterait de se relever. Le daim n'a pas remué un seul muscle. Lentement, sans un bruit, Eustace s'est approché de lui : il gisait sur le côté, un mince filet de sang coulait de ses naseaux. Ses yeux bougeaient encore ; il était donc vivant.

« Lève-toi, frère ! a crié Eustace. Lève-toi et je t'achèverai ! »

L'animal n'a pas bougé. Eustace n'a pas supporté de le voir couché là, respirant encore mais blessé. Cela dit, pas question pour autant de lui exploser sa magnifique tête à bout portant ! Eustace a donc sorti son couteau de sa ceinture pour le planter dans la veine jugulaire du daim, qui s'est redressé, soudain bien vivant, en agitant ses bois en tous sens. Eustace s'y est accroché sans lâcher son couteau. Il a entamé une lutte avec l'animal, en se débattant parmi les broussailles avant de rouler le long de la pente ; le daim donnait des coups à Eustace que celui-ci tentait de parer en l'incitant à heurter plutôt des troncs d'arbre ou des rochers. Eustace a fini par trancher la gorge du daim en lui ouvrant d'un coup de couteau les veines, les artères et la trachée. Le daim a continué de lutter jusqu'à ce qu'Eustace lui enfonce la tête dans le sol et pose un genou dessus en attendant qu'il s'étouffe, à l'agonie. Là-dessus, il a plongé les mains dans le cou de l'animal et s'est barbouillé le visage de sang en pleurant et en riant et en adressant à l'univers une prière extatique pour le remercier du sacrifice auquel venait de consentir le magnifique animal en lui abandonnant sa vie pour que la sienne se poursuive.

Voilà ce que ça signifie d'habiter dans les bois, du point de vue d'Eustace Conway.

Le lendemain de leur arrivée, j'ai emmené les frères Conway au parc de Tompkins Square. Là, j'ai soudain perdu de vue Eustace. Impossible de le retrouver ! J'ai commencé à m'inquiéter : hors de son environnement habituel, il ne devait pas se sentir très à l'aise. Je suis tombée sur lui en pleine conversation avec le ramassis de dealers les plus patibulaires qu'on appréhenderait de croiser. Eustace venait de décliner poliment leur offre de lui vendre du crack ; ce qui ne l'avait pas dissuadé d'entamer avec eux une discussion sur d'autres sujets.

« Hé, mec ! venaient de lui demander les dealers à mon arrivée. D'où tu l'as achetée, ta chemise de ouf ? »

Eustace expliqua aux dealers que sa chemise, il ne l'avait pas « achetée » mais confectionnée lui-même avec la dépouille d'un daim. Il leur raconta qu'il avait tué le daim à l'aide d'un fusil à poudre noire avant de l'écorcher (« Avec le couteau que vous voyez là ! ») puis de tanner sa peau en se servant de la cervelle de l'animal. Il avait ensuite cousu les pans de la chemise en utilisant des tendons prélevés le long de la colonne vertébrale en guise de fil. Il affirma aux dealers que ça n'avait rien de sorcier et qu'eux aussi pourraient y arriver. D'ailleurs, s'ils venaient lui rendre visite dans les montagnes, à l'île de la Tortue, il leur montrerait des tas de façons incroyables de profiter des ressources de la nature.

« Eustace, il faut qu'on y aille », l'ai-je interrompu.

Les dealers lui ont serré la main en s'écriant : « Waouh, 'Stace ! Toi, t'es quelqu'un. »

Voilà comment Eustace se comporte sans arrêt avec tout le monde : il ne laisse jamais passer une occasion de transmettre son message. Eustace n'est ni un ermite ni un hippie ni l'un de ces types qui s'entraînent à survivre à la fin du monde moderne. Il n'habite pas dans les bois parce qu'il souhaite échapper à la société, qu'il y cultive de l'herbe qui fait planer ou qu'il y stocke des mitraillettes en vue d'une course à l'armement. Il habite dans les bois parce qu'il s'y sent chez lui. Et s'il invite les autres à le rejoindre, c'est parce qu'il se croit détenteur d'une mission : sauver l'âme de notre nation en incitant les Américains à vivre en communion avec la frontière, ni plus ni moins. Ce qui signifie qu'à l'entendre, Eustace Conway est l'homme d'un destin.

Eustace conçoit l'île de la Tortue (un monde idyllique qu'il a lui-même aménagé) comme une école d'un genre à part, une université en pleine nature, un monastère hors de la civilisation. À l'issue de plusieurs années d'étude des sociétés primitives et d'innombrables expériences de transformation personnelle au sein de la nature indomptée, Eustace s'est établi un dogme : selon lui, le seul moyen pour l'Amérique moderne de mettre un terme à la corruption, à la cupidité et au sentiment de malaise qui la minent consiste à s'abandonner au ravissement d'un tête-à-tête avec la nature dans tout ce qu'elle a « de sacré et d'admirable ».

Il lui semble que nous, les Américains, à force d'aspirer à toujours plus de confort, détruisons la beauté âpre mais édifiante de notre environnement originel pour lui en substituer un autre plus rassurant mais hélas complètement artificiel. Eustace voit notre société se déliter lentement mais sûrement en raison même de sa surabondance de ressources. Ingénieux, ambitieux et sans cesse en quête d'efficacité, nous, les Américains, avons en deux siècles à peine créé autour de nous un cocon protecteur où il nous suffit de presser un bouton à n'importe quelle heure du jour ou de la nuit pour réaliser nos désirs. Il ne nous est plus nécessaire d'œuvrer nous-mêmes à la satisfaction de nos besoins élémentaires (de quoi se nourrir et se vêtir, un toit sous lequel s'abriter, un peu de détente, des moyens de transport et même du plaisir sexuel) ni même de comprendre leur raison d'être. Plus rien ne nous retient de les assouvir en échange d'un peu d'argent liquide. Ou, au pire, à crédit. Ce qui signifie que personne n'a plus besoin de savoir « faire » quoi que ce soit, si ce n'est gagner assez pour continuer à jouir des facilités de la vie moderne.

En prenant un raccourci pour relever le moindre défi, nous avons toutefois plus à perdre qu'à gagner. Eustace n'est pas le seul à le penser. Nous sommes un peuple de plus en plus dépressif et anxieux ; ce qui n'a d'ailleurs rien d'étonnant. Bien sûr, on pourrait arguer que le confort moderne nous permet de gagner du temps. Mais du temps pour quoi ? Une fois instauré un système en mesure de satisfaire nos moindres besoins sans nous fatiguer inutilement, nous pouvons combler nos heures de loisir par…

Eh bien, pour commencer : par la télévision ; des quantités d'émissions, que chaque Américain passe des heures, des jours, des semaines et même des mois entiers de sa vie à regarder. Et sinon : par le travail. Les Américains consacrent de plus en plus de temps à leur boulot à mesure que les années passent. Dans presque chaque foyer, les deux parents (si tant est qu'il n'en manque pas un) doivent travailler toute la semaine à l'extérieur pour se payer des biens de consommation modernes. Ce qui suppose qu'ils perdent beaucoup de temps dans les transports. Qu'ils se sentent tendus en permanence. Qu'ils se consacrent moins à leurs proches. Qu'ils engloutissent des hamburgers-frites en vitesse sur le chemin du bureau. Que leur santé se dégrade sans cesse. (Nous, les Américains, sommes sans conteste le peuple le plus gros et le moins actif de toute l'histoire. Or, nous prenons du poids d'année en année. Il semblerait que nous traitions notre corps avec autant de désinvolture que nos autres ressources naturelles ; après tout, si l'un de nos organes vitaux nous lâche, rien ne devrait en théorie nous empêcher de le remplacer par un autre. On trouvera bien une solution. De même, nous sommes persuadés que quelqu'un d'autre replantera une forêt le jour où nous aurons fini d'exploiter celle que nous avons sous la main. Du moins, si tant est que nous remarquions que nous l'exploitons.)

Une telle attitude ne manque pas d'arrogance. Surtout (pire encore !), elle trahit une profonde aliénation. Nous ne vivons plus selon le rythme de la nature. Ce n'est pas plus compliqué que ça. À partir du moment où nous ne cultivons plus ce que nous mangeons, pourquoi prêter encore attention à, disons, la succession des saisons ? Reste-t-il une différence entre l'hiver et l'été quand on a la possibilité de manger des fraises toute l'année ? Si rien ne nous empêche de maintenir la température de notre intérieur à vingt et un degrés de janvier à décembre, à quoi bon guetter l'approche de l'automne ? À quoi bon s'y préparer ? Ou même réfléchir à ce qu'implique pour nous, pauvres mortels, la fin du cycle de vie de tant de plantes à la morte-saison ? Et quand revient le printemps, à quoi bon s'extasier sur la renaissance qui l'accompagne ? Est-il encore nécessaire d'en rendre grâce ? De fêter l'événement ? Si nous ne sortons plus de chez nous que pour nous rendre au travail, pourquoi nous soucier de la force de vie prodigieuse et éternelle qui se manifeste sans répit autour de nous ?

À l'évidence, ça ne sert plus à rien. Du moins, il semblerait que nous n'y prêtions plus attention. C'est en tout cas ce dont Eustace Conway se convainc quand il observe l'Amérique. Il y voit une société indifférente aux cycles naturels qui ont pourtant modelé la culture de l'humanité pendant des millénaires. Sevrée de son lien vital avec la nature, notre nation risque de se détacher de ce qu'il reste d'humain en elle. Après tout, nous ne sommes pas des étrangers en visite sur cette planète mais des résidents à vie apparentés à la moindre créature vivante qui s'y développe. C'est de la terre que nous venons et c'est à la terre que nous retournerons à notre mort et, dans l'intervalle, c'est elle qui délimite l'horizon de notre vie. Nous ne pouvons pas espérer nous comprendre nous-mêmes à moins de nous entrer ça dans le crâne. C'est-à-dire à moins d'admettre que nous devons resituer notre existence au sein d'un contexte métaphysique qui la dépasse.

Eustace a une vision de notre situation qui fait froid dans le dos : nous formons à ses yeux une société tellement oublieuse du cycle de la nature que nous avançons dans la vie comme des somnambules inconscients, sans rien voir ni entendre. Nous évoluons comme des robots dans un environnement aseptisé qui engourdit nos facultés mentales, affaiblit notre corps et atrophie notre âme. Eustace croit cependant qu'il nous reste encore une chance de renouer avec notre part d'humanité. En contemplant une montagne qui se dresse à l'assaut du ciel depuis la nuit des temps. En admirant les rayons du soleil qui jouent sur l'onde. En assistant à la lutte non dénuée de poésie que chaque espèce mène pour sa survie. Il nous suffirait de prêter attention au monde qui nous entoure pour saisir enfin qu'une seule vie nous est donnée ici sur terre et qu'il nous faut bien l'admettre avec humilité en nous soumettant aux lois de l'univers sans nous interdire pour autant d'y prendre une part même éphémère.

Je vous l'accorde : une telle idée n'a rien de bouleversant. Le premier écologiste venu prône une philosophie inspirée des mêmes constatations. Eustace Conway se distingue toutefois du premier écologiste venu dans la mesure où il croit dur comme fer depuis tout petit que son destin personnel l'appelle à tirer ses compatriotes de leur léthargie. Il est convaincu depuis sa plus tendre enfance que lui seul en est capable, qu'il y va de sa responsabilité et qu'il lui revient d'incarner le vecteur du changement. Un homme, une vision.

D'ailleurs, la voilà, sa vision : les uns après les autres, les Américains se convertiront à son utopie mystique dans les bois. Sous son égide, ils surmonteront leur vulnérabilité, leur ignorance et leur puérilité, qui résultent toutes de leur éducation à la mode d'aujourd'hui. Grâce à son charisme, Eustace convaincra les Américains de s'installer en pleine nature. Il leur ôtera le bandeau qui les aveugle et leur désignera le panorama époustouflant de la frontière. « Regardez donc ! » leur dira-t-il. Puis il retournera dans l'ombre, le temps que leur conscience s'éveille.

Eustace a toujours voulu organiser des camps de vacances sur son domaine, mais il y accueille aussi volontiers des adultes (des apprentis) auxquels il souhaite enseigner son mode de vie. Bien entendu, il sait qu'il n'entraînera jamais tous les Américains en forêt à sa suite. Voilà pourquoi il lui tient à cœur de diffuser son message au plus de monde possible en amenant les bois à son auditoire plutôt que l'inverse. Il emporte partout avec lui l'odeur de la nature sauvage, qui transparaît dans ses propos autant qu'elle s'attache à sa peau. Il voudrait répandre la bonne parole dans l'ensemble des centres commerciaux, parkings, écoles et stations-service d'Amérique. Il voudrait toucher la totalité des hommes d'affaires, des nourrices, des mères de famille, des prostituées, des millionnaires et des camés des États-Unis.

Grâce à la volonté inflexible d'Eustace, les Américains inspirés par son exemple changeront peu à peu. En tout cas, Eustace n'en a jamais douté. Ils mûriront et progresseront et ne manqueront plus jamais de ressort ni de ressources. Ils s'éloigneront alors d'Eustace pour transmettre à leur tour son enseignement. La vision qui anime Eustace Conway d'une vie en parfaite harmonie avec la nature se répandra comme la bonne nouvelle de l'Évangile parmi les familles, les villes, les comtés et les États de l'ensemble du pays jusqu'à ce que nous vivions tous à la manière d'Eustace : en cultivant nous-mêmes de quoi nous nourrir, en fabriquant nos habits, en allumant un feu à l'aide de bouts de bois et en louant la part bénie d'humanité en nous. Voilà ce qui assurera le salut de notre glorieuse nation et de notre planète sacrée.

Du moins, c'est ce qu'Eustace a en tête.

Culotté ? À n'en pas douter ! N'empêche, il y a quelque chose en lui qui force le respect.

Il ne mérite certainement pas qu'on le traite par-dessus la jambe. Comme en témoigne son frère Judson, admiratif (et comme j'aurais moi-même l'occasion de m'en rendre compte), Eustace se débrouille mieux que personne en pleine nature. Il possède des compétences à toute épreuve. Il est physiquement et intellectuellement prédisposé à réussir tout ce qu'il entreprend. Il voit et entend parfaitement bien. Il n'y a rien à redire à son sens de l'équilibre ni à ses réflexes. Sa musculature s'appuie sur une charpente osseuse légère mais solide, un peu comme celle d'un semi-marathonien. Son corps est capable de se plier à toutes ses exigences. Son esprit aussi. Il suffit qu'on lui expose une idée ou une technique une seule fois pour qu'il se l'approprie en l'améliorant. Il prête plus attention que n'importe qui à son environnement. Ainsi que l'a écrit Henry Adams à propos des premiers colons américains, il se sert de son intellect comme « d'un scalpel affûté ».

Voilà qui explique sans doute son honnêteté à toute épreuve. Je lui ai demandé un jour : « Y a-t-il quoi que ce soit qui dépasse tes compétences ? » Il m'a répondu : « Ma foi, rien ne m'a jamais semblé particulièrement difficile ». En d'autres termes, Eustace a suffisamment confiance en lui pour nourrir la conviction qu'il peut changer le monde. Il possède en outre la volonté inébranlable d'un réformateur-né. Il ne manque pas de charisme non plus, dont il use d'ailleurs et abuse sur tous ceux qui croisent son chemin.

Ma première visite à Eustace à l'île de la Tortue remonte à 1995. Au cours de mon séjour, Eustace a dû s'absenter, comme souvent d'ailleurs, pour aller gagner de l'argent en parlant de sa vie en forêt ; en répandant la bonne parole, en somme. Il m'a proposé de l'accompagner. Nous sommes donc partis dans un camp de vacances en Caroline du Nord destiné à sensibiliser les jeunes au respect de l'environnement. À notre arrivée, un groupe d'adolescents chahutait dans la salle à manger en attendant la conférence. Ils m'ont tous fait l'effet de parfaits abrutis : incapables de se tenir, ils criaient sans cesse en riant aux éclats dans un raffut de tous les diables. Eustace était censé instiller en eux l'amour de la nature.

Ça va mal se terminer, me suis-je dit.

Eustace, qui portait ce soir-là un jean et une chemise à carreaux à la place de ses habituels vêtements en daim, s'est avancé sur l'estrade en direction du micro. À son cou pendaient deux dents de coyote. Son couteau dépassait de sa ceinture.

Le chambard a continué de plus belle.

Eustace, frêle de carrure, la mine grave, s'est posté face au micro, les mains dans les poches. Au bout d'un long moment, il a lâché : « Comme je n'aime pas hausser le ton, je m'adresserai à vous sans crier ce soir. »

Là-dessus, le raffut a cessé. Les adolescents à l'air d'abrutis l'ont dévisagé, médusés. Comme ça, d'un seul coup. Un silence de mort. Je le jure. On se serait cru dans le film *Les Anges aux poings serrés*.

« Je suis parti vivre dans les bois à dix-sept ans, a commencé Eustace. Presque à votre âge... » Là-dessus, il leur parla de sa vie. Les gamins paraissaient ensorcelés : pour un peu, on aurait pu les passer au bistouri sans anesthésie. Eustace évoqua brièvement ses aventures avant de leur réciter son discours sur le monde des boîtes par opposition au monde des cercles.

« Je vis dans la nature où tout est lié, où tout est circulaire. Les saisons s'enchaînent selon un rythme circulaire. Notre planète en forme de sphère décrit une ellipse autour du soleil. L'eau sur notre terre obéit à un cycle : elle tombe du ciel puis circule en permettant à la vie de se reproduire sur son passage avant de s'évaporer à nouveau. Je vis sous un tipi rond. J'allume du feu en entassant des branches en cercle et, quand mes proches me rendent visite, nous formons un cercle autour du feu pour discuter. La vie des plantes et des animaux correspond à un cycle. Là où j'habite, au grand air, je ne peux pas l'ignorer. Les peuples des temps reculés savaient que le cercle gouvernait notre monde, mais nous, à notre époque moderne, nous l'avons perdu de vue. Je ne vis pas dans un immeuble parce que les immeubles sont des lieux de mort où rien ne pousse, où l'eau ne circule pas, où la vie s'est arrêtée. Je n'ai pas envie de vivre dans un lieu de mort. On me reproche souvent de ne pas vivre dans le réel. Pourtant ce sont les Américains, nos contemporains, qui évoluent dans un monde factice depuis qu'ils se sont détachés du cycle naturel de la vie.

« J'ai pris conscience du cycle de la vie en découvrant le cadavre d'un coyote mort depuis peu alors que je traversais l'Amérique à cheval. La chaleur du désert l'avait comme momifié. Autour de lui poussait une herbe fraîche et verte à l'intérieur d'un cercle luxuriant : la terre se régénérait en récupérant les éléments nutritifs du corps de l'animal. Soudain, j'ai compris que ce n'était pas de mort dont il était question mais, au contraire, de vie éternelle ! J'ai attaché les dents du coyote à ce collier que vous voyez à mon cou et qui ne me quitte jamais afin que je garde la leçon présente à l'esprit en permanence.

« Où vivent la plupart des gens aujourd'hui ? À l'intérieur de cercles ? Non. Dans des boîtes. Ils se réveillent chaque matin dans la boîte qu'est leur chambre parce qu'un bip en provenance d'une boîte à côté d'eux leur indique qu'il est l'heure de se lever. Leur petit déjeuner, ils le sortent d'une boîte qu'ils jettent dans une autre boîte, sitôt fini de manger. Ils s'en vont alors de la boîte où ils habitent pour monter à bord d'une boîte sur roues qui les conduit à leur travail, ou plutôt à une autre grosse boîte compartimentée en un tas de box minuscules où ils passent leurs journées assis devant les boîtes de leurs ordinateurs. Le soir venu, chacun repart chez soi à bord de sa boîte sur roues avant de passer la soirée à se distraire en regardant la boîte de la télé. La plupart des gens écoutent de la musique qui sort d'une boîte, ils se nourrissent de boîtes, ils rangent leurs habits dans des boîtes, ils passent leur vie à l'intérieur d'une boîte ! Ce que je viens de vous dire ne vous ferait pas penser à quelqu'un que vous connaissez, par hasard ? »

À ces mots, les gamins rirent de bon cœur avant de l'applaudir.

« Échappez-vous de la boîte ! poursuivit Eustace. Rien ne vous oblige à mener ce genre de vie. Qui vous a dit qu'il n'en existait pas d'autre ? Vous n'êtes pas pieds et poings liés à votre culture ! Ce n'est pas comme ça que l'humanité a vécu pendant des millénaires et ce n'est pas la seule façon possible de vivre aujourd'hui ! »

Au bout d'une heure encore de ce discours, un tonnerre d'applaudissements retentit, comme à une assemblée de chrétiens évangélistes. À l'issue de la conférence, Eustace s'assit sur le bord de l'estrade et but un peu de l'eau de source de l'île de la Tortue qu'il emporte partout avec lui dans une carafe en verre. Les adolescents s'approchèrent d'un air de respect admiratif alors que le directeur du camp gratifiait Eustace d'une poignée de main chaleureuse (et d'un chèque sous enveloppe au montant généreux). Les adolescents s'approchèrent un peu plus. Le plus teigneux, la pire crapule de la bande vint se camper en face d'Eustace. Il serra son poing contre son cœur en déclarant d'un ton solennel : « T'assures, mec. Je te kiffe trop ! C'est de la balle, ce que tu fais. » Eustace rejeta la tête en arrière en éclatant de rire. Les autres adolescents se rangèrent en file indienne pour lui serrer la main chacun leur tour avant de le bombarder de questions.

« Tu saurais faire du feu, là maintenant ?

– Oui.

– Si quelqu'un te déposait tout nu au beau milieu de l'Alaska, tu t'en tirerais ?

– Je suppose que oui. Quoique… ce serait beaucoup plus facile si on me laissait un couteau.

– Tu n'as pas eu peur, quand tu es parti vivre dans les bois ?

– Non. Le monde qu'on prétend civilisé me paraît beaucoup plus effrayant.

– Tes parents t'en ont voulu quand tu as choisi de vivre dans les bois ?

– Ça dépassait mon père, que je veuille m'en aller d'une maison pourvue de tout le confort moderne, mais ma mère, elle, a compris.

– Ça t'arrive, de tomber malade ?

– Rarement.

– Tu vas des fois chez le toubib ?

– Jamais.

– Tu sais conduire ?

– Comment crois-tu que je sois venu ici ce soir ?

– Tu te sers d'outils modernes ?

– Je possède une tronçonneuse. Pour entretenir mon terrain. Et un téléphone aussi. Et des seaux en plastique. Bon sang, c'est vraiment super, les seaux en plastique ! J'ai fabriqué des tas de paniers à partir d'herbes ou d'écorces d'arbre (je maîtrise la technique et je m'en suis d'ailleurs souvent servi pour puiser de l'eau), mais j'aime autant vous le dire : rien ne vaut un seau en plastique quand on veut gagner du temps. Waouh ! Les seaux en plastique ! Vous parlez d'un don du ciel ! J'en raffole !

– Tu as une brosse à dents ?

– Pas en ce moment.

– Et une brosse à cheveux ?

– J'en avais une, avant, en piquants de porc-épic.

– Où tu l'avais trouvée ?

– Un porc-épic m'a sauvé la vie quand je randonnais sur le sentier des Appalaches. Je me suis servi de ses piquants pour me fabriquer une brosse afin de lui rendre hommage.

– Comment est-ce qu'un porc-épic a pu te sauver la vie ?

– Il m'a fourni de quoi me nourrir alors que je mourais de faim. »

Un long silence a suivi, le temps que les gamins percutent. Puis ils se sont tous écriés « Oh… » à l'unisson, et les questions ont repris de plus belle.

« Pourquoi est-ce que tu mourais de faim ?

– Parce qu'il n'y avait rien à manger.

– Et pourquoi il n'y avait rien à manger ?

– Parce que c'était l'hiver.

– Combien de temps es-tu resté sans manger ?

– Deux semaines.

– Tu pourrais nous la montrer, ta brosse en piquants de porc-épic ?

– Je ne l'ai plus. Je l'ai amenée à une conférence comme celle-ci, pour la montrer à des gamins de votre âge, et quelqu'un me l'a volée. Vous imaginez à quel point ça m'a peiné ?

– Tu possèdes une arme à feu ?

– Plusieurs, même.

– Tu as déjà tué quelqu'un ?

– Non.

– Tu es marié ?

– Non.

– Pourquoi ?

– Je suppose que je n'ai pas encore rencontré la femme qu'il me faut.

– Tu aimerais te marier ?

– C'est mon vœu le plus cher.

– Tu ne te sens jamais seul dans les bois ? »

Eustace hésita puis il sourit d'un air pensif.

« Seulement à la nuit tombée. »

Plus tard ce soir-là, Eustace m'a confié que ses rencontres avec des adolescents d'Amérique lui brisaient le cœur. Certes, il parvient à communiquer avec eux, mais bien peu se rendent compte que l'étendue de leur ignorance, leur indiscipline, leur manque de respect envers leurs aînés, leurs aspirations matérialistes et leur incapacité à se tirer seuls d'affaire (qu'on ne trouverait jamais, mettons, chez des Amish de leur âge) le minent complètement.

Je ne prêtais qu'une oreille distraite aux lamentations d'Eustace : une autre question me turlupinait en effet.

« Dis… Pour revenir sur ce qui s'est passé ce soir… Tu obtiens le même type de réaction chaque fois que tu prends la parole ?

– Oui.

– Quel que soit l'âge de tes auditeurs ? Quel que soit leur milieu d'origine ?

– Oui. »

J'ai médité là-dessus.

« Dis-moi : à ton avis, qu'est-ce qui t'a permis de subjuguer comme tu l'as fait les adolescents de ce soir ? »

La réponse d'Eustace, sans concession, a fusé si vite, d'un ton si dégagé, qu'un frisson m'a parcourue.

« Parce que, m'a-t-il dit, ils ont tout de suite compris qu'ils avaient affaire à quelqu'un d'authentique. Et sans doute pour la première fois de leur vie. »

CHAPITRE 2

Mon fils, mon bourreau
Je te prends dans mes bras,
Placide et petit et remuant à peine
Toi que mon corps réchauffe.

Donald HALL, « Mon fils, mon bourreau »

Au cours de l'hiver 1975, à quatorze ans, Eustace Conway commença un nouveau journal intime où il nota, en guise d'introduction :

« Je m'appelle Eustace Conway et je vis dans une assez grande maison à Gastonia, en Caroline du Nord. Ma mère et mon père sont toujours en vie et j'ai deux frères (Walton et Judson) et une sœur (Martha). Mon temps libre, je le consacre surtout à la culture et l'artisanat amérindiens. J'ai monté une troupe de danse amérindienne qui se compose de : moi, mon frère Walton (le cadet), Tommy Morris (un ami qui habite à deux rues d'ici) et Pete Morris, son frère. Leur père s'est tué il y a deux ans, mais leur mère va bientôt se remarier. Je vais au musée Scheile d'histoire naturelle dès que j'en ai l'occasion parce que j'adore cet endroit et que j'adore les gens qui y travaillent. Je fais presque partie du personnel, maintenant [...]. Ma chambre elle-même ressemble à un musée. J'ai couvert les murs de peintures amérindiennes, de peaux d'ours que mon oncle m'a ramenées d'Alaska et d'objets artisanaux que j'ai fabriqués moi-même. Il n'y a plus de place dans ma chambre, qui est vraiment bourrée à craquer. Il me reste pourtant des tas de choses à installer sauf que ce n'est plus possible. »

Ce petit garçon sortait de l'ordinaire. Sans cesse occupé à ci ou ça ! Il allait à l'école, bien entendu, mais seulement par obligation. Après les cours, il se rendait à bicyclette au petit musée Scheile d'histoire naturelle où des décors empoussiérés datant au moins de la Première Guerre mondiale présentaient des spécimens de la faune et de la flore de Caroline du Nord. À ce moment-là commençait pour Eustace le véritable apprentissage. M. Alan Stout, le directeur du musée, qui s'était pris d'affection pour lui, l'accueillait toujours volontiers dans le merveilleux sanctuaire du Scheile.

Difficile de résister au charme d'Eustace et à son sourire craquant, du moins les rares fois où il se décidait à sourire ! Quel petit garçon sérieux ! Passionné par la géologie, l'anthropologie, l'histoire, la biologie ; n'importe quel sujet dont on l'entretenait. M. Stout autorisait Eustace à se promener dans les réserves du musée pendant des heures, pour le plus grand plaisir du petit garçon. (« M. Stout en sait plus sur les Indiens que n'importe qui d'autre de ma connaissance, s'extasie Eustace dans son journal. C'est un excellent aquarelliste, il peint des paysages du Tennessee, où il est né et où il a passé son enfance. ») Eustace ne ressemblait à aucun enfant que M. Stout eût rencontré jusque-là (ou qu'il rencontrerait par la suite). Quand on lui prêtait un livre, il le lisait attentivement puis il posait une dizaine de questions avant d'en réclamer un autre le lendemain. Quand M. Warren Kimsey, le taxidermiste du musée, lui enseigna l'art de dépouiller un lapin, Eustace suivit ses conseils à la lettre et lui réclama un autre lapin sur lequel s'exercer afin de perfectionner sa technique.

« Warren ne travaille pas là depuis longtemps, confia Eustace à son journal, mais c'est quand même de lui que je me sens le plus proche. En fait, je l'apprécie plus que n'importe qui d'autre au monde. »

Eustace apportait un sacré coup de main au musée. Toujours prêt à rendre service, il ne demandait pas mieux que de passer le balai dans les réserves ou de se charger de n'importe quelle tâche qui répugnait aux autres. M. Stout autorisait Eustace et sa troupe (dont il était le président) à répéter leurs danses indiennes au musée. M. Stout leur donnait des conseils. Il les conduisait aux compétitions en voiture et les aidait à fignoler leurs costumes traditionnels aux motifs complexes en perles. Quelques années plus tard, M. Stout emmènerait Eustace descendre la rivière Catawba en canoë en prélevant au passage des échantillons d'eau dans le cadre d'études gouvernementales sur l'environnement. Il partirait aussi camper seul avec Eustace qu'il regarderait, muet d'admiration, attraper, tuer et dépouiller des serpents à sonnette qu'il mangerait au dîner.

M. Stout appréciait la compagnie d'Eustace, mais, surtout, il le respectait. Il le trouvait brillant. Il observa les progrès d'Eustace Conway avec autant d'attention que Thomas Jefferson avait observé ceux d'un de ses jeunes voisins nommé Meriwether Lewis (un enfant dont le président se souviendrait toujours comme de quelqu'un de « remarquable, même tout petit, par son esprit d'entreprise, son audace et son discernement ».) M. Stout pressentait en outre qu'Eustace avait désespérément besoin d'un endroit où se réfugier l'après-midi, ailleurs que chez lui. Il ne connaissait pas sa situation familiale en détail, mais il avait déjà rencontré le père d'Eustace et il ne fallait pas être un génie pour deviner qu'on ne devait pas voir la vie en rose tous les jours dans la grande maison de Deerwood Drive.

Eustace passait donc l'après-midi au musée avant de s'aventurer dans la petite forêt derrière chez lui. Là, il relevait ses pièges, capturait des tortues ou aménageait des sentiers. Il prenait note de ce qu'il observait dans les bois. Il tenait un journal depuis des années ; une chronique minutieuse de ses activités quotidiennes (en rapport avec la nature ou pas) plus qu'un moyen d'expression proprement dit. Il y dressait aussi la liste de ce qu'il comptait faire le lendemain.

« Aujourd'hui, j'ai donné des vers à manger à ma tortue serpentine. J'ai regardé un film sur un petit garçon et un pigeon voyageur, j'ai répété des pas de danse au cerceau, et j'ai commencé à travailler les plumes pour mon bâton de cérémonie. Je me suis aussi entraîné au ping-pong où je me débrouille plutôt bien. J'ai décidé de lire un passage de ma bible chaque soir jusqu'à ce que j'arrive au bout. Je me demande si je ne vais pas me fabriquer une crête en plumes avec de véritables plumes de dinde. »

« Aujourd'hui, j'ai découvert la piste d'un couguar qui doit dater d'il y a trois jours à peine. J'ai attrapé un serpent des blés d'un mètre soixante-dix de long. J'ai aussi posé un piège à ratons laveurs à l'endroit où j'avais repéré des traces toutes fraîches de leur passage. Je voudrais en attraper pour leur fourrure. »

« J'ai commencé un livre, *La Lutte contre les Indiens de l'Ouest*. Puis, au bout d'un moment, j'ai décidé d'empailler deux pattes de daim [...]. Martha m'a dit qu'un écureuil avait été renversé par une voiture le long de Gardner Park Drive. Je suis parti le dépouiller puis je l'ai congelé pour le dépecer plus tard. »

Une page de son journal de petit garçon intitulée GRENOUILLES fourmille d'annotations à ce propos. (« Hier, j'ai attrapé trois rainettes que j'ai mises dans mon terrarium de quarante litres. Aujourd'hui, j'ai trouvé des œufs dans l'eau. J'ai aussi attrapé une salamandre que j'ai placée auprès des grenouilles. L'une d'elles doit être morte : ça fait un bout de temps que je ne les ai plus vues toutes les trois ensemble. »)

Pour un peu, Eustace nous apparaîtrait sous les traits d'un Thoreau en herbe. Quoique... Pas forcément. En dépit de sa sensibilité à son environnement, Eustace n'a jamais cherché (ni à l'époque ni plus tard) à mener une vie alanguie en communion avec la nature dans le style de Thoreau.

(« Parfois, les matins d'été, une fois sorti de mon bain rituel, écrit ainsi Thoreau, je restais assis sur le pas de ma porte, au soleil, de l'aube jusqu'à midi, perdu dans une rêverie parmi les pins, les hickorys et les sumacs, au calme et dans une solitude que rien ne venait troubler. ») Eustace Conway n'aurait supporté sous aucun prétexte ce genre de délassement décadent. Même enfant, il était bien trop actif pour passer des semaines entières à regarder la lumière évoluer. Eustace ne demandait qu'à se lancer dans des projets. À la rigueur, il serait plus pertinent de le comparer au jeune Teddy Roosevelt : un enfant énergique et résolu, lui aussi, qui avait beaucoup appris au contact d'un taxidermiste, aménagé sa chambre en musée d'histoire naturelle et qui noircissait son journal de préadolescent d'observations minutieuses sur la nature. On aurait pu en dire autant du jeune Eustace Conway que de Teddy Roosevelt, à savoir qu'il incarnait « l'action à l'état pur ».

Eustace n'avait pas beaucoup d'amis. Il ne ressemblait à personne d'autre ; ce dont il prit d'ailleurs conscience très tôt dans sa vie. Les garçons de sa classe passaient des heures devant la télévision ou à discuter des programmes qu'ils regardaient, ou encore à imiter les héros de leurs séries préférées. Leurs références n'évoquaient rien à Eustace.

Les autres garçons s'adonnaient en outre à de drôles de passe-temps. À la cantine, ils s'amusaient à se voler leurs crayons puis à les casser en deux en notant combien de crayons chacun réussissait à briser ; ce qui déroutait Eustace autant que cela l'agaçait. Comment peut-on à ce point manquer de respect pour le bien d'autrui ? Et puis, les crayons sont fabriqués avec le bois d'un arbre, ce qui leur donne une certaine valeur. Les garçons de sa classe passaient des semestres entiers à dessiner des voitures de course dans leurs cahiers, en n'utilisant le papier que d'un seul côté, en plus ! À l'époque, déjà, Eustace se disait : *Quelle perte de temps… et quel gaspillage !* Les autres garçons semblaient sacrément s'ennuyer. Tout ce qui les intéressait, c'était de se battre et de bousiller leurs affaires. Eustace, lui, trouvait toujours une occupation utile. Il lui semblait que les journées ne comptaient pas assez d'heures quand il songeait à tout ce qu'il souhaitait accomplir et apprendre.

De nombreux enfants du voisinage connaissaient Eustace et jouaient même un rôle dans sa vie, mais il ne s'agissait pas de ses amis au sens où on l'entend en général ; plutôt des disciples en herbe. Il arrivait à Eustace de longer le trottoir devant chez lui, une énorme couleuvre noire autour du cou ; ce qui, naturellement, ne passait pas inaperçu. Les petits du quartier rappliquaient alors pour lui poser des questions. Il leur parlait des mœurs des serpents, les embauchait pour ramasser de quoi nourrir sa couleuvre et, quand ils lui semblaient réellement intéressés, il les emmenait dans les bois où il leur montrait comment attraper des serpents à leur tour. Même les enfants plus âgés qu'Eustace lui emboîtaient le pas en forêt où ils construisaient des forts sous sa direction (quand ils ne s'enfonçaient pas dans les marécages pour chercher de quoi donner à manger à ses tortues).

Et à l'école, alors ? Eustace n'avait pas d'amis. Sans un serpent à propos duquel engager la conversation, sans une forêt en tant que décor dans lequel apporter la preuve de ses compétences, Eustace ne parvenait pas à établir de contact avec ses camarades. Il déjeunait à la table des laissés-pour-compte : les handicapés mentaux, ceux qui portaient des appareils orthopédiques et les malheureux rejetons des familles les plus pauvres de Gastonia. Il ne se considérait pas comme l'ami de ces gamins qui ne connaissaient d'ailleurs même pas leurs prénoms respectifs. Ils mangeaient ensemble le midi et détournaient le regard, en proie à un soulagement coupable, quand leur voisin de table devenait la cible des taquineries.

Il y eut tout de même un certain Randy Cable ; un nouveau venu à Gastonia, dans la banlieue aisée où ses parents (des montagnards des Appalaches) avaient emménagé pour travailler dans une usine des environs. Randy ne connaissait personne. Un jour, en classe de cinquième, Randy, pour ne pas changer, jouait seul dans son coin à la limite de la cour de récréation, là où le revêtement goudronné faisait place aux sous-bois. Les autres gamins disputaient une partie de base-ball en criant, mais Randy Cable ne savait pas jouer au base-ball. Il traînait donc à la lisière de la forêt lorsqu'il découvrit une tortue. Il s'amusait à lui donner de petits coups de pied quand Eustace Conway, un garçon à la mine grave, mince et le teint bis, s'approcha de lui.

« Tu aimes les tortues ? lui demanda Eustace.

– Ça oui !

– Je suis incollable, question tortues. J'en élève plus d'une centaine dans mon jardin.

– Tu charries.

– Pas du tout ! Si tu viens chez moi, je te les montrerai. »

Et si tu ne crois pas celle-là... dut songer Randy Cable.

Il se rendit tout de même chez Eustace à vélo l'après-midi et, là, il lui fallut bien admettre que son camarade de classe ne mentait pas. Son jardin irrigué et ombragé abritait une vaste communauté de tortues : plus d'une centaine, de différentes espèces, dans des dizaines de cages et d'enclos qu'Eustace entretenait lui-même depuis l'âge de six ans.

Eustace raffolait des tortues en raison de leur placidité, de leur assise spirituelle et de leur aura rassérénante. Eustace possédait un don pour dénicher les tortues. Il en trouvait partout. Il était capable d'en repérer même sous un épais feuillage qui ne laissait apparaître qu'un bout de carapace pas plus grand qu'un ongle. À plusieurs reprises et à un âge encore jeune, Eustace avait même entendu des tortues. Il lui arrivait, quand il marchait en silence dans les bois, de distinguer le souffle d'air que déplace une tortue en rentrant sa tête à l'intérieur de sa carapace. À ces moments-là, Eustace se figeait en inspectant les alentours jusqu'à ce qu'il eût localisé l'animal. Il finissait le plus souvent par découvrir une petite tortue boîte à trois pas de lui, blottie à l'intérieur de sa carapace dissimulée par les sous-bois.

Eustace mit au point une technique pour capturer dans les étangs et les lacs même les plus timides des tortues peintes : il se postait sous le couvert des arbres au bord de l'eau, muni d'une canne à pêche au bout de laquelle il accrochait un gros morceau de bacon qu'il laissait pendre à quelques pas de la tortue en train de se prélasser au soleil jusqu'à ce que celle-ci en perçoive l'odeur et s'avance dans l'eau pour l'attraper. Lentement, Eustace attirait alors la tortue au bord du rivage puis il sortait tout d'un coup des bois pour plonger dans l'eau où il attrapait la tortue à l'aide d'un filet sans lui laisser le temps de s'enfuir.

De retour chez lui, il déposait sa nouvelle prise dans l'un de ses enclos en contreplaqué, conçus spécialement pour apporter à chaque espèce de l'eau, de l'ombre et de l'herbe en quantités optimales. Il élevait là des tortues d'eau douce, des tortues musquées, des tortues boîtes et des tortues peintes, qu'il nourrissait d'écrevisses, de légumes et de vers (récoltés sous les dizaines de troncs d'arbre qu'il avait disposés en bon ordre dans les bois derrière chez lui). Ses tortues s'épanouissaient dans leur nouvel habitat au point qu'elles se reproduisaient même en captivité. Il y avait aussi des serpents dans son jardin, ainsi qu'un renardeau orphelin baptisé Spoutnik. (M. Stout le lui avait confié après qu'un habitant de Gastonia l'eut remis au musée Scheile en espérant que quelqu'un voudrait bien s'en occuper.) Cet après-midi-là, Eustace montra son petit monde parfaitement ordonné à son nouvel ami Randy Cable. En digne montagnard qu'il était, Randy Cable crut découvrir le paradis sur terre. Les deux garçons devinrent aussitôt copains.

« Aujourd'hui, j'ai été chez Randy Cable pour la première fois, confia Eustace à son journal, peu après l'épisode des tortues. Il m'a montré sa forêt et un ruisseau où on a vu des traces de rat musqué, de raton laveur, d'oiseau et de chat. Il m'a montré le terrier d'un rat musqué dans une berge argileuse. On a fabriqué un piège à oiseau à l'aide d'un panier. On y a placé un bout de pain en guise d'appât. Beaucoup de merles s'en sont approchés, mais on n'en a pas attrapé un seul vu qu'ils ne sont pas entrés à l'intérieur. On a taillé des bâtons pour caler notre piège. J'ai dépouillé un lapin à queue blanche pour me confectionner une veste. »

La vie d'Eustace suivrait ainsi son cours pendant des mois et même des années. Randy garde le souvenir d'un gamin étrange et fascinant, bardé de connaissances et qui témoignait d'une attention à son environnement plutôt rare chez un garçon de douze ans. Eustace ne laissait rien passer. Un jour, il demanda à Randy : « Tu aimes le chocolat ? Tu veux que je t'apprenne à le savourer le plus longtemps possible ? Place un tout petit carré de chocolat sous ta langue et laisse-le fondre. C'est là que tu en sentiras le mieux le goût en gardant présent à l'esprit que ton plaisir n'est pas un dû. »

Eustace raffolait de Randy Cable et du père de Randy, un montagnard qui savait tout ce qu'il y avait à savoir sur la pêche et la chasse et les plantes sauvages comestibles qui poussent le long des cours d'eau. Eustace allait chez Randy dès que l'occasion se présentait. Randy se rendait plus rarement chez les Conway. Il n'y régnait pas une aussi bonne ambiance. Mme Conway se montrait gentille avec lui, mais M. Conway lui fichait la trouille. Le dîner en particulier lui inspirait une immense appréhension. Les enfants ne prenaient presque jamais la parole pendant les repas ; leur mère non plus, d'ailleurs. M. Conway présidait la table, sarcastique et pince-sans-rire, très soupe au lait aussi. Toute son attention, il la concentrait sur Eustace. Dès que celui-ci ouvrait la bouche, M. Conway se moquait de sa syntaxe. Dès qu'il évoquait sa journée, M. Conway le coupait d'un ton méprisant en qualifiant ses occupations de « dérisoires et infantiles ». Quand M. Conway se renseignait sur les résultats d'Eustace à un devoir de mathématiques et que la réponse de son fils ne lui plaisait pas, il l'abreuvait d'insultes en le ridiculisant.

« Tu es stupide, se rappelle-t-il encore aujourd'hui avoir entendu son père lui dire. Je n'ai jamais rencontré d'enfant aussi bête que toi. Je ne sais pas comment j'ai pu engendrer un idiot pareil. Que faut-il en conclure ? Que tu n'es qu'un incapable et que tu ne retiendras jamais rien. »

M. Conway incitait ses cadets à rire avec lui de la balourdise cocasse de leur propre à rien d'aîné. Ils ne demandaient pas mieux, comme les laissés-pour-compte à l'école, ceux qui portaient des appareils orthopédiques et se sentaient toujours soulagés qu'un autre enfant essuie des moqueries à leur place.

Une chose encore déplaisait à Randy Cable chez les Conway : l'obligation de bien se tenir à table. Jamais auparavant il n'avait fréquenté de famille « comme il faut » ni vu personne d'aussi guindé à un repas. Quand Eustace engloutissait son assiette trop vite ou tenait mal ses couverts, son père critiquait ses « manières de sauvageon ». Randy se sentait nerveux rien qu'à l'idée de s'emparer de sa fourchette. Jamais il ne s'attirait de reproches pour de telles broutilles chez lui. Trente ans plus tard, Randy n'en revient toujours pas de l'insistance de M. Conway sur les bonnes manières. « Au dîner, chez nous, se rappelle Randy, c'était chacun pour soi. »

Hum. Ma foi... On pourrait en dire autant des dîners à la table d'Eustace.

Il y a de nombreuses raisons pour qu'un homme transmette son prénom à son fils. La plupart du temps, un tel choix relève de la simple tradition (surtout dans les États du Sud) bien qu'il me paraisse plus lourd de sens. Certains y voient une forme de vanité. Je me demande plutôt s'il ne faudrait pas y lire le désir de se rassurer ou, en tout cas, l'expression d'un vœu pieux des plus touchants ; comme si le père, redoutant d'engendrer une nouvelle vie, un nouvel homme, un nouveau rival, espérait que le prénom de son fils le contraindrait à lui ressembler. L'enfant au prénom familier n'apparaît plus comme un étranger ou un éventuel usurpateur. Voilà enfin le père libre de considérer son fils sans crainte en affirmant : *Tu es un autre moi ; je suis un autre toi.*

Sauf que votre fils, ce n'est pas vous ; pas plus que vous n'êtes votre fils. En fin de compte, une telle coutume me paraît moins rassurante que dangereuse.

M. Conway se nomme en réalité Eustace Robinson Conway III. Il a baptisé son fils Eustace Robinson Conway IV. Dès le départ, seul un adjectif les distinguait l'un de l'autre : Grand par opposition à Petit. Grand et Petit Eustace se ressemblaient physiquement : les mêmes yeux noisette au regard pénétrant sous des paupières tombantes. Quand Petit Eustace est venu au monde, Grand Eustace ne s'est plus senti de joie. Au début, il fut un père merveilleux, sous le charme de son enfant, aussi fier de lui que possible, attentif, patient, affectueux, toujours prêt à s'en vanter. Il voulait sans arrêt jouer avec lui. Dès que le petit garçon se mit à grandir, il l'emmena dans les bois derrière chez eux pour lui indiquer la cime des arbres en murmurant : « Regarde… »

Petit Eustace avait l'esprit vif et pénétrant ; ce dont il ne faut pas s'étonner quand on sait que Grand Eustace était pour sa part un génie avéré : l'orgueil d'une vieille famille de propriétaires terriens et d'hommes d'affaires richissimes du Sud. Diplômé du prestigieux MIT, il exerçait à la naissance de son aîné le métier d'ingénieur chimiste. (Il avait sauté des classes au collège et au lycée, puis d'autres encore à l'université avant d'obtenir son doctorat, à un peu plus de vingt ans à peine.) Il possédait un don pour le calcul et les sciences en général. Mieux qu'un don, même : une passion. Le mot n'est pas trop fort. L'algèbre dévoilait ses arcanes à Grand Eustace aussi naturellement que l'harmonie révèle ses secrets à ceux qui ont l'oreille musicale. La physique ? Magnifique ! La trigonométrie ? Un plaisir ! La chimie ? Fascinante ! Il ne vivait que par et pour les problèmes mathématiques, les figures géométriques, les logarithmes et les équations. En somme (et pour le décrire tel que lui-même aimait encore le mieux se dépeindre), c'était un homme dont « la logique à l'état pur gouverne l'être tout entier ». Un peu prétentieux, non ? me direz-vous. Possible. Sa prétention lui semblait néanmoins justifiée dans un monde peuplé d'êtres humains à l'insouciance cocasse qui fondent leurs choix sur leurs caprices ou leurs émotions plutôt que sur leur raison.

Eustace Robinson Conway III a commencé par enseigner la chimie à des étudiants pas tellement plus jeunes que lui à l'université de Caroline du Sud et de Caroline du Nord. Il occupait un poste enviable, mais le milieu universitaire trop politisé lui déplaisait. De toute façon, ses relations avec autrui dans le cadre de sa profession lui poseraient toujours problème. Il finit par renoncer à l'enseignement pour travailler dans le privé, dans une usine chimique plus précisément. Là non plus, il ne se lia pas avec ses collègues, mais son intelligence lui valut leur respect (mêlé d'une certaine crainte). L'un de ses anciens collaborateurs, qui se souvient de Grand Eustace comme du « docteur » Conway, lui posa un jour une question pressante à propos d'une formule chimique. Soucieux de lui fournir la réponse la plus complète possible, le docteur Conway commença par noter une équation sur un tableau avant d'y inscrire d'autres données en se laissant entraîner par son élan jusqu'à ce que l'équation serpente sur le tableau entier en donnant naissance à de nouveaux concepts chimiques, au point qu'il ne resta bientôt plus de place pour noter quoi que ce soit. À ce moment-là, bien entendu, le collaborateur avait perdu le fil des explications du docteur Conway depuis belle lurette.

En fait, le docteur Conway tirait une telle satisfaction de son intelligence qu'il se complut probablement à voir se développer celle de son fils. Sans doute s'extasiait-il à chaque fois que son homonyme tranchait avec brio ces prodigieux dilemmes que le petit enfant rencontre au fur et à mesure de sa croissance. Tiens ! Il parvient à distinguer l'ombre de la lumière ! Voilà qu'il reconnaît les visages ! Qu'il se redresse pour se lever ! Et la manière dont il construit ses phrases ! Quand on lui montre une feuille, à présent, il sait dire de quel arbre elle vient ! Quel génie ! D'un jour à l'autre, il devrait être en mesure de résoudre des problèmes d'algèbre les doigts dans le nez !

Ce fut alors que Petit Eustace entra dans sa troisième année.

Au petit déjeuner, le matin de son anniversaire, Grand Eustace offrit un cadeau à son fils installé dans sa chaise haute. Grand Eustace tenait à voir son enfant le déballer avant de partir au travail. Le cadeau n'était autre qu'un puzzle hélas bien trop complexe pour un gamin de deux ans. Petit Eustace, faute de parvenir à l'assembler, perdit patience et finit par s'en désintéresser. Comme s'en souvient encore aujourd'hui Mme Conway, son mari entra dès ce moment dans une rage folle. « Il s'est mis à crier et à dire des choses horribles au petit. » L'enfant, abasourdi et terrifié, hurla de toute la force de ses poumons. Mme Conway tenta d'intervenir, mais son mari s'en prit à elle en prétendant qu'elle incitait leur fils à baisser les bras comme un bon à rien à force de trop le gâter. Nom d'une pipe ! Ce n'était quand même pas sorcier ! La solution tombait sous le sens ! Il fallait vraiment être un débile mental pour buter contre un puzzle aussi simple !

Il va sans dire que la situation ne s'arrangea pas au fil du temps. Au contraire : elle ne fit qu'empirer. M. Conway se convainquit que son fils faisait l'idiot par « entêtement » dans le seul but de le taquiner et qu'il lui fallait plus de discipline. Eustace eut donc droit (ce que confirme d'ailleurs le reste de la famille) à une éducation plus proche du séjour en camp de redressement que d'une enfance normale. Il suffisait que Petit Eustace touche à un marteau sur l'établi de Grand Eustace sans lui en demander la permission pour que celui-ci le cloître dans sa chambre pendant des heures sans rien lui donner à boire ni à manger. Quand Petit Eustace ne finissait pas son assiette à temps, Grand Eustace l'obligeait à rester toute la soirée à la table du dîner, et tant pis s'il s'endormait sur sa chaise. Quand Petit Eustace abîmait le gazon sans le vouloir en jouant, Grand Eustace lui donnait des coups de tapette en bois. Quand Petit Eustace osait tondre la pelouse dans le sens contraire à celui que son père lui avait ordonné de suivre, une scène terrible éclatait où Petit Eustace en prenait pour son grade.

En y repensant avec le recul (ce que, curieusement, il se déclare volontiers prêt à faire), M. Conway admet qu'il a pu se tromper. Peut-être s'est-il montré un peu sévère envers son garçon, mais seulement dans la mesure où il espérait beaucoup de lui. Sa colère ne venait que de sa déception face aux échecs incompréhensibles de son fils.

« C'est humain, m'a-t-il confié, de se croire en mesure de contrôler l'éducation de ses enfants, bien que je me rende compte aujourd'hui que c'est impossible. Le mieux consiste sans doute à n'avoir aucun projet précis ; à les laisser devenir ce à quoi leur destin les appelle. Le hic, c'est que je ne le comprenais pas encore du temps où j'étais un tout jeune père. Cela m'électrisait d'avoir un fils. J'ai cru pouvoir façonner Eustace à ma guise. Mais non : il a fallu qu'il souffre d'un tas de problèmes de personnalité. Je voulais tant qu'il me ressemble !

– En quoi ? lui ai-je demandé.

– Je m'attendais au moins à ce qu'il réussisse bien en classe, comme moi au même âge. Je ne pensais pas qu'apprendre à compter lui poserait des difficultés. J'ai passé des heures à lui expliquer comment additionner des pièces de monnaie, mais il ne retenait rien. Tout le contraire de ce que j'espérais. J'aurais voulu me lancer dans des tas de projets avec lui mais non ; pas moyen. Ça a toujours été un enfant à problèmes. Je ne le comprends vraiment pas. Nous n'arrivons pas à nous comprendre. »

À une autre occasion, j'ai demandé à M. Conway :

« Ça vous arrive de regretter la tournure qu'a prise votre relation avec Eustace ? »

Il m'a répondu du tac au tac, comme s'il attendait ma question :

« Ma relation manquée avec Eustace a été pour moi une immense déception. La plus grande de toute ma vie. Je ne sais pourtant pas comment y remédier. À mon avis, il ne me reste aucun espoir de nouer un jour une relation harmonieuse avec lui.

– Aucun ? Vraiment ?

– J'hésite à donner raison à ceux qui prétendent que je n'ai pas assez aimé mon fils. Certains le penseront peut-être. Je n'en sais rien. Il me semble pourtant que je l'ai beaucoup aimé. J'étais tellement content d'avoir un fils ! Je vous l'ai dit ? Je n'en pouvais plus d'attendre qu'il vienne au monde. »

Eustace Conway, autant le dire, se souvient lui aussi des pièces de monnaie. Soir après soir, heure après heure, à même le plancher du salon, son père empilait des pièces qu'il répartissait en tas en demandant à Eustace de résoudre des additions et des soustractions, des divisions et des multiplications. Eustace se rappelle encore aujourd'hui le trou noir terrifiant où s'engouffrait son esprit alors que son père refusait de le laisser aller au lit tant qu'il ne trouverait pas la solution, l'obligeant ainsi à veiller jusqu'à minuit passé face à ces maudits tas de pièces. Il se rappelle aussi ses pleurs et les cris de son père. Son humiliation et le ridicule qui l'accablait.

M. Conway réagissait d'une manière à la fois excessive et toute personnelle vis-à-vis de son aîné. Comme s'il s'était juré de ne jamais reconnaître les mérites de son enfant, au point que son attitude en devenait franchement bizarre. Quand les journaux publièrent la photo d'Eustace parce qu'il venait de remporter un concours de danse amérindienne avec sa troupe, son père refusa d'y jeter un coup d'œil. (« Ridicule, à mon avis, affirma-t-il, mais personne ne m'écoute. ») Quand ses nombreux succès valurent à Eustace un prix national décerné par le musée Smithsonian, son père n'assista même pas à la cérémonie.

Un automne, Petit Eustace mit de côté son argent de poche pour offrir en cadeau de Noël à son père des cacahuètes et du chewing-gum dont il savait que celui-ci raffolait.

Le matin du 25 décembre, un peu nerveux, il remit les friandises à son père. Grand Eustace lui dit « Merci ». Il lui prit le paquet des mains puis le posa Dieu sait où sans jamais l'ouvrir.

Pour corser le tout, Eustace ne réussissait pas bien en classe. Il s'en était encore à peu près sorti en maternelle (ses bulletins attestent qu'il savait jouer à la marelle, lacer ses chaussures, réciter son numéro de téléphone, qu'il s'entendait avec ses camarades et obéissait sans rechigner), mais, dès son entrée en primaire, il n'obtint plus que des résultats médiocres, ses progrès se révélèrent tout à fait moyens. Au point que son instituteur laissa un jour entendre qu'il lui aurait fallu « plus d'aide à la maison pour ses devoirs ».

« Eustace ne fait pas beaucoup d'efforts, note un autre de ses maîtres d'école. Il doit apprendre par cœur ses tables de multiplication. »

En voilà une idée ! À sept ans, Eustace se retrouvait déjà coincé à la table de la cuisine quatre heures chaque soir face à son père qui les isolait du reste de la famille en fermant les portes et les volets afin de hurler sur son fils dans la plus stricte intimité en prenant pour prétexte ses devoirs d'arithmétique. Plus d'aide à la maison ? Eustace se tendait déjà comme un ressort de montre rien qu'en pensant à l'école. La perspective des devoirs à la maison lui inspirait une terreur mortelle. Le cycle quotidien tant redouté des efforts suivis d'un échec lui-même suivi d'une punition le plongeait dans la panique. Rien à voir, certes, avec le genre de mauvais traitements dont il est question dans les journaux : Petit Eustace n'écopait pas de brûlures de cigarette sur les bras. Il ne faudrait pourtant pas s'y tromper : Eustace en resta traumatisé. Angoissé au point que sa frayeur s'exprima par une forme particulière de constriction : il passa toute son enfance constipé. « Trop terrifié pour lâcher la moindre crotte. »

« Les jours passèrent, se rappelle Eustace, les semaines, les mois et les années passèrent, mais il me semblait encore et toujours que mon père allait me couper les jambes. Puis qu'il couperait les moignons qu'il me resterait à la place des jambes. Puis qu'il me couperait les bras. Puis qu'il me passerait une épée en travers du corps. »

La famille Conway se composait aussi de Walton, Martha et du petit Judson ; irrésistible, celui-là ! Chacun d'eux vécut une enfance différente, ce qui ne doit pas surprendre à partir du moment où l'on admet que les enfants d'une même famille grandissent dans un monde à part, compte tenu de l'évolution des circonstances d'une année sur l'autre. Même quand les cadets grandirent à leur tour, jamais ils ne suscitèrent chez leur père les réactions enflammées dont Eustace eut tant à pâtir.

Judson (le benjamin) semble plus encore que les autres avoir échappé au sac de nœuds familial, comme d'ailleurs la plupart des petits derniers favorisés par le sort. Judson trouve son père « égoïste et têtu », mais celui-ci ne l'a jamais terrorisé. Judson fut un enfant adorable, que son père adorait d'ailleurs et surnommait « mon petit scarabée ». De toute façon, à la naissance de Judson, M. Conway avait déjà renoncé à ce que ses enfants se conforment un jour à son idéal, pour les abandonner à son épouse. Selon ses propres mots, il « abdiqua et se retira au sous-sol » afin d'y ruminer sa rancœur en silence. De sorte que Judson échappa au pire.

À vrai dire, l'enfance de Judson s'apparenterait à un camp de vacances qui n'en finirait jamais, grâce à son grand frère, Eustace, qui l'entraînait dans les bois ou à l'assaut des collines en lui apprenant des tas de trucs sensationnels à propos de la nature. Eustace s'attribua la responsabilité exclusive de Judson dès sa naissance. Le plus souvent possible, Eustace l'emmenait loin de chez eux, dans les bois où ils avaient moins à craindre, en s'arrangeant pour que Judson échappe au radar de Grand Eustace. Il prit à cette occasion une décision délibérée dont il se rappelle encore. À l'entendre, il était déjà trop tard pour sauver Walton ou Martha (victimes, selon lui, d'un « lavage de cerveau »). Quand Judson vint au monde, Eustace se pencha sur lui en songeant : « Celui-là, c'est à moi de m'en occuper et je jure de le tirer d'affaire. » De son côté, Judson vénérait Eustace, même s'il admet : « Je n'ai jamais été le garçon entreprenant qu'Eustace aurait voulu me voir devenir. Trop paresseux ! "Et si on tannait la peau d'un daim ?" qu'il me proposait. Moi, j'aimais mieux rester dans ma chambre à jouer avec mes figurines de *La Guerre des étoiles*. Cela dit, j'aurais fait n'importe quoi pour profiter de sa compagnie. »

Martha, la seule fille de la famille (une petite sérieuse et responsable) garde le souvenir d'une enfance en tout point différente de celle de ses amies. Elle eut affaire à des serpents, des tortues et des renardeaux qu'il fallait nourrir d'oiseaux encore vivants, sans parler des longues expéditions en compagnie d'Eustace (« le meneur de la bande ») dans les bois où leur arrivaient des tas d'aventures. Elle se rappelle encore les dangers qu'elle a dû affronter au côté de ses frères. Des torrents déchaînés. Des araignées venimeuses. Des cabanes perchées dans la cime des arbres. Aujourd'hui mère de famille à son tour, parfaitement organisée et soucieuse de la sécurité de ses enfants, elle ne conçoit pas que leurs parents aient osé les laisser, ses frères et elle, vadrouiller sans surveillance. Elle se souvient d'un père sévère, certes, mais surtout d'une mère permissive jusqu'à l'inconscience et des disputes qui les opposaient à propos de l'éducation de leurs enfants. (« Mettez-vous d'accord, à la fin ! » avait toujours envie de leur crier Martha.) Elle garde en mémoire l'image d'un Eustace « têtu » qui « s'attirait des ennuis » en ne réussissant pas aussi bien à l'école que papa l'escomptait.

Walton Conway, pour sa part, se rappelle à peine son enfance. Il n'en garde qu'un souvenir « flou, brossé à grands traits, à l'encre noire ». Et celui d'un cauchemar récurrent où son père voulait l'emmener au sous-sol, le ligoter à une table et lui couper les membres. Et celui d'une dispute entre ses parents au beau milieu de la nuit où son père a crié à sa mère qu'il allait « lui enfoncer un pic à glace dans le cœur ». Et celui des menaces de son père de « réduire » Eustace « en charpie » en se dressant de toute sa hauteur devant lui.

Cela dit, affirme Walton, la vie chez les Conway n'était pas aussi terrible qu'Eustace le prétend. Il arrivait à leur père de leur témoigner de la tendresse, en séchant leurs larmes quand l'un d'eux s'égratignait le genou, par exemple. Et cet horrible soir où Walton a menacé de fuguer ? Son père a enfoncé la porte de sa chambre pour le rattraper tandis qu'il se faufilait par la fenêtre, puis il l'a poussé. Oh, en fait, il ne l'a pas vraiment « poussé ». Rien ne permet d'affirmer que M. Conway ait intentionnellement balancé son fils par la fenêtre du deuxième étage. « Il m'a juste un tout petit peu bousculé. »

Quoi qu'il en soit, d'après les souvenirs de Walton, le mécontentement général et les soucis à la maison ne venaient pas de leur père. Non, tout était la faute d'Eustace. L'aîné a toujours posé problème. Même petit, il fallait sans arrêt qu'il complique tout. Grognon, jamais content, tête de mule, « il ne faisait pas ses devoirs ». Papa se montrait indiscutablement sévère, mais il suffisait de lui obéir pour se concilier ses bonnes grâces. Du point de vue de Walton et Martha (tous deux excellents élèves en tête de classe), le remède aux malheurs de la famille tombait sous le sens : à partir du moment où Eustace obtiendrait de bons résultats à l'école, papa retrouverait le sourire. Il cesserait de crier sur maman et les enfants pour peu qu'Eustace renonce à s'obstiner.

« Pourquoi refusais-tu de te plier à son autorité ? demanderait Walton à Eustace, des années plus tard. Pourquoi ne fléchissais-tu jamais ? Pourquoi fallait-il toujours que tu n'en fasses qu'à ta tête, même tout petit, comme pour le contrarier exprès ? Pourquoi fallait-il toujours que tu t'opposes à lui en le rendant fou de rage ? »

Quand on lui demande d'illustrer par un exemple ce qu'il entend par là, Walton ne parvient pas à se rappeler une seule preuve d'hostilité de son aîné envers leur père. Il n'en démord pourtant pas : Eustace a dû se dresser contre lui, à un moment ou un autre. En réalité, l'image qu'il garde d'Eustace, de quelqu'un d'agressif, toujours prêt à défier M. Conway ou à lui tenir tête (« même tout petit ») lui vient de ce que lui a raconté son père, et dont les cadets ont tous fini par se persuader. Le souvenir d'un Petit Eustace pugnace ne cadre pas vraiment avec le témoignage des adultes qui fréquentaient les Conway à l'époque. M. Stout, du musée Scheile, se rappelle qu'au dîner, chez les Conway, le jeune Eustace mangeait en silence, pétrifié, soumis, sur le qui-vive, prenant garde à « ne jamais croiser le regard de son père ».

L'une des tantes d'Eustace se souvient d'un soir où M. Conway a réveillé le petit Eustace de quatre ans pour qu'il résolve des problèmes mathématiques ardus. Son père le retournait sur le gril devant les invités. À la moindre réponse inexacte, Grand Eustace se moquait de Petit Eustace en l'humiliant ; et le plus beau, c'est que ce harcèlement verbal était censé amuser la galerie. La scène s'est poursuivie, et même éternisée, jusqu'à ce que le petit garçon fonde en larmes. À ce moment-là, sa tante, qui ne supportait plus d'assister à un spectacle aussi « sadique » (« Jamais je n'ai vu un enfant aussi mal traité »), est sortie en jurant de ne plus remettre les pieds chez les Conway à l'avenir.

Ni M. Stout ni la tante d'Eustace ne se rappellent avoir entendu celui-ci répondre à son père autre chose que : « Si tu le dis, papa ».

Pourtant, quand Walton songe aux menaces de son père de réduire son aîné en charpie, il se demande : qu'est-ce qu'Eustace avait bien pu faire pour mettre papa dans une telle colère ? Le soir où Walton a surpris son père en train de crier à sa mère qu'il allait lui enfoncer un pic à glace dans le cœur, il a supposé qu'ils se bagarraient encore une fois à cause d'Eustace. Et les jours où Eustace devait rester cloîtré des heures dans sa chambre sans rien boire ni manger, il en concluait qu'il venait encore de faire quelque chose de travers.

Le plus déroutant reste sans doute de se figurer où se trouvait la mère pendant ce temps. Comment justifier l'incapacité de Karen Conway (Johnson, de son nom de jeune fille ; un garçon manqué, qui montait à cru et, à vingt-deux ans, a vendu sa flûte en argent pour se payer un aller simple pour l'Alaska) à protéger son fils ? Pourquoi n'a-t-elle jamais pris la défense de Petit Eustace contre Grand Eustace ?

Elle-même ne parvient toujours pas à se l'expliquer. Tels sont les mystères d'une vie de couple. Et telles sont aussi, du moins, je le suppose, les tragédies familiales. Mme Conway affirme aujourd'hui qu'elle craignait son mari, qui l'accablait de récriminations au même titre que son fils. (Apparemment, son mari ne s'amusait jamais autant que quand il incitait ses enfants à se moquer de leur mère en la traitant de « gros hippopotame ».) Ses amis et sa famille la poussaient à partir, mais elle n'en trouva jamais le courage, du moins pas au point de franchir le pas. Sans doute la faute à son éducation chrétienne qui l'amenait à considérer le divorce comme un péché mortel. Et sans doute aussi à cause de… qui sait ? Qui sait ce qui retient les femmes de se séparer de leur mari ? Mme Conway affirme en tout cas que, quand elle prenait la défense de son fils, son mari s'énervait de plus belle en le punissant encore plus méchamment. Elle en a donc vite conclu qu'il valait mieux ne pas intervenir.

Du coup, elle a conçu un moyen de soutenir son fils clandestinement. Comme si Eustace purgeait une peine dans une prison de haute sécurité. Elle lui murmurait des mots encourageants derrière la porte de sa chambre ou par les interstices des murs. Elle lui glissait des messages en douce (« avec toute l'affection de celle qui croit en toi et se soucie le plus de toi au monde »). Elle lui témoignait aussi son affection en privé, quand personne ne risquait de les surprendre. Surtout, elle lui permit (et lui donna les moyens) d'explorer les bois où il ne tarda pas à se débrouiller à merveille à l'abri de la tornade qui soufflait en permanence sur leur foyer. Elle transmit pour finir à son fils la conviction implicite mais tenace et plus décisive que toute autre que, quoi que dise ou fasse son père, Eustace Robinson Conway IV deviendrait en grandissant l'homme d'un destin.

Bien sûr, une telle idée n'a pas germé spontanément dans l'esprit de Karen Conway : elle l'a héritée de son père, un idéaliste hors du commun, ancien combattant de la Première Guerre mondiale : C. Walton Johnson, que tout le monde surnommait « Chef ». Quand il revint aux États-Unis au lendemain de la guerre, Chef Johnson prit la tête du mouvement scout en Caroline du Nord, animé par la conviction (ou plutôt, n'ayons pas peur de le dire, par son credo inébranlable) que l'on pouvait transformer de jeunes gens vulnérables en hommes forts porteurs d'un destin à condition de leur appliquer une méthode éprouvée. Il estimait en outre que la métamorphose s'opérerait plus naturellement dans un environnement proche de celui de la frontière. À l'instar de nombreux Américains, il redoutait le contrecoup de la domestication de la nature sauvage sur la virilité de ses compatriotes. Or, Chef Johnson n'allait certainement pas laisser les jeunes citoyens des États-Unis s'efféminer en sombrant dans la décadence sous « l'influence amollissante de la ville ».

Du moins pas de son vivant.

Les scouts de Caroline du Nord marquèrent un bon début dans la carrière de Chef qui ne tarda toutefois pas à en revenir : à l'entendre, les scouts étaient encore beaucoup trop choyés. En 1924, sur cinquante hectares de terrain montagneux non loin d'Asheville, il fonda un camp de vacances où, cette fois, on ne plaisantait pas. Il le baptisa « camp Séquoia : où les faibles parviennent à la force et où les forts parviennent au pinacle ». (Hélas ! Rien n'indique si les faibles sont parvenus au pinacle. En tout cas, je parierais volontiers qu'ils ont essayé.) Il n'exigeait qu'une chose (la même) des campeurs et de ses subordonnés : qu'ils tentent sans relâche d'atteindre la perfection physique, morale et intellectuelle. À cette condition-là seulement, ils deviendraient des hommes porteurs d'un destin.

« Il faut à chaque époque des hommes qui incarnent un destin, affirma Chef dans l'une des nombreuses brochures qu'il consacra au sujet. Or, il se trouve à chaque époque des hommes pour répondre à ce besoin ; des hommes de la trempe d'un Aristote, d'un Galilée ou d'un Wilson [...]. Convaincus de donner corps à un destin, ils se préparent à la mission qui les attend, mus par une force irrésistible. Aucun homme n'assume un destin digne de ce nom à moins de s'estimer en mesure d'apporter une contribution unique à la société de son temps. Vanité ? Non ! Simple pressentiment d'une mission à accomplir doublé du courage de la mener à bien. Celui qui a la conviction qu'il lui faut remplir une mission sur terre, qu'il est né pour cela, qu'il doit absolument assumer son rôle jusqu'au bout ; celui-là deviendra l'homme d'un destin. »

Le meilleur moyen de former de tels héros consistait (du moins selon Chef) à entraîner les jeunes en pleine nature. Après tout (et ainsi qu'il écrit) : « L'esprit des pionniers a trop imprégné le véritable Américain pour qu'il se sente à l'aise en ville ». Il conseillait donc aux parents de ne plus soumettre leurs fils « à la pression de la vie citadine » mais de les emmener dans « un camp qui leur donnerait un but », où « la majesté des montagnes » (et les conseils de guides « sains de corps et d'esprit » recrutés en fonction de « leur maturité et de leur vocation de meneur d'hommes ») les aiderait à grandir « selon la volonté de Dieu et en accord avec les lois de la nature jusqu'à ce qu'ils deviennent enfin des hommes ».

Il ne faudrait pas s'imaginer le camp Séquoia comme un succédané des Jeunesses hitlériennes. Selon Chef, il ne fallait refuser à aucun Américain, peu importe sa condition physique ou (attitude révolutionnaire à l'époque !) sa race ou même sa religion, l'opportunité de devenir l'homme d'un destin au camp Séquoia. Aviez-vous donné naissance à un « garçon à la santé florissante, au physique naturellement admirable » ? Eh bien, le camp Séquoia lui permettrait de « décupler son potentiel ». Votre fils était-il « surdoué mais taciturne et têtu » ? N'hésitez pas à l'inscrire au camp Séquoia : la vie au grand air lui enseignera « la nécessité de développer son corps au même rythme que son esprit ». Votre garçon se montrait-il « timide, méfiant, peu liant » ? Le camp Séquoia le rendrait plus à l'aise en société. Votre fils jouait-il les durs à cuire ? Les conseillers du camp Séquoia lui mettraient en tête que houspiller les autres n'est qu'une preuve de « lâcheté méprisable ». Même si vous aviez un fils « gros et gras dont on se moquait sans arrêt », il fallait l'inscrire au camp Séquoia : il n'en sortirait peut-être pas avec un physique d'athlète, mais il y apprendrait au moins « à encaisser les plaisanteries et à réagir de son mieux aux taquineries ».

Chef Johnson n'eut qu'une seule fille : la mère d'Eustace Conway. (Sur une photographie du camp prise dans les années 1940, on n'aperçoit que des hommes à la mine inflexible et des garçons aux coupes en brosse sérieux comme des papes alignés en rang d'oignons. À une exception près : une gamine blonde en robe blanche assise au milieu de tout ce beau monde : la fille de Chef, la mère d'Eustace Conway, à cinq ans.) Karen a grandi au contact des jeunes garçons et des idéaux de son père qu'elle adorait. Plus que n'importe qui d'autre dans sa famille, elle adopta son credo. Quand le moment vint pour Karen de se marier, son choix se porta sur l'un des moniteurs préférés de son père. Elle s'éprit du jeune et brillant Eustace Conway III qui (vu la stricte discipline qu'il exerçait sur lui-même, son physique avantageux, son doctorat du MIT et son goût pour la vie au grand air) lui apparut sans doute comme l'incarnation des principes les plus chers au cœur de Chef.

En entrant dans le monde de l'entreprise, son mari fit une croix sur son rêve d'apprendre aux jeunes garçons à se débrouiller seuls dans les bois, mais Karen, elle, ne perdit jamais sa foi dans les bienfaits de la nature. Quand le fils aîné de Karen Conway vint au monde, la question de son éducation ne se posa même pas : elle le laisserait libre de passer le plus clair de son temps au grand air en l'incitant à accomplir des actions héroïques. Si, à sept ans, Eustace était déjà capable de lancer un couteau sur un tronc d'arbre avec assez d'adresse pour y clouer un tamia ou d'atteindre, au tir à l'arc, un écureuil en train de détaler à quinze mètres devant lui et si, à douze ans, il partit en forêt, seul et sans le moindre outil en poche, afin de s'y construire un abri en ne tirant parti que des ressources de la nature, le mérite en revient aussi à sa mère.

Pendant que M. Conway expliquait patiemment au jeune Eustace qu'il n'était qu'un idiot, Mme Conway allait chaque jour à la bibliothèque et lui ramenait des piles de biographies d'Américains propres à le stimuler. George Washington, Davy Crockett, Daniel Boone, Abraham Lincoln, Kit Carson, John Frémont, Andrew Jackson, Geronimo, Red Cloud, Sitting Bull. Des témoignages de bravoure, d'héroïsme et de détermination dans une nature encore indomptée. Voilà ceux dont il fallait suivre l'exemple, affirmait-elle à son fils quand Grand Eustace ne risquait pas de les entendre. Voilà ce que tu deviendras plus tard : l'homme d'un destin.

Déjà dans son enfance (surtout dans son enfance), Eustace Conway avait tendance à tout prendre au pied de la lettre. Il s'imprégna de la morale de ces récits aussi sûrement que si sa mère les avait déversés dans sa tête par un entonnoir fiché dans son oreille. Quand il lut que les Indiens mettaient à l'épreuve leur endurance mentale et physique en parcourant des kilomètres dans le désert au pas de course avec de l'eau dans la bouche qu'ils s'interdisaient d'avaler, il tenta de parcourir des kilomètres en forêt au pas de course dans les mêmes conditions. Quand il découvrit que les pionniers portaient le même pantalon en peau de daim pendant des années, il résolut de s'en fabriquer à son tour et de ne plus rien porter d'autre. Quand il apprit que Lewis et Clark avaient emporté dans leur expédition autant d'encre et de papier que de nourriture et de munitions, il résolut de tenir un journal. Quand il entendit parler d'un Indien blessé derrière les lignes ennemies par une balle dans le genou lors d'une bataille contre des colons, qui survécut un hiver entier, caché dans un fossé sous des branchages, en se nourrissant des rongeurs qui grimpaient sur lui… oh, un tel scénario était impossible à reproduire ! Dans le même esprit, Eustace supplia toutefois le dentiste de la famille de ne surtout pas utiliser de Novocaïne la prochaine fois qu'il lui poserait un plombage : il voulait apprendre à supporter la douleur.

Eustace emportait chaque jour en classe six biographies héroïques ou récits d'aventure. Il se plongeait dans sa lecture jusqu'à ce que son institutrice lui confisque l'ouvrage qui le passionnait. Il passait alors à un autre, qu'elle finissait par lui arracher des mains, puis à un autre encore et ainsi de suite. Quand il ne lui en restait plus, il regardait par la fenêtre en mûrissant ses projets inspirés de ses lectures. Il était encore en primaire quand il se construisit une cabane de quatre étages dans un arbre (dont les prolongements la reliaient aux branches d'un arbre voisin) sur le modèle de ce que décrivait l'auteur du *Robinson suisse.*

Comme de juste, ses institutrices ne savaient pas quoi penser de ce garçon qui ne leur prêtait aucune attention. L'un d'elles réclama un entretien à Mme Conway.

« Je ne pense pas qu'Eustace soit capable de retenir quoi que ce soit », lui confia-t-elle.

Trop tard : il en savait déjà long, en particulier sur les techniques transmises par sa mère. Quand sa conception de l'éducation de son fils entrait en conflit avec celle de son mari, elle ne tentait pas plus que lui de parvenir à un consensus. Au contraire, les époux Conway appliquaient leurs méthodes chacun de leur côté ; ouvertement pour l'un, en secret pour l'autre. Le père n'humiliait son fils que le soir et les fins de semaine, alors que les défis stimulants que lui proposait sa mère, Eustace les relevait tout au long de ses journées de liberté dans les bois. Les parents ne se rejoignaient que sur un point : l'importance qu'ils accordaient à leur aîné, au centre de leurs préoccupations à tous les deux ;

ce qui lui valait d'un côté des brimades et de l'autre des louanges. La mère d'Eustace lui répétait qu'un grand destin l'attendait et qu'il n'y avait rien qu'il ne fût en mesure d'entreprendre. Son père lui serinait en revanche qu'il ne valait rien.

Le pauvre petit Eustace, qui prenait tout le monde au mot, les croyait l'un autant que l'autre. Par quel miracle sa cervelle n'a-t-elle pas explosé sous la pression de tant de contradictions ? Mystère ! En tout cas, il ne faut pas s'étonner qu'Eustace ait passé une partie de ses jeunes années à se demander s'il n'était pas le sujet d'une expérience scientifique sadique au possible. Peut-être que sa vie se jouait dans un immense laboratoire où des hommes en blouse blanche qu'il ne voyait pas plus qu'il ne les comprenait étudiaient à la loupe ses réactions en le soumettant à des tests. Comment expliquer autrement ce qui lui arrivait ? Au cours d'un même après-midi, Eustace recevait en douce un billet de sa mère qui se sentait « fière de lui » et se félicitait « d'avoir donné le jour à un fils aussi aimant, beau et intrépide » et il notait dans son journal que, à entendre son père, il n'était « pas plus malin qu'"un nègre dans son bidonville". J'ai eu envie de le tuer. Je me demande bien ce qui va m'arriver ».

Il ne dormait que quelques heures par nuit. Une fois le reste de la famille au lit, Eustace veillait encore jusque 2, 3 ou parfois 4 heures du matin. Il terminait ses devoirs, qu'il considérait toujours comme une corvée, sauf quand une rédaction portait, une fois n'est pas coutume, sur un sujet tel que « le tipi au fil des siècles ». Il couvrait ensuite les pages de son journal de comptes rendus de ses faits et gestes.

« Aujourd'hui, j'ai été au lac Robinwood pour la première fois de l'année et j'ai attrapé une grosse tortue peinte femelle que j'avais relâchée l'hiver dernier pour la laisser hiberner. »

« Aujourd'hui, j'ai enfin aperçu les trois grenouilles de mon terrarium en même temps. »

« Aujourd'hui, Randy Cable a capturé une salamandre albinos que j'ai placée dans un bocal d'alcool. »

« Ma couleuvre noire a l'air de se plaire dans sa nouvelle cage. »

Il lui arrivait aussi de relire son journal afin de suivre l'évolution de ses compétences les plus utiles à la survie dans les bois. Il se lançait des défis de jour en jour plus difficiles à relever. Comme il le dirait plus tard : « J'ai grandi au sein d'une culture et d'une famille incapables de me proposer le moindre rite de passage à l'âge adulte ; ce qui m'a obligé à en mettre au point moi-même ».

Une fois ses carnets personnels à jour, Eustace veillait encore tard dans la nuit afin de perfectionner avec un soin maniaque sa technique de tissage de perles. Il lui arrivait de consacrer des mois entiers à une paire de mocassins en peau de daim. Cela le détendait de reproduire les motifs complexes de perles tirés d'un vieux bouquin sur les costumes traditionnels amérindiens qu'éclairait une lumière tamisée au-dessus de son lit.

L'univers inhospitalier d'Eustace, où se côtoyaient les extrêmes, lui a donné le goût d'un perfectionnisme acharné. Il lui semblait vital d'éviter la moindre erreur afin de fournir le moins d'occasions possible à son père de le ridiculiser, ainsi que pour prouver à sa mère qu'il méritait ses louanges. Il plaçait la barre incroyablement haut. (Il se plaindrait dans son journal, des années plus tard, de ne jamais avoir savouré « l'infinie liberté de la jeunesse », tant le hantait « la menace de l'insuffisance », suspendue au-dessus de lui comme une épée de Damoclès.) Même au cœur de la nuit, quand il travaillait en secret à ses objets d'artisanat indien qui lui tenaient tant à cœur, il fallait qu'il parvienne à un résultat irréprochable, sous peine de n'en tirer aucune satisfaction. Si un point ne lui semblait pas parfait, Eustace arrachait son fil à coudre pour le recommencer, en fignolant ses mocassins jusqu'à ce qu'ils ressemblent à s'y méprendre à ceux des anciens maîtres cheyennes. Il accomplissait dans sa chambre de Deerwood Drive des tâches auxquelles un enfant n'aurait en principe jamais dû s'atteler.

Quand il tombait de fatigue, il songeait enfin à dormir et éteignait la lumière. Parfois, il écoutait ses parents se disputer, allongé dans l'obscurité. Souvent, il pleurait. Tout aussi souvent, il pressait la lame d'un couteau de chasse contre sa gorge en fermant les yeux. Curieusement, cela le réconfortait de sentir la lame sur son cou. En un sens, ça le rassurait de se dire qu'il pourrait toujours se supprimer au cas où la situation empirerait. Se rappeler qu'il en gardait la possibilité lui apportait la paix dont il avait besoin pour s'assoupir enfin.

CHAPITRE 3

Dans une situation comme la nôtre, à des centaines de kilomètres de nos familles, au cœur d'une nature sauvage et insoumise, il me semble que bien peu se seraient sentis aussi heureux que nous. J'ai souvent demandé à mon frère : as-tu remarqué le peu dont la nature a besoin pour sa satisfaction ? La félicité, compagne du contentement, réside plus en nos cœurs que dans la jouissance que nous procurent les biens extérieurs.

Daniel BOONE

Davy Crockett est parti de chez lui à treize ans pour échapper à un père violent. Le père de Daniel Boone battait ses fils jusqu'à ce qu'ils demandent grâce, mais Daniel, lui, ne fléchissait jamais. (« Tu ne sais pas implorer ? » l'interpellait son père.) Le jeune Daniel disparaissait des jours entiers dans les bois pour se soustraire à l'emprise de son géniteur. À quinze ans, il passait déjà pour l'un des meilleurs chasseurs de Pennsylvanie. L'explorateur John Frémont perdit son père à cinq ans. Celui de Kit Carson mourut (tué par une branche tombée d'un arbre en feu) en laissant sa femme élever seule leurs huit enfants. Là-dessus, son fils, à seize ans, prit le large. Quant au montagnard Jim Bridger, à quatorze ans, il ne comptait déjà plus que sur lui-même.

En ce temps-là, un tel comportement n'avait rien d'inhabituel. Les pistes de chariots qui menaient à l'Ouest grouillaient de jeunes gens ayant quitté leur foyer pour une raison ou pour une autre. Il y a tout de même fort à parier que beaucoup ont rejoint la frontière parce qu'une contrée inexplorée regorgeant de périls inconnus leur semblait plus alléchante que leur vie de famille dans une petite cabane de Nouvelle-Angleterre, de Virginie ou du Tennessee. Nos livres d'histoire s'étendent à loisir sur ce qui attirait les jeunes hommes vers la frontière, mais ça ne m'étonnerait pas que la plupart d'entre eux aient eu envie de partir à cause de leur relation houleuse avec un père autoritaire.

Voilà qui expliquerait en tout cas qu'à chaque génération une flopée de jeunes gens quittent leur famille en aspirant à s'établir n'importe où du moment que papa n'y mette pas les pieds. Il s'agit à n'en pas douter d'un excellent moyen de peupler rapidement un pays, même si ce n'est pas forcément l'idéal du point de vue de l'équilibre affectif des colons. Eustace Conway rêvait de suivre les traces de ses illustres prédécesseurs. En d'autres termes : il rêvait de prendre la poudre d'escampette. Son adolescence se résumerait à un traumatisme sans fin. Il ne demandait qu'à fuir.

« Juste avant que j'aille me coucher, note-t-il dans son journal à quatorze ans, papa est venu me débiter un sermon sur mon attitude qu'il faudrait que je change parce que je ne me soucie que de moi. À l'entendre, personne ne m'aimera jamais, vu que je me comporte comme un petit chef avec tout le monde, sans rien faire pour personne. Ce serait une bêtise de m'enfuir. Pourtant, je crois que je m'épanouirais plus en forêt. Si je m'en vais un jour, je me débrouillerai pour ne plus jamais revenir. Tant pis si je meurs de faim ! Tout, mais pas ça ! »

Il ne fugua pourtant pas. Il resta chez lui trois ans encore. Eustace Conway ne rompit avec les siens qu'une fois dûment achevée sa scolarité. À ce moment-là, il empaqueta le tipi qu'il avait fabriqué lui-même (une Indienne qui connaissait Eustace à l'époque l'a qualifié de « plus belle chose [qu'elle ait] jamais vue »), il glissa son couteau ainsi que quelques livres dans son sac, et le voilà parti.

« J'espère ne pas me tromper, confia-t-il à son journal au moment de quitter le foyer parental, et j'espère surtout m'engager dans une voie valable pour moi. »

Les années qui suivirent furent probablement les plus heureuses de la vie d'Eustace. Et les plus libres aussi. Il ne possédait alors rien d'autre qu'un tipi et une moto et vivait dans les montagnes à proximité de Gastonia. Plus d'une fois, il démonta puis remonta le moteur de sa moto afin d'en comprendre le fonctionnement. Il fabriquait lui-même ses vêtements. Il se nourrissait d'orties et de gibier qu'il chassait à l'aide d'une sarbacane cherokee ou de flèches de sa propre conception (en brindilles, chardons et tendons de cerf). Il sculptait sa vaisselle dans du bois qu'il polissait avec de la graisse de castor. Il fabriquait des brocs à eau à partir de l'argile qu'il récupérait au fond des ruisseaux dans lesquels il se baignait. Il dormait par terre, sur des peaux d'animaux. Il tissait des cordes en mêlant des écorces d'arbre à ses propres cheveux. Il fendait du bois de chêne blanc dont il confectionnait des paniers. Il cuisinait et se chauffait au feu de bois et ne toucha pas une allumette pendant trois ans.

« Mon abri m'a l'air dans un état correct, confie-t-il à son journal, une fois installé dans son nouveau chez-lui. J'espère que le mode de vie que j'ai décidé d'adopter me permettra d'approfondir mes connaissances sur mon cadre de vie et moi-même. » Il lui fallut un certain temps pour s'accoutumer à sa nouvelle existence. (« Au milieu de la nuit, il s'est mis à pleuvoir. J'ai dû sortir de mon lit pour fermer les trappes d'aération : j'aurais quand même pu y penser plus tôt ! ») Cela dit, presque aussitôt, se fit jour chez Eustace Conway le sentiment qu'il vivait enfin comme son destin l'appelait à vivre. « J'ai dormi jusqu'à 7 heures du matin, écrit-il au lendemain d'une de ses premières nuits sous son tipi. À ce moment-là, le soleil qui éclairait la tente en changeant la rosée en brume m'a rappelé au monde. Je me suis levé pour me laver la figure à l'eau du ruisseau. Oh, mon corps m'adore ! Bonne journée à tous ! »

Une vraie merveille que son tipi ! À la fois un fort et un temple. Un chez-soi si facilement démontable qu'il épargnait à Eustace le contrecoup psychologique de la trop grande fixité d'un foyer ordinaire. Il pouvait l'installer ou le ranger en quelques minutes ; le replier, l'attacher au toit de la voiture d'un ami, l'emporter dans une école et le remonter dans la cour de récréation pour le plus grand plaisir des élèves devant lesquels il s'engageait à parler de sa vie en pleine nature. Il pouvait emmener son tipi à un rassemblement où il danserait un week-end entier en compagnie d'Amérindiens d'autres États avec lesquels il s'était lié d'amitié au fil des ans. Libre à lui de l'entreposer quelque part s'il décidait de randonner à l'autre bout du pays sur un coup de tête et libre à lui aussi de prendre du bon temps à l'abri dessous, dans les bois, en sachant que là, au moins, personne ne le dérangerait.

Il trouva un travail après le lycée, mais il n'y tint pas longtemps. Il accepta de sensibiliser à la nature des enfants dyslexiques ou à problèmes à l'école Bodine dans le Tennessee. Quoique tout jeune encore, il fit merveille : le courant passait admirablement entre les élèves et lui. Hélas ! Il n'en alla pas de même avec ses supérieurs. Eustace Conway, il faut bien l'avouer, n'apprécie pas outre mesure de dépendre de l'autorité d'un tiers. Ça ne lui réussit pas. Il ne tarda pas à se disputer avec le directeur, quand celui-ci revint sur sa promesse d'autoriser Eustace à planter son tipi sur le campus. Il faut dire qu'Eustace Conway n'apprécie pas outre mesure quand quelqu'un revient sur ses promesses.

Excédé, il se rendit chez l'un de ses camarades, un jeune amoureux des bois nommé Frank Chambless, étudiant dans l'Alabama. Ils passèrent un excellent week-end à se balader en forêt en chassant avec un vieux fusil à poudre noire et en devisant gaiement. Eustace pressentit toutefois que quelque chose turlupinait son ami. Il découvrit au fil de leur conversation que Frank venait de rompre avec sa petite amie et que, depuis, il pédalait dans la semoule : il avait laissé tomber le sport, la fac puis son boulot, sans la moindre idée de ce qu'il comptait faire. Quand il eut fini de raconter à Eustace sa triste histoire, Eustace lui dit (« Et là, les mots ont jailli de ma bouche comme une grenouille qui bondit d'une poêle sur le feu. ») : Si on partait randonner dans les Appalaches ?

Eustace ne saurait même pas expliquer comment l'idée lui est venue. Une chose est sûre : elle s'est imposée à lui comme une évidence.

« D'accord ! acquiesça Frank. Allons-y ! »

Eustace passa un coup de fil au directeur de l'école Bodine pour lui donner sa démission. (Inutile d'en faire un plat : qui se soucie d'un pauvre type même pas fichu de respecter sa parole ? Puis à quoi ça sert, un foutu boulot ?) Quatre jours plus tard, Frank et Eustace attendaient à la gare routière de Montgomery, dans l'Alabama, un bus qui les conduirait à Bangor, dans le Maine. La soudaineté de leur décision surprit tout le monde, y compris la mère d'Eustace qui, d'ordinaire, soutenait pourtant ce genre d'initiatives.

« Je ne m'attendais vraiment pas à la nouvelle que tu m'as annoncée par téléphone, lui écrivit-elle une dernière fois avant son départ. Ton projet de randonnée m'inspire des sentiments mitigés. Je comprends ce qui a pu t'y pousser et je ne nie pas que l'idée soit bonne, mais, d'un autre côté, ta décision prouve que tu ne sais pas tenir un engagement ni accorder la priorité à ce qui le mérite. » Elle conclut par une provocation (qui tombait par ailleurs sous le sens), probablement pour soulager sa propre inquiétude : « Ton père estime ta conduite irresponsable. À l'entendre, tu ne te poseras jamais si tu ne commences pas dès maintenant à prendre la vie au sérieux et à réfléchir à ton avenir. Selon lui, tu devrais travailler et ne pas trahir tes engagements. En un mot, il te désapprouve ! »

Ma foi… À quoi ça sert, sinon, d'avoir dix-neuf ans !

Leur grande aventure débuta par une mésaventure : Eustace et Frank, munis de titres de transport en bonne et due forme, devaient attendre, pour monter à bord du bus, qu'une amie de Frank lui apporte à la gare son sac de couchage indispensable à leur équipée. Ils patientèrent un temps fou, mais en vain : aucun signe de l'amie en question. Ils supplièrent le conducteur d'attendre encore, mais celui-ci devait bien finir par démarrer s'il tenait à respecter son horaire. Frank et Eustace s'en arrachèrent les cheveux de dépit. Quelques instants à peine après le départ du bus, l'amie de Frank se présenta enfin avec le sac de couchage. Frank et Eustace sautèrent dans sa voiture et les voilà partis sur l'autoroute à la poursuite du bus. Quand ils le rattrapèrent, Eustace demanda à la conductrice de ralentir et de klaxonner tandis qu'il agitait la main. Les passagers médusés le dévisagèrent. Le conducteur, lui, fit semblant de rien. Eustace Conway n'allait pourtant pas se laisser ignorer. Et pas question qu'il manque le bus qui devait le conduire dans le Maine ! Il ordonna à l'amie de Frank de rouler à la même vitesse que le bus (cent vingt kilomètres à l'heure) au niveau de la vitre du chauffeur. Il s'extirpa de son siège pour se hisser sur le toit de la voiture. Se retenant d'une main à la galerie, il brandit de l'autre son billet et celui de Frank sous le nez du conducteur en criant malgré les assauts du vent : « Laissez-nous monter à bord de ce bus ! »

« À ce moment-là, se rappelle Eustace, le chauffeur a dû se dire qu'il valait peut-être mieux qu'il s'arrête, le temps de nous embarquer. Les passagers ont salué notre arrivée par des hourras et, pendant qu'on s'installait à notre place, une grosse dame a crié "Waouh ! On se serait cru dans un film !". »

Ils descendirent du car dans le Maine et rejoignirent Bangor en stop. Là, ils durent se rendre à l'évidence : ils arrivaient trop tôt en saison. Les gardes forestiers leur conseillèrent de ne surtout pas se risquer à l'étage alpin tant qu'il resterait de la neige et de la glace au sol. Bien entendu, ils ne tinrent pas compte de l'avertissement et se lancèrent à l'assaut de la montagne le lendemain avant l'aube. L'après-midi, ils virent un pygargue à tête blanche planer dans l'air vif et frais. Les voilà donc en route, un mois avant les autres randonneurs.

Il y a tout de même une chose à laquelle ils n'avaient pas pensé : ils ne trouveraient jamais assez à manger le long de ce sentier. Jamais, jamais, jamais. La faim les tenailla du premier au dernier jour. Ils parcouraient quotidiennement quarante à quarante-cinq kilomètres à pied, le ventre vide à l'exception de quelques flocons d'avoine ; leurs seules provisions. Chacun d'eux en avalait un bol le matin. Frank engloutissait le sien en vitesse avant de regarder d'un œil morne Eustace savourer la moindre bouchée de son petit déjeuner frugal, comme s'il laissait fondre un carré de chocolat sous sa langue. Pendant la première partie de leur randonnée, ils ne trouvèrent pratiquement pas de gibier. Le temps ne s'était pas encore suffisamment radouci pour que les animaux se risquent à une telle altitude. Pour couronner le tout : pas la moindre plante comestible en vue sur le sol verglacé.

Quand ils arrivèrent dans le New Hampshire, à demi morts de faim, Eustace aperçut des perdrix dans les sous-bois. Il sortit de sa poche une ficelle, forma un nœud coulant d'une vingtaine de centimètres de diamètre, attacha la ficelle à un long bâton et s'approcha sans bruit de la première perdrix qu'il repéra. Il prit l'oiseau au piège du nœud coulant et lui arracha la tête en serrant la ficelle. Frank se mit à crier de joie en dansant et à embrasser Eustace alors que l'oiseau qui battait encore des ailes se vidait de son sang sur la neige blanche. « Nom d'une pipe ! se rappelle Eustace. On n'en a pas laissé une miette. » Ils mangèrent les ailes, puis la cervelle, les pattes et, encore affamés, croquèrent les os jusqu'au dernier.

La faim les tenaillait tant qu'elle les obligea malgré eux à devenir d'excellents chasseurs. Eustace apprit à Frank à capturer un oiseau à l'aide d'un nœud coulant (heureusement qu'il s'était entraîné en jouant avec Randy Cable !). Ensemble, ils pillèrent pour ainsi dire les abords du sentier à mesure qu'ils avançaient vers le sud. Ils prirent l'habitude de manger des écrevisses, des truites, des baies ou des orties ; n'importe quoi, à vrai dire. Ils tuaient des serpents à sonnette qu'ils ouvraient ensuite au cas où il y aurait eu dans leur ventre des lapereaux ou les reliefs d'un repas plus appétissant encore. Ils avalaient le serpent à sonnette avant de faire un sort à ce que celui-ci venait de manger. Un jour, Eustace tua une perdrix d'un jet de pierre. Il aperçut l'oiseau, se dit : « Elle, il faut que je la mange ! », s'empara du premier caillou qui lui tomba sous la main et abattit la perdrix avant de la dévorer en ne laissant que les plumes.

Frank et Eustace se muèrent en chasseurs-cueilleurs. Ils étaient pourtant dans un endroit plutôt mal choisi pour adopter un tel mode de subsistance : une nuée de randonneurs surexploitaient déjà le sentier des Appalaches au point qu'il devenait encore plus difficile d'y trouver de la nourriture que dans une forêt lambda. Eustace avait en outre conscience que son comportement représentait une aberration du point de vue de l'environnement, pour peu que les autres promeneurs suivent son exemple. Bien que sensible au problème (et honteux de puiser dans les ressources d'une zone déjà pressurée), il poursuivit l'expérience. Il savait que certains peuples primitifs avaient parcouru de longues distances à pied au cours des précédents millénaires, en ne se nourrissant que de ce qu'ils trouvaient en chemin. Or, il ne voyait pas pourquoi Frank et lui n'auraient pas pu en faire autant. Ce qui, en attendant, ne changeait rien au fait qu'ils mouraient de faim.

Ils engloutirent tout ce qu'ils réussirent à chasser ou à cueillir ou parfois même à chaparder. Ils arrivèrent au parc de Bear Mountain, dans l'État de New York, le 4 juillet, le jour de la fête de l'Indépendance. Des centaines de familles de Portoricains et de Dominicains y pique-niquaient alors : une aubaine pour Eustace et Frank ! La tête se mit à leur tourner quand ils s'aperçurent que la moindre poubelle du parc regorgeait de délicieuses boîtes de riz aux haricots même pas vidées, de poulet à moitié rogné seulement et de pop-corn et de gâteaux à peine entamés. Sans doute devaient-ils alors ressembler à Templeton, le rat à la foire, dans *La Toile de Charlotte* : deux omnivores au paradis, s'apostrophant d'une poubelle à l'autre par-dessus le vacarme de la salsa. « J'ai trouvé un jambon entier ! Vise-moi ça ! Des patates douces ! »

Cela dit, l'expérience alimentaire la plus incroyable à laquelle les poussa le désespoir, ils la vécurent dans le Maine, quand ils quittèrent le sentier pour passer quelques jours chez une famille qui élevait un porc dans son jardin au sein d'une petite bourgade dont les habitants donnaient leurs restes à manger au cochon avant de le livrer au boucher puis de se partager sa viande. Frank et Eustace découvrirent cette intéressante coutume quand la maîtresse de maison leur remit un seau d'épluchures de pommes à l'intention du porc, un jour qu'elle venait de préparer des tartes. Arrivés au jardin, Frank et Eustace s'échangèrent un regard, en accordèrent un autre aux pelures de pommes, et s'écrièrent : « Et puis merde ! » Ils se planquèrent derrière la grange pour engloutir les restes de fruits. À partir de là, ils se portèrent toujours volontaires pour aller nourrir le cochon. Ce qu'ils en disent, aujourd'hui encore, c'est que les braves habitants de cette bourgade du Maine jetaient une quantité faramineuse de nourriture tout à fait comestible et que le cochon n'a pas dû beaucoup engraisser tant qu'ils ont traîné dans les parages.

Leur équipée fut un succès à tout point de vue – randonnée, bien-être, maturité, confiance en soi et instants de grâce. Frank et Eustace se découvrirent de nombreuses affinités. Ils étaient sur la même longueur d'onde à propos de la nature et de ce qui clochait en Amérique. Ils s'intéressaient aussi beaucoup à la vision du monde et aux enseignements des Amérindiens. Eustace fit part à Frank des problèmes que lui posait son père. Frank fit part à Eustace de ceux que lui posait le sien et de ses sentiments pour sa petite amie Lori. L'un comme l'autre témoignaient d'une profonde honnêteté exempte du cynisme, du détachement et de la froideur caractéristiques de leur génération. Ils se montraient entre eux d'une parfaite franchise.

Cela ne les mettait même pas mal à l'aise de parler de Dieu. Ils avaient tous les deux grandi au sein de familles baptistes du Sud dont le mode de fonctionnement par défaut correspond à un fondamentalisme pur et dur. Le grand-père d'Eustace, Chef Johnson, un chrétien à la foi solide comme un roc, n'aurait renoncé pour rien au monde à ses principes moraux. La mère d'Eustace voulut transmettre ses convictions à son fils aîné. Enfant, Eustace s'était distingué à l'église, comme la vedette du catéchisme, ne demandant qu'à s'instruire, attentif et l'esprit vif ; grand admirateur, qui plus est, de Jésus-Christ. L'idée de Jésus se rendant au Temple pour « y renverser les étals de tous ces salauds de marchands » lui plaisait assez ; de même que le passage des Évangiles où le Sauveur disparaît dans une nature encore indomptée en quête de réponses aux questions existentielles qui le hantent.

Les pasteurs autant que leurs fidèles finirent cependant par décevoir Eustace. Il devinait chez les uns et les autres un manque de sincérité teinté de duplicité. Dimanche après dimanche, tandis qu'il regardait ses parents incliner la tête en prêtant une oreille pieuse au sermon, il devait s'avouer que la belle image que renvoyait sa famille (une simple mise en scène, en réalité) offrait un contraste saisissant avec les dissensions féroces qui la déchiraient au quotidien (mais qu'ils prenaient soin de dissimuler à l'église par souci de respectabilité devant les voisins). Bientôt, il se mit à observer les autres familles vertueuses en apparence, vêtues de leurs plus beaux habits, la tête inclinée sur leurs bancs, en se demandant malgré lui quelles horreurs se cachaient sous leurs missels.

Pour ne rien arranger, le cycle chrétien de la prière suivie du péché lui-même suivi du repentir et ainsi de suite à n'en plus finir ne tarda pas à lui poser problème. Il lui semblait évident qu'il ne s'agissait là que d'une grossière excuse pour s'écarter du droit chemin. On pèche, on est aussitôt pardonné, alors on pèche de nouveau, fort de la certitude qu'on nous pardonnera une fois de plus. Lamentable ! Puis pourquoi partir du principe que l'on va de toute façon pécher ? Puisque tout le monde respecte la Bible, se demandait Eustace, pourquoi ne pas obéir tout simplement à ses préceptes en arrêtant de mentir, de tricher, de voler, de tuer ou de forniquer ? Combien de fois faut-il relire les Dix Commandements avant de se les entrer dans le crâne, bon sang de bonsoir ? Arrêtez de pécher ! Vivez comme on vous l'a enseigné ! Vous n'aurez plus à vous rendre à l'église tous les dimanches pour vous repentir en pleurant à genoux ; ce qui vous laissera plus de temps pour aller en forêt où (comme le croyait alors Eustace) « ne réside que la vérité ; pas de mensonges, pas de faux-semblants, pas d'illusions, pas d'hypocrisie, mais, au contraire, de l'authenticité ; un monde gouverné par un ensemble de lois parfaites qui n'ont jamais changé et ne changeront jamais ».

Bien entendu, compte tenu de son tempérament et de sa force de caractère, Eustace refusa bientôt de se rendre à l'église et chercha lui-même la réponse aux questions qu'il se posait. Il passa son adolescence à étudier toutes les religions dont il entendait parler, en retenant les préceptes du christianisme qui lui plaisaient le plus pour leur mêler d'autres croyances. Il se montra sensible à la mystique soufie et à l'amour extatique qu'elle exalte. Son côté perfectionniste l'incita à reprendre à son compte le principe fondamental du bouddhisme selon lequel on ne parvient à l'illumination qu'en gardant l'esprit perpétuellement en éveil. La doctrine taoïste, qui invite à suivre l'exemple de l'eau en contournant les obstacles et en érodant patiemment la pierre afin de lui donner une forme en accord avec la nature, toucha en lui une corde sensible. Il appréciait aussi la philosophie des arts martiaux, qui préconise de ne pas lutter contre les agressions extérieures mais de laisser les autres se blesser tout seuls.

Selon lui, il y avait du bon à prendre dans chaque religion ou presque. Il discutait de Dieu avec des Mormons comme avec des Témoins de Jéhovah ou même des adeptes de Krishna dans les aéroports. Cela dit, c'était encore à la spiritualité des Indiens d'Amérique qu'Eustace se montrait le plus réceptif. Il en avait subi l'influence au contact des Amérindiens rencontrés au musée Scheile puis en étudiant l'anthropologie. Il adhérait à l'idée qu'une parcelle de Dieu, ou plutôt du divin, réside en la moindre créature vivant sur notre planète et que tout ce qui se trouve sur notre planète n'est autre qu'une créature vivante. Les animaux au même titre que les arbres ou l'air ou même les pierres, qui existent depuis la nuit des temps.

Eustace et Frank se rejoignaient d'ailleurs sur ce point : l'un comme l'autre étaient convaincus de ne pouvoir trouver Dieu qu'au sein de la nature. Ce qui explique par ailleurs leur désir de randonner : ils souhaitaient découvrir la part de divin en eux et dans le reste du monde. Cela ne les embarrassait pas d'en discuter, soir après soir. Ni de sortir en fin de journée leurs calumets faits maison qu'ils fumaient en priant, en communion l'un avec l'autre, unis par la conviction qu'ils livraient ainsi une offrande sacrée au cosmos. Ils étaient conscients que deux jeunes Blancs en train de prier en fumant le calumet auraient pu paraître ridicules ou même insolents à certains, mais Eustace et Frank ne se contentaient pas de jouer aux Indiens : à l'orée de l'âge adulte, ils s'efforçaient de se conformer au mode de vie qui leur semblait le plus honnête possible en affrontant ensemble les défis que leur apportait chaque jour nouveau. L'équipe soudée qu'il formait avec Frank fut encore ce qu'Eustace apprécia le plus dans leur aventure.

Là-dessus, Eustace Conway rencontra une fille.

Une certaine Donna Henry, une étudiante de dix-neuf ans, originaire de Pittsburgh, qui croisa Eustace sur la partie du sentier qui traverse la Pennsylvanie. Donna était partie randonner avec sa tante et sa cousine. Hélas ! Leur excursion tourna au désastre tant la tante et la cousine, aux sacs à dos surchargés de provisions, manquaient d'entraînement. Au moment précis où Eustace lui apparut, Donna Henry ne marchait même pas ; elle se tenait assise au bord du sentier, marquant une halte sur les instances de ses compagnes qui n'en pouvaient plus. Elle faisait donc la sourde oreille à leurs jérémiades à propos de leurs pieds endoloris, de leurs mollets endoloris et de leur dos endolori quand Eustace Conway déboula dans sa vie.

À ce moment-là, Eustace avait déjà commencé à se défaire de ce qu'il estimait inutile. Un peu avant d'arriver en Géorgie, il finit par en avoir assez de porter du matériel. S'appuyant sur le vieil adage qui prétend que « Plus on en sait, moins il en faut », il se débarrassa peu à peu de tout son équipement, à l'exception de son sac de couchage, d'un couteau, d'un morceau de ficelle et d'une petite marmite. Il renonça même à certains de ses vêtements. Il parcourut les mille six cents derniers kilomètres du sentier vêtu de deux bandanas noués ensemble pour masquer ses parties intimes. Il ne garda même pas un manteau pour se tenir chaud. Tant qu'il marchait, il ne sentait pas le froid. Or, dès qu'il ne marchait plus, il dormait. Quand il pleuvait, il se couvrait d'un sac-poubelle. Quand il en avait assez d'avancer toujours à la même allure (celle d'un homme qui dévorait tout de même pas loin de cinquante kilomètres par jour), il courait de toute la vitesse de ses jambes.

Ce jour-là, le long du sentier, apparut à Donna Henry une créature mince et sauvage tannée par le soleil, barbue et presque nue, qui filait dans les bois à la vitesse d'un coyote, des tennis aux pieds. Eustace avait alors une mince silhouette bardée de muscles. Et un visage magnifique. Quand il aperçut Donna, il s'arrêta de courir. Elle le salua. Il lui dit bonjour à son tour. Puis il lui décocha l'un de ces sourires à tomber raide dont il avait le secret. La tante, la cousine et le lourd sac à dos de Donna lui parurent alors se volatiliser, remplacés par la certitude que sa vie ne serait plus jamais la même.

J'ai la manie d'échafauder des hypothèses sur la vie sexuelle de n'importe quelle personne dont je croise la route. Libre à vous d'y voir un innocent passe-temps ou une perversion… Je ne cherche pas à me défendre : je me contente de dire ce qu'il en est. Je dois avouer que j'ai passé des mois à méditer sur le cas d'Eustace Conway avant même d'envisager la possibilité qu'il soit un être de désir. Surtout comparé à son frère Judson : un être bien de désir, lui, qui n'a rien d'un pur esprit. Eustace me semblait au-dessus des contingences de ce bas monde. Comme s'il échappait à ce genre de besoins.

La première fois que j'ai vu les frères Conway ensemble, dans un bar de l'East Village, ils formaient un contraste saisissant. Judson flirtait et dansait avec tout ce qui portait jupon et qui passait dans son champ de vision, tandis qu'Eustace, raide comme un piquet dans un coin, me parlait d'un ton pince-sans-rire de la saveur de l'eau jaillie de la terre, de la lumière du soleil qui, filtrée par le feuillage, modifie l'équilibre chimique du corps et d'une vérité fondamentale que seuls apprécient ceux qui vivent en pleine nature : la mort rôde autour de nous tout le temps, aussi essentielle que la vie elle-même ; il ne faut pas la craindre mais, au contraire, l'accepter et lui rendre grâce.

Je suis celui qui montrera la voie au peuple tout entier, semblait-il laisser entendre alors qu'il venait de quitter son univers pour se mêler au nôtre. *Il faut me faire confiance et me suivre mais, surtout, n'essayez pas de vous fiche de moi…*

Pour ne rien arranger, il se baigne dans des torrents glacés ; ce qui rend l'éveil de sa libido pour le moins difficile à se figurer. Surtout (c'est ce qui m'a induite en erreur) Eustace Conway se présente sous les traits d'un héros épique de l'Amérique. Or, la notion d'amour charnel ou même romantique est totalement absente de l'image d'Épinal du héros épique de l'Amérique.

Comme l'a souligné l'essayiste Leslie Fielder dans son étude novatrice, *Love and Death in the American Novel (L'amour et la mort dans le roman américain)*, nous, les Américains possédons la seule culture digne de ce nom à ne jamais avoir tenu l'amour pour sacré. Les autres peuples se retrouvent avec un Don Juan alors que nous héritons d'un Paul Bunyan. Il n'y a pas d'histoire d'amour dans *Moby Dick*, Huckleberry Finn ne séduit aucune jeune fille, John Wayne n'a jamais eu envie de renoncer à son cheval pour se plier au joug du mariage et ce satané Davy Crockett n'emmène pas les filles au bal.

Quels que soient les conflits que doivent trancher ces hommes, ils s'y confrontent en compagnie de leur unique amour, la nature ou, à la rigueur, avec l'aide de leur fidèle alter ego (de sexe masculin, bien entendu). Les femmes ne sont là que pour être sauvées ou saluées d'un signe de tête au moment de s'éloigner à cheval dans la direction du couchant. Ce qui nous conduit à un curieux état de fait : les héroïnes d'une grande majorité d'œuvres de la littérature mondiale ne sont pas les seules à veiller jalousement sur leur virginité ; dans les récits héroïques de l'Amérique, les hommes s'en tiennent eux aussi à une stricte chasteté.

Prenez, par exemple, *Le Tueur de daims* de James Fenimore Cooper. Natty Bumppo, un beau gars courageux et futé, ne se marie jamais sous peine de devoir renoncer à sa solitude chérie aux limites de la frontière, où il jouit d'une entière liberté. Non seulement le tueur de daims ne se marie jamais, mais il ne semble même pas attiré par le sexe opposé. Quand l'héroïne Judith Hutter, une brunette intrépide, belle à en tomber raide, se jette pour ainsi dire à ses pieds, il refuse poliment ses avances, bien qu'il soit resté isolé affreusement longtemps dans les montagnes sans la moindre compagnie féminine. Bien sûr, il l'assure de son éternel respect en ajoutant qu'il n'hésiterait pas à lui sauver la vie au besoin.

Judith a toutefois du mal à comprendre. Quel homme impénétrable que ce farouche héros vêtu de peaux de daim ! Si différent des entreprenants capitaines de la garde venus de la ville loger dans les baraquements des environs et qui aiment tant flirter et danser ! Elle va jusqu'à proposer à Natty de vivre avec lui au milieu des bois, loin du confort de la civilisation, mais il repousse son offre. Le tueur de daims ne connaîtra-t-il donc jamais l'amour ?

« Où se trouve ta fiancée ? cherche à savoir Judith, qui peine décidément à se figurer la situation.

– Dans la forêt, Judith, lui répond le tueur de daims (au cours d'un dialogue qui offre un parfait exemple des relations du héros américain avec les femmes, mais aussi d'un style romanesque franchement pas terrible). Aux branches des arbres, sous la bruine, dans la rosée qui couvre les prairies, sur les nuages qui flottent dans les cieux, les oiseaux qui chantent parmi les bois, les sources claires où j'étanche ma soif et dans tous les autres glorieux dons de la divine Providence !

– Ce qui signifie que jusqu'à présent, vous n'avez jamais aimé personne de mon sexe mais uniquement votre cadre de vie ? » lui demande Judith.

Les femmes, dans ce genre de romans, ont l'esprit un peu obtus, mais elles savent se rendre utiles quand il s'agit de mettre les points sur les *i*.

« C'est cela même », renchérit le tueur de daims.

Là-dessus, il envoie la belle Judith étancher sa soif à la source claire d'un autre type.

En résumé : je suis dotée d'une assez bonne culture littéraire assortie d'une fâcheuse propension à me laisser impressionner. Qui oserait me reprocher d'avoir pris à première vue Eustace Conway pour une sorte de Natty Bumppo, le tueur de daims ? Ils se ressemblent même physiquement (« près d'un mètre quatre-vingt-cinq avec ses mocassins aux pieds, de carrure plutôt mince et frêle, pourvu d'une musculature qui annonçait une agilité exceptionnelle ») et s'habillent de la même manière. Eustace (souvenez-vous) m'écrivait des lettres fourmillant d'observations piquantes à la décence irréprochable, du style « L'aube m'a surpris à cheval au pied d'un cerisier croulant sous les fruits mûrs – j'en avais la bouche et les mains pleines. Or, il en restait encore des tas d'autres à cueillir ». Sans doute que la nature était le grand amour d'Eustace et que la divine Providence satisfaisait tous ses besoins.

Eh bien non. Je me trompais.

Voilà donc Eustace Conway sur le sentier des Appalaches en 1981. Au moment où il croise la route de Donna Henry. Éclatante de santé, sympathique et mignonne comme pas permis, Donna tapa dans l'œil d'Eustace, et vice versa. Ils se dirent bonjour puis il y eut ce fameux sourire. Donna ne comprenait pas pourquoi il tenait absolument à s'encombrer de ses deux bandanas noués l'un à l'autre, mais, fascinée, elle lui proposa tout de suite à manger. En partie parce qu'elle souhaitait le retenir auprès d'elle, vu qu'il l'attirait, et pas qu'un peu ; en partie parce qu'elle espérait alléger le sac de sa pleurnicheuse de tante et de sa cousine geignarde. Tout ce qu'elle offrit à Eustace, il l'engloutit aussitôt. Il fondit sur la nourriture comme s'il n'avait plus mangé à sa faim depuis des semaines. Ce qui était d'ailleurs le cas.

Quand il lui annonça qu'il devait remplir sa gourde, Donna s'écria comme par hasard : « Moi aussi ! ». Il lui raconta ses aventures depuis le Maine sur le chemin du torrent le plus proche. Séduite, Donna Henry lui proposa ce soir-là de dîner avec elle ainsi que sa tante et sa cousine. Une fois de plus, il les soulagea d'une partie de leurs provisions en leur parlant de ses audacieuses équipées, de son tipi et de son mode de vie primitif.

Donna assura Eustace qu'il était le bienvenu s'il souhaitait camper auprès d'elles cette nuit-là. Il accepta l'invitation et, quand le ciel s'assombrit et que le feu diminua, Eustace se glissa dans la tente de Donna avant de blottir son long corps souple contre le sien. Dès ce moment-là, Donna était fichue.

Le lendemain, officiellement éprise, Donna renvoya sa tante et sa cousine à l'orée du sentier avec leur barda et parcourut les quarante kilomètres suivants au côté d'Eustace. En pleine forme (elle comptait à son actif une randonnée en compagnie de camarades de fac, l'été précédent), elle n'eut aucun mal à suivre son allure. Ils discutèrent en marchant et en cueillant des mûres le long du chemin. Eustace lui fit part de ses connaissances sur les moindres plantes et rochers qu'ils aperçurent.

À la fin, Donna dut retourner à sa vie de Pittsburgh. Elle ne voulait pourtant pas s'en aller. Eustace lui déclara qu'ils formaient de son point de vue une excellente équipe. Elle acquiesça. Oh, ça oui ! La rencontre avec Donna tombait à pic : Eustace s'apprêtait alors à perdre son compagnon de route, Frank. Sa petite amie Lori lui manquait trop. Or, à l'en croire, une opportunité se présentait de donner une seconde chance à leur amour. Pour cela, il fallait qu'il tente de recoller les morceaux en renonçant à sa randonnée. Eustace se fit une raison. Il accepta les excuses sincères de son ami, dont le départ le désola tout de même ; d'autant qu'il lui restait encore mille six cents kilomètres à parcourir. Comme Donna était une bonne marcheuse (et surtout une adorable compagne sous la tente), une idée lui vint : il lui demanda si elle ne souhaiterait pas le retrouver en Virginie quelques semaines plus tard pour continuer la route à ses côtés. Elle n'attendait que ça ! À ce moment-là, Donna Henry aurait volontiers marché jusqu'à Islamabad pour revoir Eustace Conway.

Quelques semaines plus tard, elle monta à bord d'un bus au beau milieu de la nuit avec son sac à dos et son duvet pour retrouver Eustace plus au sud. Sa mère lui en voulut tellement de rejoindre sur un coup de tête un jeune type maigrichon vêtu d'une simple paire de bandanas qu'elle ne lui dit même pas au revoir.

Ma foi… À quoi ça sert, sinon, d'avoir dix-neuf ans ?

Donna s'attendait, le long du sentier des Appalaches, à cueillir des mûres au côté d'Eustace en discutant et en observant la nature, et ainsi de suite jusqu'à la fin. Le premier jour, Eustace ne quitta pas Donna d'une semelle et lui apprit des tas de choses à propos des arbres et des fleurs. Le lendemain, en revanche, il se leva dès l'aube et lui annonça : « Je pars en éclaireur aujourd'hui. Je compte parcourir pas loin de cinquante kilomètres. Je te retrouverai à l'heure du dîner, à notre campement. » Jamais plus ils ne randonneraient main dans la main. Les jours se succédèrent sans que Donna profite de la compagnie d'Eustace. Il se mettait en route à l'aurore puis elle lui emboîtait le pas. Ils ne communiquaient plus que par l'intermédiaire des petits messages bien pratiques qu'il lui laissait le long du chemin : « Donna, il y a de l'eau potable à six m. sur ta gauche. L'endroit idéal pour marquer une pause ! », « Je sais que ça grimpe raide… Mais tu t'en sortiras ! ».

Tard le soir, elle le rejoignait au campement qu'il venait d'établir. Ils mangeaient tout ce qui leur tombait sous la main (tant pis si c'était mort ou pourri) puis ils s'écroulaient de sommeil. Parfois, Eustace veillait tard dans la nuit en parlant à Donna de ses projets de changer le monde ; elle adorait l'écouter. Donna ne se sentit jamais plus heureuse que dans ces moments-là, sauf peut-être quand il la surnommait avec fierté sa « petite Italienne costaude ».

La vie en pleine nature représentait une nouveauté pour Donna (un jour qu'ils virent un troupeau dans un pâturage, un doute lui vint. « Ce sont des vaches ou des chevaux ? » voulut-elle savoir.), mais elle ne demandait qu'à s'instruire, mue par un enthousiasme à toute épreuve. Un soir qu'ils venaient de parcourir trente kilomètres, alors qu'ils dînaient face au soleil couchant sous un ciel magnifique, Donna s'écria : « Hé, Eustace, si on courait au sommet de la montagne regarder le soleil disparaître à l'horizon ? » Après trente kilomètres de marche ! Comme Eustace le lui disait souvent, Donna était « un solide amas de muscles » et surtout une compagne facile à vivre. Elle semblait prête à tout pour rester à la hauteur d'Eustace. En plus, elle croyait à ses projets et ne demandait pas mieux que de l'aider à les réaliser. Il la stimulait et lui donnait du cœur au ventre. Le matin, il partait le premier puis elle le suivait sans jamais hésiter ni regimber ; ce qui, estime aujourd'hui Donna, « en dit long sur notre relation ».

« J'ai tout de suite pris le pli, se rappelle-t-elle. Il m'attirait dans son sillage comme un aimant. Je parcourais trente à quarante-cinq kilomètres par jour. J'étais toute fine à l'époque, mais je voulais lui prouver que je pouvais tenir le rythme. J'étais follement amoureuse de ce type. Je l'aurais suivi jusqu'au bout du monde. »

Quand Eustace Conway se remémore son aventure le long du sentier des Appalaches, ce n'est pourtant ni Donna Henry ni Frank Chambless qui lui viennent à l'esprit. Bien qu'il n'hésite pas à rendre un hommage mérité à ses compagnons de marche, qui n'ont jamais traîné les pieds ni émis la moindre protestation, il garde surtout de ces merveilleux mois en forêt des souvenirs de lui, tout seul. Enfin seul. Ne dépendant plus que de lui-même. Loin des siens. Loin de la tutelle de son père.

Il se rappelle avoir eu mal aux pieds au point que le moindre pas lui arrachait des larmes, mais il ne s'arrêta pas pour autant, car, enfant, il avait appris à endurer la douleur comme un valeureux Indien. Il se rappelle avoir eu tellement soif que des taches dansaient devant ses yeux. Il se rappelle un détour par la ville de Pearisburg, en Virginie, à proximité du sentier. La faim le tenaillait depuis si longtemps qu'il décida – et puis flûte après tout ! – de s'offrir un repas digne de ce nom qu'il payerait en dollars américains ; pas un maudit lapereau à moitié digéré sorti de l'estomac d'un serpent à sonnette. Voici ce qu'il acheta :

« Le melon le plus mûr, le plus gros, le plus beau qu'on ait jamais vu. Deux douzaines et demie d'œufs ; pas de petit calibre ni de moyen calibre ni même de gros calibre mais de très gros calibre. Une miche du pain le plus nourrissant que j'ai trouvé. Trois litres et demi de lait plus un gros pot de yaourt. De la margarine, un morceau de fromage et un gros oignon jaune. Je suis allé à la cuisine de l'hôtel où j'ai fait revenir l'oignon dans la margarine puis j'ai battu les œufs en omelette en y ajoutant la moitié du fromage. J'ai mangé l'omelette. Puis j'ai fait griller des tranches de pain en y tartinant le reste du fromage. Puis j'ai bu le lait. Puis j'ai mangé le yaourt. Puis j'ai mangé le magnifique melon bien mûr. À la fin, il ne restait plus rien, mais mon estomac ne me semblait pas sur le point d'exploser pour autant, non. Je me sentais simplement rassasié pour la première fois depuis des mois. *Ça y est*, me suis-je dit, *j'ai enfin mangé à ma faim.* »

Il se rappelle une longue journée de marche en Virginie à la fin de laquelle il dut s'engager sur une route de campagne mal éclairée à l'écart de tout. Un vendredi soir où les ploucs du coin partaient s'éclater en camionnette, en écoutant de la musique à fond et en picolant. Ils s'arrêtaient sans cesse, curieux de savoir ce qu'Eustace fabriquait.

« T'as besoin qu'on t'amène que'qu'part ? lui demandèrent un ou deux braves gars.

– Non, merci, leur répondit Eustace.

– T'es parti d'où ?

– Du Maine. »

La réponse d'Eustace ne les impressionna pas tellement.

« Et où tu vas ?

– En Géorgie, leur annonça Eustace, et là, les types s'excitèrent tout à coup, en laissant échapper un long sifflement, d'un air de ne pas y croire.

– Ce taré compte aller en Géorgie à pied ! »

À l'évidence, ils ne savaient pas où se situait le Maine.

Prenant Eustace en pitié, ils lui offrirent une cannette de bière avant de s'éloigner. Eustace continua sa route dans la pénombre, en sirotant la bière, en fredonnant dans sa barbe et en écoutant le chant des insectes de Virginie. Quand il eut terminé sa cannette, une autre camionnette de ploucs arriva.

« T'as besoin qu'on t'amène que'qu'part ? »

La conversation se répéta, mot pour mot, jusqu'à la réplique finale :

« Ce taré compte aller en Géorgie à pied ! »

Eustace parvint à la fin du sentier au bout de quatre mois et demi de marche, en septembre 1981, au moment de fêter ses vingt ans. Il s'adressa des félicitations sous la forme d'une lettre emphatique telle qu'on ne peut en écrire qu'à l'occasion de son vingtième anniversaire, empreinte de fierté, de sérieux et d'émerveillement face à l'ampleur de ce qu'il venait d'accomplir.

« Le soleil vient de disparaître derrière la ligne de crête et les ombres jouent à cache-cache entre les arbres. Voici venue ma dernière soirée sur le sentier des Appalaches. "Un long voyage pour toujours et à jamais." Je me suis mis en route il y a si longtemps que je ne me souviens plus du début que comme d'un rêve brumeux. J'ai changé depuis. Je suis devenu un homme. En vertu d'une coutume indienne, j'ai adopté un nouveau nom : "Chasseur d'aigles". Je me propose d'atteindre les principes moraux les plus élevés du roi des créatures ailées. J'en aurais, des histoires à raconter ! J'ai vu du pays, j'ai rencontré du monde, des gens tous différents les uns des autres mais d'une grande bonté pour la plupart. J'ai appris à prier souvent en acceptant les dons de la sainte Providence. Je crois que Dieu a décidé que je me lancerais dans cette aventure avant même que j'en aie conscience [...]. Ma motivation, simple au départ, s'est approfondie au fil du temps, à mesure que j'acquérais de l'expérience. À l'origine, je voulais vivre plus sainement, au plus près de la nature, ainsi que mieux me connaître. Il me semble que j'y suis parvenu. Me voilà satisfait. Je regrette que la lumière du jour déclinant ne me laisse pas le temps de conclure ces réflexions ; la nuit tombe et l'on ne distingue déjà plus les ombres. Les animaux nocturnes commencent à sortir. Il ne me reste plus qu'à progresser sur la voie que je me suis tracée.

« Eustace R. Conway »

Eh oui : il progresserait désormais sur la voie qu'il venait de se tracer. Tout ce qu'il découvrirait, tout ce qu'il accomplirait par la suite découlerait en quelque sorte de sa randonnée dans les Appalaches. Quelques mois plus tard, Eustace dépouillait un raton laveur à une table de pique-nique, en Caroline du Nord, quand un homme s'approcha de lui pour lui demander : « Vous ne seriez pas Eustace Conway, par hasard ? La dernière fois que je vous ai vu, c'était sur le sentier des Appalaches, en train de dépouiller un serpent à sonnette. Je me souviens qu'on a parlé de partir à l'aventure en pleine nature. » L'homme se présenta sous le nom d'Alan York. Ils discutèrent un moment puis Alan s'écria : « Hé ! Si on allait randonner ensemble en Alaska ? » Eustace lui répliqua : « Je ne crois pas qu'il soit possible de randonner en Alaska, mais je parierais qu'on peut y faire du kayak » ; et c'est ce qu'ils firent. Eustace et Alan traversèrent l'État en canoë, en luttant contre le froid et les courants, à quelques dizaines de centimètres à peine au-dessus des harengs, des saumons, du varech et des baleines.

Après un tel exploit, pourquoi ne pas aller dans les campagnes mexicaines étudier la poterie et le tissage ? Le succès de son expédition au Mexique donna suffisamment d'assurance à notre entreprenant jeune homme pour se rendre au Guatemala où, sitôt descendu d'avion, il demanda : « Où se trouvent les peuples primitifs ? »

Tout a ainsi commencé sur le sentier des Appalaches. Ce qui vient à l'esprit d'Eustace quand il repense à ses dix-neuf ans dans les Appalaches, c'est un moment unique, qu'il chérira toujours comme le plus heureux de sa vie.

Le voilà dans le New Hampshire. Il vient de traverser le Maine en se débrouillant pour ne pas mourir de faim ni de froid, quand il parvient à une crête. Où que son regard se pose, l'exquise lueur rosée de l'aube enveloppe la neige, la glace et le granit. Et c'est tout. Un panorama typique des montagnes Blanches à la fin de l'hiver. Les années passant, Eustace visiterait de nombreux endroits plus fascinants que celui-là et il verrait certains des paysages les plus spectaculaires au monde, depuis l'Alaska jusqu'à l'Australie en passant par l'Arizona. Il ne s'agit donc sans doute pas du plus beau panorama qu'il lui sera jamais donné de contempler. Un tel moment n'a rien d'héroïque non plus. Pas de quoi bomber le torse, comme quand il parviendra au bout du sentier, quelques mois plus tard, en Géorgie, en s'autorisant dès lors à clamer sur tous les toits : « J'en aurais, des histoires à raconter ! » Seulement, en un sens, ça vaut encore mieux. C'est face à ce décor-là qu'Eustace Conway a enfin compris qu'il était libre. Le voilà devenu un homme qui se trouve là où il le souhaite et qui vient d'accomplir ce qu'il a toujours su qu'il accomplirait pour peu qu'on le laisse se prendre en main. Il se sent soudain humble et galvanisé à la fois, purifié et rédimé parce qu'il comprend soudain, au sommet de cette belle montagne, que son père n'est plus là. Son père ne peut plus l'atteindre. Personne ne peut d'ailleurs l'atteindre. Personne ne peut exercer d'emprise sur lui et personne ne pourra plus jamais le punir.

Voilà donc Eustace médusé de joie en train de se pincer pour y croire. Il se sent dans la peau d'un homme qui vient d'échapper à un peloton d'exécution parce que leurs armes se seraient enrayées. Il cherche à s'assurer qu'il n'est pas blessé, mais non : aucune balle ne l'a touché. L'air sent bon, il entend son cœur battre et se met à rire à gorge déployée en se rendant compte qu'il est sain et sauf.

C'est le meilleur moment de sa vie parce que c'est celui où il comprend qu'il va survivre.

CHAPITRE 4

Ici, d'innombrables programmes de réformes sociales ont déchaîné notre enthousiasme. Il n'y a pas un seul homme sachant lire qui ne dissimule dans la poche de son gilet le projet d'une nouvelle communauté.

Ralph Waldo EMERSON

Quand Eustace Conway revint en Caroline du Nord à l'automne 1981, il se mit en quête d'un nouvel endroit où planter son tipi. Il était convaincu qu'il trouverait un excellent emplacement pour peu qu'il prenne le temps de chercher. Au cours des premières années de sa vie d'adulte, chaque fois qu'Eustace dut se poser quelque part, il lui parut plus simple de s'installer sur un terrain qui appartenait à des gens assez généreux pour l'autoriser à y camper (et à en tirer sa subsistance).

« Je suis quelqu'un d'unique dans la mesure où je vis sous un tipi, écrivit Eustace à un propriétaire terrien de Caroline du Nord sur le domaine duquel il venait de jeter son dévolu. Je cherchais où passer l'automne quand j'ai découvert votre propriété. Accepteriez-vous de me laisser établir mon campement à côté de votre ruisseau ? Je n'ai pas beaucoup d'argent, mais je pourrais tout de même vous verser un loyer modique. Je pourrais aussi prendre soin de votre domaine en tant que gardien. Soyez certain que je tiendrai compte de vos exigences.

Vous trouverez ci-joint une enveloppe timbrée à mon adresse pour me faire parvenir votre réponse et un article de journal qui vous renseignera sur le genre de vie que je mène. »

Ce ne fut sans doute pas une tâche aisée pour Eustace de sélectionner l'article de presse accompagnant sa lettre : il venait d'en paraître une telle flopée à son sujet ! Le grand public s'intéressait à lui : le voilà en passe de devenir le chouchou des journalistes de Caroline du Nord qui adoraient rendre visite à ce « jeune homme paisible et modeste » menant une vie « plus rude encore que celle d'un Spartiate, sans même s'offrir le luxe d'une allumette pour démarrer son feu de camp ».

La presse raffolait d'Eustace parce qu'il était parfait dans son genre. Intelligent, bien éduqué, persuasif et photogénique, le jeune Eustace Conway sous son tipi correspondait à ce que les journalistes appellent « un bon client ». Il cultivait la terre pour vivre, tel un montagnard du temps jadis, mais ne se croyait pas pour autant supérieur au reste de la société, ne refusait pas de payer ses impôts et ne fulminait pas contre l'extinction imminente de la race blanche. C'était un doux idéaliste ; pas un bon à rien de hippie incitant tout le monde à se débarrasser de ses vêtements pour faire l'amour avec les arbres. Il vivait à l'écart de la société sans s'apparenter pour autant à un ermite coupé du monde (comme le prouvait l'accueil toujours favorable qu'il réservait à la presse). D'accord : il invitait ses contemporains à remettre en question leurs idées reçues mais en restant poli. Sans compter que ses excellents résultats à l'université imposaient le respect.

Eh oui : ses excellents résultats à l'université. À l'issue de sa randonnée dans les Appalaches, Eustace prit l'étonnante décision de s'inscrire à la fac. Drôle de choix pour quelqu'un qui détestait l'école autant que lui ! Cela dit, il ne doutait pas de réussir ses études pour peu qu'il échappe à la pression que lui imposait son père. Il obtint de très bonnes notes à la fac, y compris en maths. Il y a fort à parier que le Gaston Community College n'avait encore accueilli aucun étudiant de la trempe d'Eustace. Son tipi, sa tenue de pionnier et le récit (d'une voix posée) de ses aventures dans les montagnes ou le long du Mississippi le hissèrent au statut de vedette sur le campus. Il ne tarda pas à susciter chez ses camarades le genre de réaction auquel il devrait s'attendre le restant de ses jours. Les filles (je ne vois pas comment le dire autrement) étaient toutes raides dingues de lui. Quant aux garçons, ils voulaient tous lui ressembler. Il faut dire aussi qu'il avait fière allure, excentrique tout en restant cool : un visage aux pommettes larges, une bouche au pli marqué, des yeux noirs aux paupières tombantes, un long nez arqué. Il possédait un corps magnifique, « taillé comme un roc », à en croire l'un de ses amis au lendemain de sa randonnée dans les Appalaches. Ses cheveux châtains tiraient sur le noir. Et, avec cela, le teint mat, les dents éclatantes de blancheur. Aucune ambiguïté dans ses traits taillés à la serpe, découpés en plans nets. Il émanait de lui une vigueur impressionnante. On l'aurait cru sculpté dans du bois dur. Il dégageait une odeur animale pas déplaisante. En somme, il faisait tourner les têtes et jouissait d'une immense popularité.

Scott Taylor, un camarade de fac d'Eustace, se rappelle que celui-ci déambulait sur le campus avec « son grand sourire et sa veste en peau de daim, l'air du type le plus cool du monde. Je mourais d'envie de voir son tipi, mais on ne s'impose pas de but en blanc sous les tipis des gens ». Au bout d'un certain temps, Scott obtint d'Eustace une invitation à venir chez lui par une « magnifique journée d'automne pluvieuse ». Eustace demanda à Scott d'éplucher des légumes près de la crique : il comptait cuisiner un ragoût, ce soir-là. Scott, un jeune gars aux idées conservatrices issu d'une banlieue proprette qui s'était marié jeune avant d'entreprendre des études de chimie, n'avait encore jamais rien fait de tel. Le voilà soudain galvanisé ! Tout ce qu'Eustace dit ou fit ce jour-là provoqua en lui un choc qui le tira de sa léthargie.

Scott se souvient : « J'avais dix-neuf ans, ma femme aussi ; nous occupions un petit appartement que nous cherchions à meubler dans un style typiquement petit-bourgeois. Nous imitions nos parents sans même y réfléchir, sans même nous pencher sur notre vie avec un tant soit peu de recul. Un jour, j'ai invité chez nous Eustace Conway. Il a fait le tour de l'appartement en silence avant de s'écrier : "Décidément, vous en possédez bien des choses !" Jamais l'idée ne m'avait effleuré qu'on pourrait vivre autrement. Eustace m'a dit : "Imaginez un peu si, avec tout l'argent que vous ont coûté vos meubles, vous aviez exploré le vaste monde ou acheté des livres. Pensez un peu à tout ce que vous sauriez maintenant." Je vous le dis : jusque-là, je n'avais encore rien entendu de tel. Il m'a prêté des manuels de menuiserie et de tannage afin de me convaincre que je pouvais apprendre à fabriquer des choses moi-même. "Tu sais, Scott, qu'il me disait, tu pourrais passer tes étés ailleurs que dans un bureau. Rien ne t'empêche de randonner d'un bout à l'autre de l'Amérique ou de visiter l'Europe." L'Europe ! Randonner ! Voilà bien les propos les plus incongrus qu'on m'ait jamais tenus ! »

Au bout de deux années d'études au Gaston Community College, Eustace obtint d'assez bons résultats pour s'inscrire à l'université d'État des Appalaches, dans la ville de Boone, au cœur des montagnes de Caroline du Nord. Encore miné par les critiques de son père, il ne partit pas très rassuré, sachant que l'université exigerait beaucoup de lui sur le plan intellectuel. Sans compter que la perspective de côtoyer un si grand nombre d'étudiants l'intimidait.

Le premier jour, il ne revêtit même pas sa veste en peau de daim, ne voulant pas attirer l'attention sur lui. Il s'habilla comme monsieur Tout-le-monde, enfourcha sa moto et s'éloigna de son tipi à une heure assez matinale pour avoir le temps de se repérer sur le campus. Aux abords de Boone, il aperçut un lapin fraîchement écrasé sur le bord de l'autoroute. Par habitude, il s'arrêta pour le ramasser. (Voilà déjà longtemps qu'Eustace se nourrissait d'animaux tués sur les routes. Il se fiait aux puces : leur présence dans la fourrure indiquait une viande assez fraîche pour être consommée.) Il enfouit le lapin dans son sac, poursuivit sa route et arriva le premier à son cours d'archéologie. En fait, il se présenta une heure en avance, tant il lui tenait à cœur de ne pas s'égarer en chemin. Comme il lui restait pas mal de temps à tuer et qu'il ne se voyait pas rester assis à se tourner les pouces, il se demanda s'il n'allait pas en profiter pour dépouiller le lapin.

Une idée lui vint alors. « L'école, c'est avant tout ce qu'on en fait », lui répétait sa mère. Là, il décida d'en faire quelque chose. En se renseignant, il réussit à trouver le professeur Clawson dont il allait suivre le cours. Fraîche émoulue de Harvard et à peine débarquée dans le Sud, celle-ci s'apprêtait à enseigner ce jour-là pour la première fois de son existence.

« Écoutez, lui dit Eustace en se présentant à elle, je sais que c'est vous la responsable du cours, mais j'ai une idée : vous et moi, nous pourrions proposer aux autres étudiants une vision intéressante de l'archéologie si je leur expliquais que je vis à la manière des primitifs. Qu'en pensez-vous ? Dans mon sac se trouve un lapin mort que je viens de ramasser le long de la route. Il faut que je le dépouille si je veux le manger d'ici ce soir. Que diriez-vous de me laisser m'en occuper devant le reste de la classe en guise de leçon ? Je me servirai d'outils de ma propre conception inspirés de ceux qu'utilisaient les peuples des temps jadis. Je pourrais d'ailleurs en fabriquer en classe. En voilà, une leçon d'archéologie mémorable ! »

La professeur le dévisagea un long moment. Puis elle reprit contenance et lui dit : « D'accord. Allons-y. »

Ils se rendirent au laboratoire de géologie où ils dénichèrent des silex avant de regagner la salle de classe. Quand les autres étudiants arrivèrent, le professeur Clawson se présenta puis leur remit des papiers à remplir avant de les prévenir : « Je vais laisser la parole à l'un de vos camarades qui vous montrera comment dépouiller un lapin à la manière des peuples primitifs. »

Eustace se leva d'un bond, sortit le lapin de son sac d'un geste digne d'un prestidigitateur, rassembla ses silex et se mit à discourir d'un ton enthousiaste en taillant ses outils. « Prenez garde à ne pas recevoir d'esquille dans les yeux ! » avertit-il ses camarades avant de leur expliquer que les peuples primitifs affûtaient le tranchant de leurs silex de sorte que deux pierres (même de petite taille) leur suffisaient pour démembrer un daim adulte, un exploit qu'Eustace lui-même avait d'ailleurs accompli à plusieurs reprises. Les Aztèques, expliqua-t-il à ses camarades, possédaient des outils de précision grâce auxquels ils pratiquaient des interventions chirurgicales (« des trépanations couronnées de succès ! »). Les archéologues, reprit de plus belle Eustace, attachent une importance considérable à l'étude des outils en pierre dans la mesure où les ossements d'un animal dépecé à l'aide de silex portent des marques spécifiques indiquant qu'il n'a pas succombé à une mort naturelle mais que des êtres humains l'ont tué pour le manger.

Eustace attacha son lapin au cordon de l'un des vieux stores vénitiens beiges de la salle de classe. Il le vida, vite fait bien fait, en soulignant que le gros intestin de l'animal lui semblait, comme souvent, assez propre, vu qu'il ne contenait que des excréments en forme de boulettes noires et compactes, mais qu'il fallait se méfier de l'intestin grêle et de l'estomac, regorgeant de sécrétions nauséabondes. Quand on entaille ces organes par inadvertance, « ce truc infect se répand sur la viande, et c'est vraiment écœurant ».

Tout en s'affairant, Eustace évoqua l'anatomie des lapins de garenne, leur peau aussi fragile que du papier crépon, difficile à manipuler sans la déchirer. Rien à voir avec la peau d'un daim, expliqua-t-il en pratiquant une incision bien nette d'une patte arrière à l'autre en passant par l'anus. La peau d'un daim, souple et résistante, peut convenir à des dizaines d'usages différents, poursuivit Eustace, alors que celle d'un lapin, non. On ne peut pas ôter d'un coup la peau d'un lapin de garenne pour s'en faire une moufle. Tout en enlevant soigneusement la peau du lapin, aussi délicate à manier qu'une serviette en papier mouillée, Eustace précisa que le truc consistait à tirer la peau en une seule fois, comme si on pelait une pomme. Ainsi, on obtenait une bande de fourrure de plus de deux mètres de long, en un tour de main !

Eustace fit passer la dépouille du lapin à ses camarades, afin que chacun d'eux puisse la palper. Ils lui demandèrent à quoi elle pouvait servir. Bien entendu, Eustace ne resta pas à court de réponses : les Indiens d'Amérique enroulaient les peaux de lapin autour de cordes en fibres végétales, la fourrure à l'extérieur, leur expliqua-t-il. L'ensemble, une fois séché, formait de longs cordages solides qui, lorsqu'on les tissait ensemble, donnaient une couverture non seulement légère et douce mais aussi très chaude. Quand on explore comme Eustace Conway les cavernes du Nouveau-Mexique où s'abritaient certains peuples primitifs, il arrive que l'on y trouve des couvertures de ce genre enfouies dans un coin, préservées par le climat aride du désert depuis plus d'un millénaire.

Un tel exposé valut une célébrité immédiate à Eustace. Il reprit confiance en lui et se décida même à porter sa veste en peau de daim sur le campus. Le soir même, le professeur Clawson se rendit sous le tipi d'Eustace où elle savoura un grand bol de ragoût de lapin.

« Alors qu'elle était jusque-là strictement végétarienne ! se rappelle Eustace. En tout cas, une chose est sûre : il lui a plu, ce lapin. »

Bienvenue dans le Sud, professeur.

Pendant ses études, Eustace habita sous son tipi. Il apprit des tas de choses sur la vie au grand air alors même qu'il fréquentait la faculté. Le savoir-faire indispensable dans la nature, il l'avait toutefois acquis enfant ou adolescent. Voilà que les heures passées à explorer les bois aux alentours des pavillons qu'avaient successivement occupés les Conway portaient leurs fruits, au même titre, d'ailleurs, que son équipée le long du sentier des Appalaches. Ce qu'Eustace lui-même appelle sa « vigilance opiniâtre innée » lui avait permis d'acquérir dès son plus jeune âge le coup d'œil d'un expert.

Pendant ses années de fac, il passa beaucoup de temps à perfectionner sa technique de chasse. Il se mit à étudier le comportement des daims et dut bientôt admettre que, plus il en savait là-dessus, plus il lui devenait facile de les repérer. Des années plus tard, ce chasseur chevronné reconnaîtrait, en se penchant sur ses années d'études, qu'il avait dû manquer à ce moment-là des dizaines de daims et se retrouver plus d'une fois à moins de quelques mètres d'un animal sans même s'en apercevoir. Eustace comprit qu'il ne lui servait à rien de scruter les taillis à la recherche « de bois pointant de la tête d'une grosse bête, sous un panneau indiquant : "Il y a un cerf, là, Eustace !" » Il dut au contraire apprendre à repérer les daims comme il le faisait autrefois pour les tortues : en guettant, les sens à l'affût, le plus subtil mouvement dans les sous-bois. Bientôt, il se mit à remarquer quand un cerf remuait l'oreille ou quand un ventre blanc se détachait sur le feuillage automnal. Tel un mélomane capable de distinguer chaque instrument de l'orchestre, Eustace parvint peu à peu à estimer, au simple craquement d'une brindille en forêt, si c'était un daim ou un écureuil qui venait de marcher dessus. À moins qu'il ne s'agît d'une branche tombée d'un arbre sous la brise matinale ? Là aussi, Eustace apprit à faire la différence.

À force de vivre sous un tipi, Eustace finit par apprécier n'importe quel type de temps. Inutile de se plaindre s'il pleuvait trois semaines d'affilée : c'était à l'évidence ce qu'il fallait à la nature à ce moment-là. Eustace en prenait son parti. Il en profitait pour se confectionner des vêtements, lire, prier ou coudre des perles, cloîtré chez lui. Il en vint à considérer l'hiver comme une saison aussi indispensable et magnifique que le printemps : la nature ne saurait pas plus se passer des tempêtes de neige que du soleil estival. Eustace entendait ses camarades à la faculté maugréer contre les intempéries. Le soir, il notait dans son journal « qu'il ne fait jamais un "sale temps" au grand air. On ne peut pas juger la nature : elle se contente de satisfaire ses besoins ».

« J'ai pris soin d'alimenter le feu, nota Eustace Conway dans son journal, un soir glacial de décembre, à l'époque où il étudiait à la faculté, et je récolte maintenant une moisson de chaleur. Quel bonheur ! Ma façon de vivre pèserait sans doute à la plupart de mes contemporains. Hier soir, par exemple, au crépuscule, j'ai allumé un feu pour chauffer de l'eau et cuire mon dîner. Quand l'eau a été chaude, j'ai ôté mes vêtements (malgré la température glaciale), et je me suis lavé les cheveux et le torse. Mes camarades de classe ne l'auraient jamais supporté ! »

Il disait sans doute vrai. Même s'il faut reconnaître en toute impartialité que certains de ses contemporains ne se sentaient pas moins à l'aise que lui dans de telles circonstances. Donna Henry, pour commencer. Bien que son nom n'apparaisse pas souvent dans le journal d'Eustace, Donna passa beaucoup de temps auprès de lui, sous son tipi, en ôtant elle aussi ses vêtements pour se laver les cheveux par une température polaire.

Après leur randonnée au cœur des Appalaches, Donna resta dans le sillage d'Eustace. L'été suivant, ils marchèrent dans les parcs nationaux de l'ouest, de toute la vitesse de leurs jambes (Eustace ouvrait la route tandis que Donna essayait de ne pas se laisser distancer). Elle dut s'avouer, au bout de tant de temps passé auprès de lui dans la nature indomptée, qu'elle mourait d'envie de l'épouser. Elle se montra franche. Elle lui déclara sans détour qu'un « lien particulier nous attache l'un à l'autre, nous sommes des âmes sœurs. Des relations comme la nôtre, on n'en noue qu'une fois dans sa vie ». Eustace, lui, ne se sentait pas encore assez mûr pour songer au mariage. Voilà bien la dernière chose qui lui serait venue à l'esprit à ce moment-là ! À part, bien sûr, retourner vivre sous le même toit que son père. L'aventure dans laquelle venait de se lancer Eustace incarnait à ses yeux la parfaite antithèse du mariage : elle devait lui permettre de jouir de la liberté la plus absolue.

N'empêche qu'il aimait Donna, dont il appréciait beaucoup la compagnie. Il lui permit donc de rester dans son sillage. Elle vécut sous son tipi un certain temps à l'époque où il fréquentait la fac et adopta ses centres d'intérêt. Elle apprit à coudre des peaux de daim, étudia la culture des Indiens d'Amérique, se mit à l'accompagner à des rassemblements et à fréquenter ses amis en les recevant chez eux en maîtresse de tipi accomplie.

Donna Henry se mit à ressembler de plus en plus à Donna Reed : elle ne tarda pas à se sentir très seule, en proie à une perplexité croissante. Il faut dire qu'elle ne voyait pas souvent Eustace. Il suivait un double cursus d'anthropologie et d'anglais et, quand il n'assistait pas aux cours, il tentait d'assumer le rôle de militant auquel l'appelait sa vocation. Eustace Conway, à vingt ans, était déjà l'homme d'un destin ; ce qui ne lui laissait pas trop le temps de s'occuper de sa petite amie. Depuis peu, il sillonnait le sud des États-Unis en répandant la bonne parole dans les écoles publiques où il mettait alors au point ce qu'il appellerait plus tard son « cirque itinérant » : un enseignement interactif inspiré de son vécu, destiné à sensibiliser les jeunes à la nature. De ce point de vue, Eustace faisait merveille, capable de déchaîner les applaudissements des hommes d'affaires même les plus cyniques. Quant aux enfants... Ils adoraient Eustace, qu'ils considéraient un peu comme un Papa Noël des bois : « Monsieur Conway, vous êtes un chouette type [...]. Merci de votre participation aux journées du patrimoine [...]. Ça m'a beaucoup plu, tout ce que vous nous avez appris au sujet des Indiens, surtout sur leur mode de vie et leur nourriture [...]. J'ai trouvé ça passionnant de découvrir que vous cousiez vous-même vos vêtements [...]. En grandissant, j'essayerai de vous ressembler [...]. J'ai l'impression que vous m'avez plus appris en un jour que depuis huit ans que je vais à l'école. »

Eustace tâchait en outre de mettre au point sa philosophie personnelle. Il ne doutait pas que son destin l'appelait à montrer l'exemple au reste du monde, mais quel exemple au juste ? Il souhaitait que la société dans son ensemble prenne conscience des ravages calamiteux que son mode de vie consumériste infligeait à la terre. Il voulait enseigner à chacun le moyen de se libérer de ce que son grand-père appelait « l'influence amollissante de la ville » en amenant ses contemporains à revenir sur leurs choix de vie. « La réutilisation et le recyclage sont d'excellents principes, assénait-il à son auditoire, mais en dernier ressort uniquement. Il faut avant tout Réfléchir et ne pas hésiter à Renoncer – deux termes qui, eux aussi, commencent par un R. Avant d'acquérir un objet jetable, demandez-vous en quoi il vous sera utile. Ne l'achetez pas s'il ne vous paraît pas indispensable. Après tout, rien ne vous y oblige. » En résumé, Eustace appelait de ses vœux un profond changement. Il fallait que les Américains vivent à nouveau en accord avec la nature, faute de quoi le monde entier courrait à sa perte. Eustace Conway se sentait en mesure d'indiquer au reste de la société le moyen d'éviter la catastrophe.

Il consacra par ailleurs une bonne partie de ses années d'études à la rédaction d'un livre, un guide pratique, faute de terme plus approprié, intitulé *La Vie au grand air* et qui expliquait aux Américains (sans négliger aucun détail) comment renoncer à leur culture moderne insipide pour mener une existence plus riche, en harmonie avec la nature, en laissant leurs enfants grandir et prospérer loin de « la pollution, du plastique et d'un flot incessant de paroles sans queue ni tête responsable d'un tas d'ulcères et d'une recrudescence des maladies cardiaques et, surtout, qui finissent par vous rendre à moitié fou en faisant grimper en flèche votre tension artérielle ». Eustace se rendait bien compte que la plupart des Américains paniqueraient à l'idée de s'installer de but en blanc dans la nature à l'état sauvage, mais, selon lui, une fois en possession d'un guide fiable, les familles même les plus habituées à toutes les facilités de la vie moderne trouveraient le courage d'aller s'établir en forêt. *La Vie au grand air* vibre d'un merveilleux optimisme. Chaque phrase traduit l'assurance d'Eustace (à vingt et un ans à peine !) de détenir des solutions aux problèmes de la société. Pas un instant, il ne lui vint à l'esprit qu'il risquait de se heurter à un mur d'incompréhension.

L'ouvrage au style limpide et assuré se divise en chapitres thématiques : le chauffage, l'éclairage, le confort, la literie (« Il est bon, pour commencer, de comprendre le principe de l'isolation thermique »), l'hygiène, l'habillement, l'outillage, la cuisine, les enfants, l'eau, les animaux, la vie en communauté, le feu, la solitude, l'approvisionnement et la spiritualité. En gros, Eustace y exprime la conviction que, plus on en sait sur la nature indomptée, moins on « vit à la dure » et, par conséquent, plus on jouit d'un confort relatif. Il n'y a pas de raison, affirme-t-il à son lecteur, d'en baver dans les bois à partir du moment où l'on a conscience de ce que l'on fait.

« Ce n'est pas drôle de se retrouver comme une âme en peine dans la nature ! La vie au grand air, c'est d'abord une vie en harmonie avec notre environnement naturel, où l'on se sent heureux et où l'on passe des moments mémorables. Pas parce qu'on a roussi la semelle de ses chaussures aux flammes d'un feu de bois ou qu'on a attrapé la dysenterie en buvant de l'eau insalubre mais parce que l'on apprend à dominer l'environnement même le plus hostile pour y aménager un cocon paisible et douillet – comme se doit de l'être un foyer. »

Allez-y à votre rythme, nous rassure Eustace. Une chose à la fois. « Attendez de maîtriser le savoir-faire de base dans votre jardin. » Quand vous saurez vous confectionner des couvertures en matériaux naturels, « allez dormir sur votre terrasse ; si jamais le froid vous empêche de fermer l'œil, libre à vous de battre en retraite dans votre chambre où vous réfléchirez à la cause de votre échec ». Prêt à chasser pour vous nourrir et à cuisiner au feu de camp ? Faites-vous la main dans un parc non loin de chez vous avant de randonner en Australie. « Il vous restera toujours la possibilité de commander une pizza si vous brûlez votre dîner. Ou de recommencer jusqu'à ce que le résultat vous donne satisfaction. » Surtout : « Ne négligez aucun détail, si anodin vous semble-t-il. Il m'a fallu trois ans et demi pour apprécier la différence entre un globe de lampe à huile vraiment propre et à peu près seulement. J'ai pourtant toujours nettoyé le globe de ma lampe, mais pas suffisamment. Depuis que je prends garde à le maintenir dans un état impeccable, je vois beaucoup mieux la nuit. »

Tout ce qu'il faut pour réussir, Eustace nous le promet, c'est s'entraîner un peu, faire preuve de bon sens et ne jamais hésiter, dans la plus pure tradition américaine, à se lancer dans une entreprise nouvelle. Accrochez-vous, croyez en vous et, en moins de temps qu'il n'en faut pour l'écrire, vous vivrez avec votre famille dans un « abri au cœur des bois [aussi] merveilleusement paisible » que celui d'Eustace Conway.

Le hic, c'est que ses études, ses engagements et le temps qu'il consacrait à l'écriture obligeaient cet homme des bois à s'absenter des bois l'essentiel du temps. Il n'est possible de militer sous un tipi que jusqu'à un certain point. Quand on veut à tout prix changer le monde, il faut accepter de s'y mêler sans laisser passer la moindre occasion de mener campagne. Or, des occasions de mener campagne, Eustace en rencontrait sans arrêt, au point même d'en perdre la boussole. Un jour de janvier, il nota dans son journal ce commentaire extatique : « Quel bonheur d'apercevoir l'étoile du matin par la trappe d'aération, au réveil ! » puis il se hâta de préciser : « Je voudrais écrire un article sur ma vie à l'intérieur d'un tipi, pour un magazine ».

Il prenait tant d'engagements qu'il lui arrivait souvent de passer plusieurs jours d'affilée loin de son abri merveilleusement paisible au cœur des bois en y abandonnant sa petite amie et compagne de randonnée Donna Henry. Au final, c'était elle qui jouissait du spectacle de la nature pendant qu'Eustace donnait des conférences, suivait des cours ou dansait à un rassemblement, cerné d'admirateurs ; ce qui finit par miner la belle sérénité de Donna. Celle-ci (qui s'estime aujourd'hui coupable de ne pas avoir su se créer une vie indépendante de l'homme qu'elle vénérait) ne savait pas à quoi occuper son temps si ce n'est à tenter de satisfaire Eustace en s'occupant de son tipi en son absence.

Pendant le peu de temps qu'Eustace consacrait à Donna, il lui arrivait de se montrer très dur envers elle. Il ne bornait pas son perfectionnisme à lui-même. Cela l'irritait quand elle ne faisait pas tout ce qu'il lui ordonnait, ne cuisait pas les crêpes comme il fallait ou ne nettoyait pas suffisamment le globe de la lampe à huile. Les activités d'Eustace lui prenaient beaucoup trop d'énergie pour qu'il explique sans arrêt à Donna comment s'y prendre. Il serait temps qu'elle commence à se tirer d'affaire seule. Pourquoi ne prenait-elle pas davantage d'initiatives !

Les mois passèrent. Donna finit par se convaincre qu'elle faisait tout de travers et que jamais elle ne donnerait satisfaction à Eustace, quand bien même elle redoublerait d'efforts. Elle s'inquiétait sans cesse du prochain prétexte qu'il invoquerait pour la houspiller. Elle finit par le quitter un froid après-midi de janvier. Peu auparavant, Eustace, qui venait de trouver des écureuils morts le long de la route, les avait jetés par terre sous le nez de Donna en lui disant : « Fais-en de la soupe pour ce soir. » Là-dessus, il avait tourné les talons, déjà en retard à son prochain rendez-vous.

« Il faut bien avoir à l'esprit, raconte aujourd'hui Donna, que la vie que nous menions, c'était lui qui en rêvait alors que je n'habitais sous son tipi que par amour pour lui. Je ne savais pas faire de soupe à l'écureuil. J'ai grandi à Pittsburgh, nom d'un chien ! Eustace m'a simplement ordonné de ne pas couper les têtes pour ne pas gâcher de viande. J'ai essayé de séparer la viande des os, sans me douter qu'il aurait mieux valu faire bouillir la carcasse entière, en attendant que la viande se détache toute seule. Bien entendu, je n'ai pas réussi à gratter beaucoup de viande à l'aide de mon couteau. J'ai quand même fait de mon mieux, j'ai laissé les têtes dans la marmite, et j'ai enterré les os dans les bois derrière le tipi. Quand Eustace, à son retour, a vu la soupe où flottaient les têtes, il m'a demandé : "Où est passé le reste de la viande ? Et les os ? Je lui ai expliqué comment je m'étais débrouillée. Il s'est mis en colère. À tel point qu'il m'a obligée, en pleine nuit, au mois de janvier, à déterrer ces satanés os d'écureuils pour me montrer l'étendue du gâchis. Puis il m'a forcée à rincer les carcasses et à les cuire. Quatre jours plus tard, je le quittais. »

Six années s'écouleraient avant que Donna et Eustace ne s'adressent de nouveau la parole. Donna se consacra corps et âme à l'étude de la culture des Indiens d'Amérique. Elle partit vivre dans une réserve indienne où elle épousa un Sioux pour la simple et bonne raison qu'il lui apparut comme un substitut à Eustace. Son couple ne tarda pas à battre de l'aile. Par considération pour son fils, Tony, elle se reprit en mains et poursuivit son chemin seule. Un peu plus tard, elle se remaria, avec quelqu'un de bien, cette fois, fonda une maison d'édition à succès et donna naissance à un autre enfant.

Depuis, l'eau a coulé sous les ponts et, pourtant, Donna aime encore Eustace. Elle estime qu'en un sens ils étaient faits l'un pour l'autre, et qu'Eustace a été stupide de ne pas l'épouser. En dépit des « liens affectifs essentiels » qui l'attachent à son second mari (lequel accepte de bonne grâce les sentiments persistants de son épouse pour son ancien amant puisqu'il les sait indissociables de sa personnalité) et malgré son impression qu'Eustace « ne sait pas aimer, mais seulement commander », Donna croit dur comme fer qu'elle était destinée à devenir « la compagne d'Eustace Conway » et que leur histoire n'est pas forcément terminée. Un jour, estime-t-elle, il se pourrait qu'elle aille vivre avec lui sur sa montagne. En attendant, elle envoie son fils au camp de vacances qu'organise tous les ans Eustace Conway à l'île de la Tortue en espérant qu'il y deviendra un homme.

« Eustace Conway est le héros de mon fils, avoue-t-elle. Je ne sais pas si Eustace aura un jour un fils, mais, s'il y a une place pour des enfants dans son cœur, c'est à mon Tony qu'il la réserve. »

Quant à Eustace, il garde un excellent souvenir de Donna, « la femme à la constitution athlétique la plus extraordinaire que j'aie jamais rencontrée ; une compagne forte et volontaire ». À l'entendre, c'était quelqu'un de formidable. Sans doute une excellente épouse. Seulement, Eustace était trop jeune à l'époque pour se marier. Quand je lui ai demandé s'il se rappelait le fameux incident de la soupe aux écureuils (« Rassure-moi, tu n'as quand même pas osé faire une chose pareille, Eustace ! »), un soupir lui a échappé. Non seulement Donna n'a pas menti mais des mésaventures comme celle-là, il n'a pas cessé de lui en arriver depuis « avec un tas de gens différents ». Eustace m'a paru sincèrement navré : il attend trop de son entourage. Rétif au moindre compromis, il en vient à donner une mauvaise opinion d'eux-mêmes à ceux qu'il estime pourtant le plus. Là-dessus, nous avons changé de sujet avant de clore la discussion.

À mon retour chez moi, un message d'Eustace m'attendait sur mon répondeur : il venait de réfléchir à l'incident de la soupe aux écureuils et ne voulait surtout pas que je me fasse une idée trompeuse de la situation, qui lui revenait à présent en mémoire. Il avait obligé Donna à déterrer les os d'écureuil en pleine nuit parce que l'occasion lui semblait on ne peut mieux trouvée de lui enseigner l'art et la manière de cuisiner les carcasses.

« Puis pourquoi laisser perdre de la bonne viande ? poursuivit-il. Heureusement pour nous, l'incident s'est passé en janvier : il gelait presque à ce moment-là. Du coup, la viande ne risquait pas de pourrir sous terre. Alors qu'en été, je n'aurais sans doute pas insisté : la viande se serait gâtée en grouillant de vers. J'en ai tenu compte et déduit que la viande était encore mangeable, et puis voilà une excellente occasion de montrer un truc utile à Donna ! J'ai dû estimer que ce serait du gâchis de ne pas récupérer la viande. En fait, quand j'ai demandé à Donna de me ramener les ossements, j'ai réagi tout à fait logiquement. »

Espérant pour conclure que tout cela me semblait désormais plus clair, Eustace me souhaita une bonne soirée avant de raccrocher.

« Qu'est-ce que ce pionnier des temps modernes cherche à prouver ? » se demande dans un article de presse l'un des nombreux journalistes qui rendirent visite à Eustace Conway sous son tipi, pendant ses années de fac. Il cite aussitôt la réponse d'Eustace : « Rien du tout. La plupart des gens aiment regarder la télé ou aller au cinéma et se sentent bien dans leur maison. Moi, j'aime regarder la pluie ou la neige tomber en écoutant la nature, et je me sens bien sous mon tipi. Libre aux autres d'attacher de l'importance à l'argent et aux biens matériels. De quel droit irais-je les juger ? Tout ce que je demande, c'est qu'on respecte aussi mes choix de vie. »

Sauf que ce n'était pas aussi simple. Eustace réclamait bien plus que le droit de mener seul une vie tranquille à l'abri des critiques et du regard des autres. Mener seul une vie tranquille, ça n'a rien de sorcier. Il suffit de ne parler à personne, de ne pas sortir, de ne pas inviter de journalistes chez soi, de ne pas proclamer à la face de la société qu'il est doux, le bruit de la pluie qui tombe dans les bois, et de ne pas rédiger d'articles incitant ses contemporains à changer de vie. Si vous désirez mener seul une vie tranquille, partez dans les bois et restez-y sans faire de vagues. On appelle ça devenir ermite, et, tant que vous n'enverrez pas de bombes par colis postaux, le reste du monde continuera de vous ignorer. À condition que ce soit vraiment ce que vous vouliez.

Une chose est sûre : ce n'était pas ce que voulait Eustace. Il souhaitait tout le contraire de ce qu'il affirmait au journaliste : il voulait qu'on le juge tant il était convaincu de détenir la clé d'un mode de vie meilleur pour l'ensemble des Américains ; un mode de vie qui méritait que ses contemporains y réfléchissent s'ils voulaient enfin comprendre à quel point il avait raison. Il souhaitait que les amateurs de télé ou de cinéma prennent connaissance de sa façon de vivre en admettant qu'il éclatait de joie et de santé puis qu'ils étudient ses idées avant de les mettre en pratique à leur tour. Il voulait les amener à réagir, tous autant qu'ils étaient.

Tel est le rôle de l'homme d'un destin. Or, Eustace Conway convoitait encore et toujours le titre d'homme d'un destin – soutenu en cela par sa mère. Quand il obtint ses diplômes en 1984, avec mention, Mme Conway lui adressa une lettre de félicitations lui rappelant que le moment n'était pas encore venu pour lui de relâcher la pression.

« Te voilà parvenu à une nouvelle étape de ton cheminement, qui marque pour toi un succès mérité, le couronnement d'un dur labeur. Moi qui connais et apprécie mieux que quiconque les circonstances dans lesquelles tu as obtenu tes diplômes, je t'applaudis et te félicite. Je suis vraiment fière de toi ! Rappelle-toi tout de même : on ne cesse d'apprendre que le jour de sa mort. Tu viens d'accomplir un formidable travail, mais ce n'est qu'un début. Puisses-tu aspirer à une sagesse plus grande que la simple accumulation de connaissances ! Je prie Dieu pour qu'Il te guide, te protège et te bénisse tant que tu poursuivras ta route sur cette terre. Ta mère dévouée. »

Eustace n'avait nullement besoin qu'on lui tienne ce genre de discours. Il brûlait déjà d'impatience de passer à la suite : « J'ai envie d'accomplir de grandes choses, de pouvoir me dire que, ça y est, j'y suis arrivé », note-t-il dans son journal.

Sans compter que ce qu'il observait autour de lui le dépitait de plus en plus. Un regrettable incident se produisit un soir qu'une bande de ploucs des environs se présenta chez lui pour lui emprunter des cartouches de .22 long rifle afin d'achever un gros raton laveur perché en haut d'un arbre non loin de là. Selon toute vraisemblance, ils avaient bu plus que de raison pendant qu'ils chassaient et se payaient du bon temps. Ils tiraient si mal qu'ils venaient de viser le raton laveur plus d'une vingtaine de fois sans réussir à l'abattre ni même à le faire descendre de son arbre. Sans doute que ce trou du cul était blessé. Eustace ne pourrait-il pas leur donner des cartouches pour qu'ils lui règlent son compte une bonne fois pour toutes, à ce bâtard ?

Tout dans cette scène dégoûta Eustace : les chiens qui aboyaient, la cacophonie des coups de feu (« On aurait dit qu'une guerre faisait rage à côté de chez moi », se plaindrait-il plus tard dans son journal), la bêtise de ses voisins et leur manque de considération pour le raton laveur. De quel droit osaient-ils tirer sur un être vivant comme sur une cible en plastique à la foire puis le laisser souffrir pendant qu'ils glandaient en cherchant sans conviction des cartouches ? Quelles espèces d'abrutis imbibés au dernier degré peuvent bien manquer sa cible vingt fois de suite ? Pourquoi, surtout, fallait-il qu'il ait affaire à ces crétins empiétant sur sa vie privée au beau milieu de la nuit alors qu'il s'efforçait de rester à l'écart de la société ?

Sans mot dire, Eustace se leva et s'habilla. Il n'avait pas de cartouches de .22 long rifle mais un fusil à poudre qu'il hissa sur son épaule avant de suivre chiens et chasseurs le long d'un sentier éclairé par la lune jusqu'à l'arbre où se tenait perché le raton laveur. D'un seul coup de son antique pétoire, il abattit l'animal.

« Ce ne fut qu'au moment de le dépouiller, écrivit-il dans son journal, que je me suis aperçu que seul le plomb de mon fusil lui avait troué la peau. »

Les ploucs du voisinage n'avaient même pas éraflé l'animal. Pas une seule fois en dépit d'une vingtaine de tentatives. Cela dit, ils s'en fichaient pas mal. Seule la fourrure les intéressait. Eustace dépouilla le raton laveur avant de la leur remettre pour qu'ils la vendent. Le sort de l'animal manqua de peu lui arracher une larme, et il conserva sa viande afin de la consommer plus tard, en sachant gré au raton laveur du sacrifice de sa vie. Les autres ploucs n'allaient certainement pas bouffer de raton laveur, eux !

L'incident lui sapa le moral. Tant de rapacité, de bêtise, de gâchis. Un tel manque de considération pour un être vivant et de respect pour les lois de la nature... Tout cela rendit malade Eustace dont la mission sur terre consistait à réaffirmer le caractère sacré de la vie. Mais par où commencer face à des types aussi obtus, qui tirent sur des animaux pour le plaisir quand ils ont trop bu et ne veulent même pas en récupérer la viande ?

« Bon sang de bonsoir ! note Eustace dans son journal. Que faut-il que je fasse ? Ils me traiteraient de maniaque de la nature, de taré de Grizzly Adams, si j'essayais de leur expliquer mon point de vue. »

Voilà encore un autre sujet de contrariété pour Eustace. Il commençait à en avoir assez de passer pour un excentrique, un maniaque de la nature, un taré de Grizzly Adams, alors qu'il avait tant à apporter au reste du monde. De plus en plus souvent, il se retirait dans la contemplation. La confection de ses habits ou la chasse du gibier dont il se nourrissait ne lui procurait plus autant de satisfaction qu'avant. Il se sentait prêt à se lancer dans un projet plus audacieux, de plus grande envergure.

« Il me faut de la nouveauté, un stimulant, confie-t-il à son journal. J'ai besoin de me colleter avec la vie, la vraie ; de me mettre à l'épreuve. Il y a certainement mieux à faire que de discuter des mêmes problèmes, année après année. Je n'ai pas envie de discuter, en fait ; je veux agir, repousser mes limites ! Je ne tiens pas à ce que ma vie ne rime ou ne serve à rien. On n'arrête pas de me dire que je me démène déjà pas mal, mais il me semble que je n'effleure même pas la surface des choses. Oh, ça non ! La vie est si courte. Qui me garantit que je ne vais pas disparaître demain ? Une vision. Se concentrer… Et après ? Comment s'y prendre ? Que faire ? Est-ce que j'en serai capable ? Dans quelle direction œuvrer ? Fuir, ce n'est pas une réponse. Il n'y a pas trente-six solutions mais une seule : le destin. Se fier au destin. Encore et toujours. »

En d'autres termes, il n'allait pas se contenter de fabriquer des mocassins sous son tipi en écoutant la pluie tomber. D'ailleurs, en parlant de tipi : Eustace ne tenait pas à passer le restant de ses jours à déplacer le sien d'un terrain à un autre. Un promoteur finissait toujours par acquérir à l'insu d'Eustace le moindre arpent de terre où il établissait son campement avant d'y bâtir un lotissement. L'horreur ! Comme quand on se tient sur des sables mouvants que les courants emportent peu à peu. Où Eustace pourrait-il bien échapper à la menace des promoteurs ? Il voulait continuer à enseigner, mais comme il l'entendait, c'est-à-dire pas nécessairement pendant la seule et unique heure de cours que lui accordait le directeur de l'école où il se rendait à une date convenue d'avance. Il lui fallait de nouveaux défis à relever, une plus grande influence à exercer, plus de monde à toucher. En somme, il lui fallait plus d'espace.

Quand on demanderait plus tard à Eustace Conway pourquoi il a choisi de vivre à l'île de la Tortue (un terrain de quatre cents hectares dans lequel il a investi beaucoup d'énergie), il se justifierait par un petit exposé qui deviendrait l'un des moments les plus marquants de ses apparitions en public.

« Petit garçon, je raffolais d'un livre racontant l'histoire d'animaux qui vivaient parfaitement heureux dans une forêt idyllique jusqu'à ce qu'un jour, des bulldozers abattent leur maison pour y construire une route. Les animaux sans abri ne savaient alors plus où aller. Ils finissaient par monter à bord d'un train de marchandises en route pour l'Ouest. À leur arrivée, ils découvraient une nouvelle forêt, en tout point semblable à celle à laquelle ils avaient dû renoncer, et ils y vivaient tous heureux et en paix jusqu'à la fin de leurs jours.

« Je me reconnaissais dans cette histoire parce que j'ai toujours habité dans des lotissements dont un promoteur ou un autre a fini par saccager les alentours. Petit, je vivais à Columbia, en Caroline du Sud, près des marécages et des bois. Puis un beau jour, un promoteur est venu profaner les environs. Mes parents ont alors emménagé à Gastonia, en Caroline du Nord. Ils ont acheté une maison à proximité de dizaines d'hectares de terres traversées par un magnifique ruisseau d'eau claire et pure. Je suis tombé amoureux de la forêt. Je la connaissais comme ma poche : je passais des journées entières à l'explorer. J'en ai profité toute mon enfance : j'y bâtissais des forts, et j'y aménageais des sentiers. J'y courais de toute la vitesse de mes jambes, au risque de me rompre le cou. Je grimpais aux branches en me balançant de l'une à l'autre, comme Tarzan. J'ai appris à identifier les feuilles des différents arbres, à savourer la chaleur de l'humus sous mes pieds. J'ai fini par connaître par cœur les bruits et les odeurs de la forêt.

« Puis, un beau jour, les repères d'un futur chantier ont surgi un peu partout. Je ne savais pas encore à quoi ils allaient servir, mais j'ai tout de suite compris qu'ils n'annonçaient rien de bon et qu'ils profanaient la nature. J'ai voulu les arracher, mais je n'étais alors qu'un enfant. Comment lutter contre un phénomène d'une telle ampleur ? Les promoteurs ont détruit ma forêt pour y bâtir des centaines et des centaines de logements jusqu'à ce que le terrain que j'aimais tant se retrouve entièrement nivelé et le ruisseau, pollué. Le lotissement a été baptisé "Le Bois du jardinier". Vous parlez d'un bois ! Il n'en restait plus rien, hormis le nom.

« Je suis alors parti vivre sous un tipi, sur un terrain que possédaient des amis à moi, près de la forêt de feuillus d'Allen's Knob. J'y suis resté jusqu'à ce que les promoteurs la rasent pour y bâtir des maisons. À ce moment-là, j'ai rencontré à Boone un vieux montagnard nommé Jay Miller. Il m'a autorisé à planter mon tipi sur son magnifique terrain au cœur des Appalaches. Je me suis beaucoup plu, là-bas. Je vivais à deux pas d'une forêt qui grouillait d'ours et de dindes, où poussait du ginseng. Un cours d'eau coulait non loin de mon tipi ; j'allais m'y désaltérer chaque matin. J'ai passé là des moments merveilleux jusqu'à ce que le vieux Jay Miller se convertisse au culte du dollar en vendant son bois. Une scierie s'est implantée à côté de mon tipi. Il me semblait même qu'elle s'en rapprochait à mesure que les bûcherons défrichaient les alentours. À l'époque, je m'apprêtais à passer un diplôme universitaire. Il a fallu que j'utilise des boules Quies pendant mes révisions : le bruit de la scierie m'empêchait de me concentrer. Quand je suis parti, la forêt que j'aimais tant, qui m'avait fourni de quoi me nourrir et me vêtir, n'était plus qu'un vaste champ de souches. Le magnifique ruisseau auquel je me désaltérais était quant à lui bouché, condamné.

« Que fallait-il que je fasse ? C'est à ce moment-là que j'ai pris conscience que la belle histoire de mon enfance véhiculait une morale trompeuse. Un mensonge pur et simple destiné à rassurer les petits en leur laissant croire qu'il restera toujours une autre forêt pour y bâtir une maison quelque part à l'ouest, au-delà de la colline. Un mensonge qui nous persuade de ne pas nous inquiéter si jamais des bulldozers arrivent. Alors qu'en réalité, il faut s'inquiéter ! Il est impératif que tout le monde l'admette, sinon les bulldozers continueront de déferler jusqu'à ce qu'il ne reste plus un seul arbre. Nous ne sommes à l'abri nulle part. Une fois que j'en ai pris conscience, j'ai décidé d'acquérir une forêt rien qu'à moi et de lutter jusqu'au bout si quelqu'un cherchait à la raser. C'est la seule parade possible ; la meilleure chose que je puisse faire sur cette terre. »

En somme, le moment était venu pour Eustace de s'installer à l'île de la Tortue.

« De la terre ! martèle-t-il dans son journal au début des années 1980, comme s'il risquait de l'oublier. Il faut que j'obtienne un terrain. De la terre ! J'en rêve. J'en veux. Je suis prêt à tous les sacrifices pour en obtenir. »

CHAPITRE 5

Voilà l'endroit rêvé !

Brigham YOUNG, découvrant la vallée du Grand Lac salé

L'Amérique, son accueillante physionomie et le génie de son peuple se sont toujours généreusement prêtés aux visions utopiques. On pourrait arguer que tous ceux qui ont décidé de s'installer en Amérique ont été des utopistes en herbe, nourrissant une idée très personnelle (si modeste soit-elle) du paradis susceptible de voir le jour en ce Nouveau Monde. Bien sûr, on pourrait aussi alléguer que le continent américain a incarné une utopie pendant des millénaires avant que les Européens ne débarquent et ne saccagent tout pour y appliquer leurs projets inflexibles d'occupation du sol. Songez un peu à l'image que les premiers Européens ont dû se former du continent : une immense étendue vierge sans fin. Sans doute ne résistèrent-ils pas à la tentation d'imaginer la société idéale que l'on pourrait y fonder.

Bien entendu, le concept d'utopie n'a pas germé dans l'esprit des Américains. Ce sont les Grecs qui ont dû en avoir l'idée les premiers, pour ne pas changer. Les Européens échafaudaient déjà des projets de sociétés idéales avant la

Renaissance. Sir Thomas More, Tommaso Campanella et Francis Bacon se penchèrent sur la question, comme Rabelais, Montaigne et Hobbes. Seulement, jamais ils ne traduiraient leurs idéaux dans la pratique. Ces gens-là étaient des penseurs, des écrivains ; pas des meneurs d'hommes charismatiques. En outre, il ne restait nulle part où concrétiser une utopie sur le Vieux Continent dévasté par les guerres. D'un point de vue politique, géographique et social, une telle entreprise relevait de l'impossible. En un sens, tout se passait comme si ces hommes concevaient des bateaux sans jamais avoir vu l'océan. Libre à eux d'imaginer des vaisseaux de n'importe quelle taille ou forme ; de toute façon, ils n'auraient pas à prendre la mer.

En revanche, une fois découverte l'Amérique (ou, plutôt, une fois inventé le concept d'Amérique), les penseurs, les écrivains et les meneurs d'hommes charismatiques se retrouvèrent en fâcheuse posture, tous autant qu'ils étaient. Voilà bien l'endroit s'il en fut où tenter l'expérience ! Pour établir un paradis sur terre, il suffisait désormais d'acquérir un peu de terrain et de convaincre un minimum de personnes de participer à l'aventure. En plus des grands projets utopiques conçus par des hommes de la trempe de Jefferson (des projets dont l'ultime avatar ne serait autre que ce qu'on nomme aujourd'hui le « gouvernement »), des dizaines d'autres réalisations toutes plus bizarres les unes que les autres surgirent de terre d'un bout à l'autre du continent.

Du début à la fin du XIXe siècle, une vague d'enthousiasme suscita la création de plus d'une centaine de communautés en Amérique. Celle de « la Vraie Inspiration » vit le jour en Allemagne, dans l'imaginaire d'un tisseur de bas, d'un charpentier et d'une bonne à tout faire analphabète. Leur rêve devint réalité quand les colonies Amana s'implantèrent aux États-Unis en 1842 en acquérant deux mille hectares de terres aux abords de Buffalo. Les colons taciturnes, rigides, sobres, habiles et bien organisés prospérèrent avant de vendre leur domaine (en empochant au passage un joli bénéfice) pour s'installer dans l'Iowa où ils demeurèrent jusqu'en 1932. Les Shakers crûrent et prospérèrent eux aussi ; plus longtemps, d'ailleurs, que l'on ne s'y attendrait de la part d'une communauté de célibataires. Quant aux industrieux Rappites, ils construisirent, en un an à peine, cinquante maisons en bois, une église, une école, une malterie et une grange, en plus de défricher soixante hectares en Pennsylvanie.

Hélas ! La plupart des communautés modèles d'Amérique ne connurent pas un sort aussi enviable. Les réalités rien moins qu'utopiques des banqueroutes, des luttes intestines pour le pouvoir, des désaccords doctrinaux insurmontables et de la simple misère humaine eurent raison de la plupart d'entre elles. Aux alentours de 1825, Robert Owen fonda la communauté de New Harmony dans l'Indiana en qualifiant son projet de « nouvel empire de la bonne volonté » qui se répandrait « d'une communauté à l'autre, d'un État à l'autre et d'un continent à l'autre, en envahissant peu à peu la terre entière et en dispensant au genre humain les lumières et l'abondance, l'intelligence et le bonheur ». Des centaines et des centaines d'adeptes suivirent Owen, mais, faute d'organisation économique efficace, dès que la situation se dégrada, il retourna en Angleterre, la queue entre les jambes. Ses disciples changèrent quatre fois de Constitution en une seule année et se scindèrent en autant de communautés rivales qui ne tardèrent pas à péricliter, poursuivies en justice par des dizaines de plaignants.

Eric Janson, un Suédois, entraîna ses huit cents disciples en Amérique en 1846 pour y fonder la communauté socialiste (du moins en théorie) de Bishop Hill. Ses fidèles passèrent leur premier hiver de l'autre côté de l'Atlantique dans des grottes où le choléra emporta cent quarante-quatre d'entre eux en une quinzaine de jours. « Allez donc, mourez en paix ! » leur serina Janson d'un ton guilleret alors que les brebis de son troupeau rendaient l'âme les unes après les autres. Les Spiritualistes de Mountain Cove établirent leur société idéale au fin fond de la Virginie, à l'emplacement exact (du moins selon leurs calculs) du jardin d'Éden. À l'instar d'Adam et Ève, ils se retrouvèrent chassés du paradis avant même de comprendre ce qui leur arrivait ; leur expérience tourna court en moins de deux ans. Bronson Alcott, un charmeur, adepte des « discussions de fond », convaincu qu'il ne fallait travailler que lorsque « l'esprit l'ordonne », fonda l'insouciante communauté des « Fruitlanders » qui dut établir un record en matière de ruine des utopies puisqu'elle ne tint bon qu'un été (celui de 1843). Ensuite, chacun rentra chez soi parce qu'il commençait à fraîchir.

Là-dessus, les Icariens débarquèrent de France, munis d'une proclamation de leur président, Étienne Cabet : « Le 3 février 1848 marquera l'avènement d'une ère nouvelle, car ce jour-là se produira l'un des plus grands événements de toute l'histoire de la race humaine – l'avant-garde partira pour Icarie à bord du voilier *Rome* [...]. Puissent les vents et les courants vous être favorables, soldats de l'humanité ! » Peu de soldats de l'humanité ont sans doute autant souffert que les Icariens qui se retrouvèrent sur un terrain marécageux de quarante mille hectares par une chaleur caniculaire. La malaria, l'épuisement et la faim les décimèrent (du moins ceux qui survécurent à la foudre et ne s'enfuirent pas au plus vite).

L'utopiste le plus populaire de tous les temps reste toutefois sans conteste Charles Fourier. Il avait réponse à tout, comme il l'a d'ailleurs prouvé par ses volumineux ouvrages. Ses disciples essaimèrent dans l'ensemble des États-Unis au milieu du XIXe siècle, mais surtout en Nouvelle-Angleterre où une crise économique privait alors de moyens de subsistance des légions de travailleurs. Seules trois des quarante sociétés fouriéristes indépendantes créées en Amérique franchirent le cap des deux ans d'existence. Quand on se penche aujourd'hui sur le phénomène, on a peine à se figurer par quel miracle les idées de Fourier ont réussi à se répandre hors de son admirable esprit à moitié dérangé. Sans doute la méticulosité de ses desseins utopiques rassura-t-elle les Américains au moment où ils en avaient le plus le besoin : alors qu'ils cherchaient des solutions toutes faites à leurs problèmes.

Charles Fourier claironnait qu'il ne restait plus qu'un seul espoir à l'humanité : celui d'une société hiérarchique hyper-organisée, comme chez les insectes. Sa plus petite subdivision (le groupe) comprendrait sept personnes. Deux d'entre elles incarneraient des tendances opposées tandis que trois autres veilleraient au maintien de l'équilibre. Dans la société idéale de Fourier, un groupe se consacrerait à chaque occupation (élever les enfants, nourrir les poules, tailler les rosiers, etc.). Cinq groupes de sept formeraient une série. Quant à la phalange, l'unité suprême de l'organisation sociale, elle se composerait d'un nombre donné de séries formant des bataillons de 1 620 individus. À chaque phalange (dont les membres occuperaient un splendide phalanstère pourvu de chambres à coucher, de salles de bal, de salles de réunion, de bibliothèques et de crèches) reviendrait un peu plus de un hectare de potagers et de vergers.

Dans la société idéale de Fourier, la valeur d'un travail se mesurerait à son utilité. Les tâches les plus ingrates, mais les plus indispensables aussi (comme l'entretien des égouts ou des cimetières) mériteraient par conséquent la rémunération la plus élevée assortie de la plus haute estime. Chacun s'acquitterait de la corvée la plus en accord avec ses penchants naturels. Les enfants, qui prennent plaisir à patauger dans la gadoue, constitueraient ainsi des groupes de ramasseurs d'ordures (« les petites hordes »). Percevant un salaire enviable, ils défileraient en tête de chaque cortège. Les autres citoyens leur rendraient hommage en leur adressant le vénérable « salut de l'estime ».

Fourier alla jusqu'à prétendre que, non content de concevoir l'organisation de la société humaine idéale, il comprenait en outre le fonctionnement de l'Univers dans son ensemble. À l'en croire, chaque planète disparaissait au bout de quatre-vingts milliers d'années, comme de juste subdivisées en ères. Quand la terre entrerait dans sa huitième ère, prédisait-il, des queues pourvues d'yeux pousseraient aux hommes, les cadavres dégageraient des « effluves aromatiques », une rosée parfumée s'élèverait des calottes polaires, six nouvelles lunes se formeraient et, aux animaux nuisibles se substitueraient d'autres, inoffensifs (qui porteraient le nom d'« antirequins » ou d'« antipuces » par exemple). Au cours de cette période, la glorieuse huitième ère de la terre, les phalanges fouriéristes se répandraient sur l'ensemble de la planète jusqu'à ce qu'elles comptent deux millions neuf cent quatre-vingt-cinq mille neuf cent quatre-vingt-quatre membres exactement, tous unis comme des frères et parlant la même langue.

Comme quoi. Rien n'empêche de pousser une utopie aussi loin qu'on le souhaite.

Il semble toutefois que ce genre de chimères n'eut qu'un temps : le XIXe siècle. En 1901, la plupart des communautés idéales d'Amérique avaient disparu, et plus personne ne projetait d'acheter de terres au milieu de nulle part pour y fonder une société modèle avec une poignée de fidèles. Sans doute faut-il attribuer le déclin des utopies (comme de tant d'autres choses dans ce pays) au développement de l'industrie. La production de masse, le passage d'une économie agraire à une économie urbaine et la disparition progressive du savoir-faire artisanal allaient à l'encontre de l'idéal d'autosuffisance cher aux Américains. Comment croire qu'une seule personne (ou une seule phalange) parviendrait encore à se soustraire à la belle mécanique qui entraînait le pays ? Le réseau commençait à étendre ses ramifications. Ou le nœud coulant à se resserrer, si vous préférez envisager la situation sous cet angle. Au tournant du siècle précédent, la moindre tentative de changer quoi que ce soit à la culture américaine établie, uniforme, tapageuse et omniprésente semblait déjà condamnée d'avance. À vrai dire, il faudrait attendre les années 1960 avant que les Américains ne redeviennent assez courageux (ou fous) pour se lancer une fois de plus dans l'aventure utopique.

Bien entendu, les années 1960 commencèrent en réalité dès la fin des années 1950 avec la *Beat generation* qui donna naissance à une musique d'un nouveau genre et remit en cause les valeurs établies en incitant à consommer de la drogue, pratiquer l'amour libre et balayer les conventions sociales. Au milieu des années 1950, les vieilles lunes romantiques du XIXe siècle (où il était de bon ton de vouloir se soustraire à l'influence corruptrice de la société) revinrent à la mode. Des écrivains comme Allen Ginsberg (le fils spirituel de Walt Whitman) ou Jack Kerouac (qui se présentait lui-même en tant que « Thoreau des villes ») se mirent en quête d'une manière de vivre en Amérique qui éviterait de s'embourber dans ce que Kerouac qualifiait d'interminable litanie du « travailler, produire, consommer, travailler, produire, consommer... ».

On associe souvent la *Beat generation* à un mode de vie citadin, en particulier à San Francisco. Pourtant, à l'instar de Teddy Roosevelt et de tant d'autres au siècle précédent, les poètes beatnik se firent un devoir d'échapper à l'influence amollissante des villes pour vivre à la dure en devenant des hommes, des vrais. Au début des années 1960, le poète Lew Welch quitta un poste de rédacteur publicitaire à Chicago pour s'installer en ermite dans les collines au pied de la Sierra Nevada. Le jeune Jack Kerouac travailla un temps au Service national des forêts : il veillait à ce qu'aucun incendie ne se déclare dans le parc Adirondack. (Il occupa ensuite un poste sur un navire de la marine marchande avant de devenir machiniste de la Southern Pacific Railroad.) Allen Ginsberg et le poète Gary Snyder enchaînèrent les petits boulots en mer dans les années 1940 et 1950. (« J'ai occupé des places à tous les échelons de la société, se vanterait plus tard Snyder. Je suis fier d'avoir travaillé neuf mois à bord d'un pétrolier sans que personne ne se doute que je sortais de l'université. »)

Les beatniks rejetaient les valeurs consuméristes abrutissantes de leurs contemporains. La vie dans la nature à l'état sauvage et le travail manuel leur semblaient d'excellents moyens de « fluidifier le sang en faisant disparaître les caillots », pour reprendre une expression de Kerouac. Les voilà tous de retour à la frontière en quête d'absolution ! Au milieu des années 1960, leurs idées touchèrent une part croissante de la jeunesse américaine. Les romans de Kerouac, à eux seuls, incitèrent des légions de jeunes gens à sillonner le pays à la recherche de leur destin. À la même époque, *Walden, ou la vie dans les bois*, une œuvre longtemps méconnue de Thoreau célébrant la nature et l'anticonformisme, et les essais du grand naturaliste du XIXe siècle, John Muir, bénéficièrent d'un regain d'intérêt. Voilà que fermentait une révolution contre-culturelle, une de plus ! Dans son sillage surgirent, presque inévitablement, de nouvelles utopies.

De 1965 à 1975, des dizaines de milliers de jeunes Américains idéalistes tentèrent de vivre en communautés (souvent plus hautes en couleur et plus farfelues encore que leurs ancêtres du siècle précédent). La plupart connurent un échec précoce souvent cocasse et, cependant, comment ne pas trouver sympathiques les idéaux qui les sous-tendaient ?

Il y eut par exemple la célèbre mais éphémère Drop City du Colorado, fondée par des artistes hippies partisans du dénuement le plus extrême, qui édifièrent des constructions en bouchons de bouteille et en bâches de plastique (je ne plaisante pas) en jouant « toutes sortes de rythmes au tambour, en agitant des clochettes et en chantant ». Tout ce qui ressemblait de près ou de loin à un règlement répugnait aux fondateurs de Drop City qui acceptèrent tout le monde (et surtout n'importe qui) au sein de leur communauté utopique ; ce qui explique qu'elle courut à sa perte en devenant le refuge de toxicomanes et de motards patibulaires. Le même destin guettait les Californiens au grand cœur de Gorda Mountain qui établirent en 1962 une communauté ouverte à tous en s'imaginant qu'un parti pris de tolérance attirerait des artistes et de doux rêveurs. Ils durent mettre la clé sous la porte en 1968 sous la pression des junkies, des marginaux, des fugitifs et des criminels qui les envahissaient.

Ken Kesey, le pape du LSD, fonda, un peu par-dessus la jambe, une utopie miniature à son domicile, en Californie. (Il ne tarda toutefois pas à se lasser de ce qu'il qualifiait de « simple mystification collective » et finit par embarquer ses Merry Pranksters dans des bus à destination de Woodstock en 1969 en leur interdisant de remettre un jour les pieds chez lui). Timothy Leary implanta quant à lui une utopie psychédélique plus mûrement réfléchie dans une ancienne propriété de la famille d'Andrew Mellon à Millbrook (dans l'État de New York) envahie par une végétation luxuriante. D'aucuns qualifièrent la communauté de Leary « d'école, de commune populaire et de fête de dimensions sans précédent ». Alors que des universitaires tout ce qu'il y a de plus sérieux venaient y parler de culture et de poésie, personne ne daigna s'occuper des corvées ménagères et le rêve tourna court en 1965.

D'autres communautés des années 1960 se caractérisèrent par un même manque de cohésion interne. Celle de Black Bear Ranch, qui s'interdit au départ d'imposer le moindre règlement à ses membres, finit par revenir sur ses principes en imposant deux contraintes draconiennes : 1) ne pas s'asseoir sur le plan de travail de la cuisine et 2) ne pas jouer avec la poignée de l'écrémeuse. Il faut préciser (comme s'en rappelle un hippie de la première heure) que « ça nous rendait fous quand quelqu'un s'asseyait sur le plan de travail de la cuisine en jouant avec la poignée de l'écrémeuse ». Sinon, libre à chacun d'agir à sa guise (ou presque) à Black Bear Ranch.

Ce n'est jamais une partie de plaisir de traduire des utopies dans les faits. Les gamins qui fondèrent la plupart d'entre elles n'étaient encore que… des gamins, justement ; de jeunes Blancs des classes moyennes, diplômés de l'université, ignorant tout de la vie à la campagne. Leurs communautés prirent l'eau de toutes parts, minées de l'intérieur par l'abus de drogues, le manque d'organisation, de motivation et surtout de fonds alors qu'elles devaient en même temps résister à la pression des valeurs et des lois de l'Amérique dominante. La communauté de Morning Star Ranch, en Californie, eut des ennuis à n'en plus finir avec le shérif du comté qui, en 1967, arrêta Lou Gottlieb (le chef) au motif qu'il dirigeait « une organisation au mépris de la réglementation sanitaire ». Gottlieb, un idéaliste patenté qui ne se prenait pas pour de la crotte, tourna ses détracteurs en ridicule : « S'ils trouvent là-dedans la moindre preuve d'un semblant d'organisation, je serais curieux de la voir ! »

Eh oui, monsieur l'agent : difficile de trouver un semblant d'organisation dans la plupart des utopies des années 1960. Avec le recul, la tentation est grande de les considérer comme le simple contrecoup épisodique du déchaînement d'une génération qui, arrivée à l'âge adulte, chercha un moyen original d'échapper à ses responsabilités. Un examen plus approfondi oblige tout de même à reconnaître que les communautés américaines des années 1960 n'ont pas toutes été un cirque ou une foire. Certaines reposaient sur des principes religieux fermement établis. D'autres appelaient de leurs vœux des réformes politiques. D'autres encore ont eu la chance d'accueillir des membres sincèrement désireux de mener une vie bonne et simple. Quelques communautés de hippies ont même réussi à s'organiser suffisamment pour assurer leur survie à long terme.

La bien nommée « Farm » (c'est-à-dire « la ferme », tout simplement) continue de produire de quoi nourrir une communauté entière au Tennessee depuis 1971 (bien qu'elle soit entre-temps revenue sur son principe original d'anarchie). Au fil des ans, un règlement assez classique a fini par s'imposer. Des lois tenant compte du principe de réalité ont garanti les droits des individus au sein de la communauté en évitant aux membres de devenir fous ou de sombrer dans l'aigreur. Comme n'importe quelle utopie qui dure plus d'un an, la Ferme a dû renoncer à une bonne part de ses idéaux romantiques d'origine au profit d'un fonctionnement interne plus pragmatique. Les projets couronnés de succès de la Ferme (qui sensibilise par exemple le grand public à la protection de l'environnement) donnent aujourd'hui encore une idée des rêves qui animaient ses fondateurs.

À vrai dire, la persistance de certains idéaux semble aussi indispensable à la survie d'une communauté à long terme qu'une comptabilité bien tenue ou qu'un strict contrôle des visiteurs ; de même qu'un couple marié surmontera bien des épreuves à condition d'entretenir la flamme de son amour. Comme l'explique un membre de la Ferme de la première heure : « Nous sommes passés par des moments difficiles. Ne serait-ce que pour des raisons sentimentales, il nous tient à cœur de réussir. »

Que dire enfin de la célèbre Hog Farm de Californie ! Vingt-cinq ans après sa fondation, elle tient encore bon ! Sa longévité doit beaucoup au charisme de son chef visionnaire, le hippie Hugh Romney, également connu sous le sobriquet de « Wavy Gravy » (et qui peut s'enorgueillir d'être le seul utopiste américain dont un parfum de crème glacée porte le nom). Wavy Gravy, partisan convaincu de la liberté pour tous, aspirant à changer le monde, a toujours refusé le moindre compromis. Son utopie s'apparente un peu à un monument élevé à la force des idéaux. Le camp de vacances de la Hog Farm est aujourd'hui une florissante institution californienne, au même titre que la branche caritative de la communauté qui vient en aide aux aveugles du tiers-monde depuis des années.

Ceux qui vivent aujourd'hui à la Hog Farm suivent encore et toujours de bon cœur la voie tracée par leur chef charismatique avide de réformes politiques. Leur réussite pose un défi de taille à ceux qui prétendent impossible de survivre en Amérique en ne se pliant pas aux normes de la société. En dépit d'indispensables concessions et d'inévitables déceptions au fil des ans, les membres de la Hog Farm continuent la lutte ensemble, fidèles à l'impertinente définition qu'ils ont forgée d'eux-mêmes à la création de leur communauté : « une grande famille, une hallucination mouvante, une armée de clowns ».

Eustace Conway est né au début des années 1960. La période la plus formatrice de sa vie s'est déroulée sur fond de révolution contre-culturelle. Cependant, les valeurs libertaires insouciantes de son époque ne semblent pas avoir beaucoup déteint sur lui. Les hippies, de nos jours, apprécient Eustace, parce qu'ils le prennent pour l'un des leurs. Au premier abord, il a bel et bien l'air d'un hippie avec ses cheveux longs, sa barbe hirsute, sa volonté de revenir à la nature et l'autocollant à l'arrière de sa camionnette qui affirme que « L'amitié ne s'arrête pas à la couleur de la peau ». Cela dit, Eustace se montre plutôt conservateur : il a les drogués en horreur, s'agace d'entendre prôner l'amour libre et certains l'accusent même de préférer la discipline à la liberté. Celui qui réussira à lui prendre son arme à feu l'arrachera probablement des mains de son cadavre. Au final, on ne peut donc pas dire que notre Eustace Conway soit une hallucination mouvante ou le fantassin défoncé d'une quelconque armée de clowns.

Eustace partage avec les rêveurs utopistes des années 1960 (et leurs romantiques prédécesseurs du XIXe siècle) la conviction typiquement américaine que la société est à la fois capable de se transformer et prête à le faire. Il suffit de dénicher un lopin de terre et de se motiver un peu pour mettre sur pied un projet qui se développera progressivement jusqu'à provoquer un bouleversement à l'échelle du pays entier. Eustace Conway, en bon utopiste qui se respecte, ne craint pas de tenter l'aventure. Il n'a pas peur de clamer qu'il détient la solution à tous les problèmes ni de proposer une vision du monde entièrement inédite.

Il ne tient pas à ce que l'île de la Tortue se limite à une simple réserve naturelle. Ou même à ce que son grand-père a organisé au camp Séquoia. Pas question que son domaine se réduise à un camp de vacances où les enfants échapperaient aux maux de la ville, le temps de devenir des hommes forts ! Non ! Eustace voulait se livrer, à l'île de la Tortue, à une expérience utopique sans précédent afin de sauver l'Amérique, ni plus ni moins. Là, il mettrait en place un modèle pour l'avenir. Plus d'une fois, Eustace a médité sur le vieil adage qui prétend qu'il suffit de toucher une seule personne pour exercer un impact sur le monde entier.

Entre nous, Eustace Conway trouve ça complètement idiot. Il n'y a aucune raison de borner ainsi ses ambitions ! Pourquoi se contenter de toucher une seule personne ? Pourquoi ne pas sauver la planète entière ? Voilà ce à quoi l'appelait à coup sûr son destin.

« Tu es une création unique de Dieu, lui écrivit sa mère, sur laquelle on pouvait toujours compter pour rappeler à Eustace sa vocation. Il t'a confié la mission de mettre à profit les talents qu'Il t'a donnés. »

Eustace était d'accord à cent pour cent. À vingt ans (ou à peine un peu plus), il ne pensait déjà plus qu'à fonder sa propre utopie. La motivation, il l'avait ; il ne lui manquait qu'un terrain.

Il ne s'attendait pas du tout à découvrir le domaine de ses rêves en Caroline du Nord où les prix de l'immobilier flambaient alors que la surpopulation posait déjà un problème de taille. Des vallons ombragés où rien n'avait changé depuis des décennies se nichaient toutefois dans les montagnes non loin de l'université ou même de la ville de Boone. Les terrains ne valaient pas grand-chose au milieu des collines où la vie s'écoulait paisiblement. Eustace se renseigna sur d'éventuelles propriétés à vendre. Dès qu'il entendit parler du domaine de la vieille église, il s'y rendit en compagnie de l'un de ses anciens professeurs de fac qui en savait long sur les acquisitions de terres et les taxes foncières ; des connaissances qu'Eustace ne possédait pas encore à ce moment-là mais qu'il ne tarderait plus à acquérir.

Ce qu'ils découvrirent au bout du chemin de terre qu'ils empruntèrent ce jour-là était tout simplement idéal. Quarante-trois hectares de ce qu'Eustace décrirait comme « une forêt de feuillus bien entretenue, typique du sud des Appalaches », d'une splendeur étourdissante. Il y avait là de quoi combler tous les vœux d'Eustace : une source d'eau fraîche, une bonne exposition au soleil, un terrain plat susceptible d'être mis en culture, du bois en quantité (un indispensable matériau de construction) plus une biodiversité extraordinaire. Pour couronner le tout : les limites de la propriété suivaient la ligne de crête. Les robiniers et les bouleaux y prédominaient, dans une atmosphère humide. Les fougères envahissaient les sous-bois à la végétation luxuriante – un milieu propice à la croissance du laurier des montagnes et à la prolifération des mocassins à tête cuivrée, bien que d'autres espèces inoffensives s'y plussent aussi : truites, piverts, sabots de Vénus, ginseng, orchidées, sanguinaires du Canada, rhododendrons…

Tandis qu'il foulait aux pieds un sol noir et humide, Eustace découvrit ce jour-là une forêt semblable à la plupart de celles qui envahissent la côte Est : non pas primaire, mais en voie de régénération après plus d'un siècle de défrichement au profit de terres agricoles laissées par la suite à l'abandon quand la perspective d'un travail à l'usine finit par attirer les montagnards en ville. Les animaux sauvages y revenaient depuis en force ; et les arbres aussi. Les bois grouillaient d'écureuils et fourmillaient de signes de l'accroissement régulier de la population de cerfs. Un nombre incroyable d'oiseaux pépiaient. Dans l'atmosphère chargée de rosée du petit matin, Eustace crut entendre la vie pulluler comme dans la jungle. Cela ne l'aurait pas étonné de rencontrer un puma dans les environs. Ni même des ours.

Eustace découvrit l'endroit à l'hiver 1986. Sitôt quittée la grand-route, il se crut parachuté au cœur des Appalaches ;

impression qui ne fit que se confirmer à mesure qu'il gagnait en altitude. Les rares occupants des environs étaient vraiment primitifs, eux ; pas comme la forêt. Des montagnards arriérés plus vrais que nature qui logeaient dans des baraques au toit de tôle sur lequel ils élevaient des lapins et des poulets, à l'abri des renards. Des appareils électriques antédiluviens et des carcasses de vieilles voitures encombraient leurs jardins. Dire qu'ils tiraient le diable par la queue ne donne qu'une piètre idée de la vie rude et pénible qu'ils menaient loin de tout.

Aucun panneau n'indiquait la direction des routes qui serpentaient en tous sens. Eustace, bientôt incapable de se repérer, arrêta sa camionnette devant une bicoque à moitié en ruine à la porte de laquelle il toqua pour demander le chemin du domaine de la vieille église. Une femme de frêle carrure, au teint pâle, vêtue d'un tablier en calicot, lui ouvrit en le dévisageant, terrifiée. Sans doute n'avait-elle jamais vu sur le pas de sa porte un homme qui n'appartînt pas à sa famille.

« Elle pétrissait de la pâte à gâteau, se rappelle Eustace, et son visage était aussi blanc que la farine qui lui couvrait les mains. Elle tremblait de peur de me voir là, devant elle. Quand elle s'est enfin décidée à ouvrir la bouche, elle s'est exprimée d'une voix si faible que j'ai craint qu'elle ne s'évanouisse. Elle m'a rappelé les malades hospitalisés à qui l'on a envie de crier : "Surtout, n'essayez pas de parler : épargnez vos forces !" C'est vous dire l'étendue de sa timidité. »

Cette femme se nommait Susie Barlow. Elle appartenait aux familles des Appalaches (toutes apparentées les unes aux autres) qu'Eustace aurait bientôt pour voisins. Le clan Barlow, le clan Carlton et le clan Hicks (qu'on pourrait traduire par « ploucs » ou « péquenauds » et qui portait donc bien son nom, celui-là) vivaient tous au fond de la même cuvette montagneuse depuis qu'il y avait quelqu'un pour s'en souvenir. Ils menaient là une existence de reclus et, au besoin, s'arrachaient eux-mêmes leurs dents cariées à l'aide de pinces en métal artisanales. Ils élevaient des porcs dont ils tiraient des jambons salés de cinquante livres parmi les plus impressionnants du monde. Ils élevaient aussi des chiens de chasse qu'il leur arrivait de vendre et qui, en attendant, couchaient dans la paille au milieu du salon. Les chiots trébuchaient à l'aveuglette dans une grande caisse en bois en pissant sur une couverture en patchwork cousue main qui avait certes connu des jours meilleurs mais qui aurait sûrement valu plusieurs centaines de dollars à une vente aux enchères à New York. Une foi sincère animait les Carlton, les Hicks et les Barlow, en dépit de leur extrême dénuement : ils marquaient un strict repos le dimanche et ne manipulaient leur bible qu'avec la plus grande humilité.

« Je vais te dire... m'a confié un jour Eustace. La religion chrétienne me pose quelques problèmes. Tu le sais, ça, non ? Pourtant, quand je passe chez mes voisins des Appalaches et qu'ils me demandent : "Tu veux bien prier avec nous, frère Eustace ?", je m'agenouille et je prie. Je me mets à genoux dans leur cuisine, sur leur lino usé ; je serre leurs mains calleuses entre les miennes, et je prie de tout mon cœur parce que ce sont les croyants les plus sincères que j'aie jamais rencontrés. »

En somme : voilà les voisins rêvés sur le terrain idéal ! Et surtout : voilà Eustace enfin prêt à se lancer dans son aventure utopique. Seulement, il ne souhaitait pas se lancer seul.

Eustace avait beau fournir un parfait exemple romantique d'Américain solitaire dans la nature sauvage, il aspirait plus que jamais à trouver une compagne avec laquelle partager son rêve. De même qu'il avait une idée précise de son cadre de vie utopique, il avait réfléchi (dans les moindres détails) à son idéal féminin. Il savait parfaitement à quoi ressemblerait sa future épouse et ce qu'elle lui apporterait.

Magnifique, brillante, vigoureuse, aimante, capable, elle se montrerait d'une fidélité à toute épreuve – la note de douceur qui humaniserait son projet de vie si brillamment conçu en le confortant par ailleurs dans sa vision du monde. Elle lui apparaissait souvent en rêve sous les traits d'une jeune Amérindienne d'une grande beauté, douce, affectueuse et paisible ; l'Ève qui aiderait Eustace à réaliser son Éden. À vrai dire, elle ressemblait à s'y méprendre à la créature idyllique sur laquelle fantasmait Henry David Thoreau du temps où il se cloîtrait à Walden ; une admirable fille de la nature, l'incarnation d'un idéal, celui de la déesse grecque « Hébé, échansonne de Jupiter, fille de Junon et d'une laitue, capable de rendre aux dieux et aux hommes la vigueur de leur jeunesse [...] ; sans doute la seule jeune femme véritablement saine et robuste qui ait jamais foulé cette terre ; à chacune de ses apparitions, elle amenait le printemps ».

Voilà la compagne dont rêvait Eustace : l'incarnation de la fertilité jointe à la grâce. Le hic, c'est que ce ne serait pas une mince affaire de la dénicher. Rencontrer des jeunes femmes ne posait aucune difficulté à Eustace, à qui l'on en présentait à la pelle. Simplement, trouver la bonne n'allait pas de soi.

Sa liaison avec une dénommée Belinda, par exemple, donne une parfaite idée de ses relations avec le sexe opposé. Un jour, Belinda, qui vivait en Arizona, entendit Eustace Conway parler de sa vie dans les bois à la télévision. Elle s'éprit aussitôt de lui, exaltée par l'image romantique à souhait qu'elle venait de se former de ce montagnard éloquent et passionné (dont elle retrouva la trace grâce à l'annuaire). Ils s'échangèrent des lettres enflammées puis Eustace partit la rejoindre dans l'Ouest. Hélas ! Jamais leur relation ne déboucha sur du concret. Belinda avait déjà un enfant, mais il ne s'agit là que de l'une des multiples causes de leur rupture. Eustace s'est toujours demandé si Belinda l'aimait pour lui-même ou pour l'idée qu'elle se faisait de lui.

Vint alors Frances. « Une robuste Anglaise. » Eustace s'amouracha d'elle.

« Elle me semble douée du bon sens, de la force physique et de la ténacité indispensables à ma future partenaire, note-t-il dans son journal. J'ai besoin de l'amour et de la compagnie dont j'ai si longtemps été privé. Je sais que je suis un incorrigible romantique. Parfois, j'ai l'impression de me laisser guider par une logique méthodique et de ne pas m'emballer facilement, pourtant, il m'arrive aussi de témoigner d'une certaine naïveté. »

Là-dessus : *exit* Frances. Arriva Bitsy, une superbe et mystérieuse guérisseuse apache, descendante de la tribu de Geronimo, dont Eustace s'éprit tout de suite à la folie. Bitsy avait tout ce qu'il fallait pour faire craquer Eustace : un grand sourire, des cheveux longs, le teint mat, un corps d'athlète, un regard « à vous faire fondre », de l'assurance et beaucoup de grâce. Mais ça ne marcha pas avec Bitsy non plus.

« Je te désire encore, lui avoua-t-elle dans sa lettre de rupture, et cependant, je n'ai pas réussi à m'attacher à toi. Tu es quelqu'un de très séduisant, mais il me semble que tu attends de moi que je comble un manque en toi. Pour l'instant, je ne tiens pas à ce qu'on assure mon salut ou à ce qu'on me pousse dans une autre voie que la mienne. Tu es fait pour donner, pour enseigner aux autres ; ce qui n'est pas plus mal, du moins pour certains. J'ai l'impression que tu me considères comme un trophée. Pardonne-moi si ce que je dis te semble cruel. Ce n'est pas voulu. Tes besoins éclipsent les miens. »

Il ne le prit pas bien du tout.

« Oh ! Bon sang ! Bitsy ! éclate-t-il dans son journal, en février 1986. Je pleure, je me roule par terre, je hurle de douleur. Oh, bon sang, il n'y a rien à faire. Je n'arrive pas à passer outre ! Toi, alors ! Il faut que je te revoie. Tu es la seule, l'unique... Mon cœur saigne quand je pense à toi. Je t'aime comme j'aime la vie elle-même, l'univers tout entier ! Je suis amoureux de toi à m'en rendre malade ! Que puis-je faire ? Rien. Rien de rien de rien. Oh ! Je ne supporterai jamais de te perdre ! Je veux que tu deviennes ma femme, ma compagne, que tu partages ma vie. Jamais je ne retrouverai quelqu'un comme toi. Qu'est-ce que le destin, Dieu ou le flux d'énergie de l'univers peut bien avoir à dire là-dessus ? »

Au mois de février 1987, Eustace nota dans son journal : « Valarie Spratlin. Mon amour. Mon nouvel amour. D'où viens-tu ? Est-ce Dieu qui t'envoie ? Es-tu bien réelle ? Es-tu vraiment mienne ? Est-ce que je t'aime autant que je crois que je t'aime, ou est-ce que je n'aime que l'amour que tu me portes ? Je voudrais me persuader que tu es la réponse à mes prières. Marqueras-tu la prochaine étape de ma destinée ? Le sort nous gouverne-t-il à ce point ? Serions-nous des âmes sœurs ? »

Valarie Spratlin, une jeune femme séduisante et énergique, de dix ans l'aînée d'Eustace, s'occupait en 1987 de la gestion d'un cinquième des parcs de Géorgie au département des ressources naturelles de cet État. Un ami de Caroline du Nord lui parla du « cirque itinérant » d'Eustace, qu'elle invita en Géorgie à organiser des ateliers dans les parcs sous sa responsabilité. Ils ne tardèrent pas à tomber dans les bras l'un de l'autre. La vie que menait Eustace, son magnétisme et son audacieux projet de sauver le monde fascinèrent Valarie. Elle l'inonda de lettres où elle l'appelait : « Mon païen sauvage ». Elle raffolait de son statut d'icône, de ses habits en peau de daim et de son tipi. Comme son ex-petit ami musicien accompagnait les Allman Brothers en tournée, elle venait de passer une dizaine d'années à sillonner les États-Unis à leurs côtés ; ce qui lui valait la réputation d'une femme toujours partante pour de nouvelles aventures.

« Je sais que nous venons à peine de nous rencontrer, il y a deux semaines, écrivit Valarie à Eustace dans un petit poème sans prétention, mais mes sentiments pour toi ne cessent de s'affermir. »

Ils ne se connaissaient que depuis peu quand Eustace proposa à Valarie de l'accompagner trois semaines au parc national de Mesa Verde afin de visiter d'antiques sites indiens. « Youpi ! Pourquoi pas ? » lui répondit-elle. Ils prirent aussitôt la route à bord de la petite Toyota de Valarie. Pas une seule fois, Eustace ne daigna leur acheter à manger. Il fallut qu'ils dénichent eux-mêmes de quoi se nourrir ou qu'ils se contentent de muesli matin, midi et soir. « Mince alors ! se rappelle Valarie. C'est bien le type le plus radin que j'aie jamais rencontré. » Il l'emmena randonner au parc national du Grand Canyon. « Pas une gentille petite balade, non ; on a marché une journée entière, sans rien à se mettre sous la dent à part ce satané muesli ! » Le lendemain, ils partirent au Bryce Canyon où ils se lancèrent dans une équipée de trois jours comme les aimait Eustace : quarante kilomètres à parcourir d'une traite sans la moindre pause.

« Eustace Conway, finit par lui déclarer Valarie, quand il insista, un soir, pour qu'ils escaladent une dernière crête où ils verraient le soleil se coucher. Là, tu m'en demandes trop. »

Il la considéra d'un œil incrédule.

« Mais, Valarie, tu ne remettras peut-être plus jamais les pieds ici. Je ne peux pas croire que tu renonces à contempler un paysage d'une telle splendeur.

– Je te propose un marché, lui rétorqua-t-elle. J'escaladerai ce maudit sommet si tu me promets qu'une fois sortis d'ici, tu m'emmèneras au restaurant où tu m'achèteras un hamburger, des frites et un Coca *sur-le-champ.* »

Il éclata de rire et céda, et ils grimpèrent ensemble en haut de la crête. Eustace plaisait beaucoup à Valarie, mais ce n'était pas son genre de se laisser marcher sur les pieds. Elle ne manquait pas de ressort ni de repartie. Elle savait imposer des limites à Eustace, là où d'autres estimaient impossible de lui résister. Surtout, elle était dingue de lui. Attachée par instinct au respect de l'environnement et souhaitant, par son métier, transmettre le bon exemple, la voilà qui rencontrait un homme partageant ses convictions à la puissance dix ! Elle se mit à soutenir le moindre de ses projets. Bientôt s'observa un subtil changement de formulation quand ils discutaient de l'avenir. Eustace ne parlait plus de « la nécessité pour moi » mais de « la nécessité pour *nous* » de trouver un terrain.

Valarie lui paraissait correspondre en tout point à ce qu'il espérait depuis le début : une compagne dans tous les sens du terme. Ensemble, ils se mirent en quête, dans le sud des États-Unis, d'un endroit où fonder son (pardon : leur) utopie.

À la fin de l'hiver 1986, Eustace Conway voulut montrer à Valarie Spratlin le domaine qu'il convoitait dans les montagnes des environs de Boone. Il l'y conduisit à la nuit tombée. Par une pluie glaciale. À bord d'une vieille camionnette délabrée au plancher criblé de trous qui laissaient les gaz d'échappement s'infiltrer dans l'habitacle. La route ressemblait plus au lit d'un ruisseau à sec jonché d'éboulis qu'à une voie aménagée pour le passage d'un véhicule. Au bout d'un long moment, ils arrivèrent à destination. Eustace sortit de la camionnette en s'écriant, ravi : « Voilà ! C'est ici ! »

Il gelait à pierre fendre. Sous une pluie glaciale. Le vent hurlait dans les arbres. Valarie n'y voyait goutte. Forcément : à la nuit tombée ! Elle se réfugia sous un tsuga pour échapper aux bourrasques. Des volatiles perchés sur la cime se mirent à criailler et à s'agiter en arrosant Valarie d'eau glacée.

« Ça ne me plaît pas tellement, Eustace, lui confia-t-elle.

– Tu changeras d'avis demain matin », lui promit-il.

Comme aucun bâtiment ne se dressait encore sur le domaine, ils dormirent sous une bâche. De la neige se mit à tomber. Vers minuit, Eustace se rendit seul au point le plus élevé de la propriété afin d'y fumer une pipe en rendant grâce à Dieu de lui donner enfin une opportunité d'accomplir son destin. Pendant ce temps, Valarie se dit en frissonnant sous la bâche : « Il neige, je ne sais pas où je suis, je meurs de froid et voilà que ce type ne trouve rien de mieux que de me laisser en plan pour aller fumer une pipe ! »

Le lendemain matin, quand Eustace l'emmena faire le tour du propriétaire, elle comprit pourquoi le terrain lui plaisait tant : une forêt des plus denses le couvrait ; ce qui n'empêchait pas Eustace d'imaginer déjà son futur univers personnel sur quarante-trois hectares : un pont ici, un campement de tipis là ; et des pâturages, une grange, des cabanes pour les hôtes ; « et un jour, j'achèterai ce terrain de l'autre côté de la crête, et nous y planterons du sarrasin ».

Il s'y voyait déjà ! Et il se montra si convaincant que Valarie ne tarda pas à s'y voir à son tour.

Le terrain lui coûterait pas loin de quatre-vingt mille dollars.

Eustace avait mis un peu d'argent de côté mais pas une telle somme. Or, quel banquier prendrait au sérieux un gars vêtu de peaux de daim qui vit sous un tipi ? Où un montagnard des temps modernes pouvait-il bien se procurer quatre-vingt mille dollars ? Eustace Conway ne connaissait qu'une seule personne en possession d'une telle fortune : son père.

Eustace ne se sentait pas très à l'aise à la perspective de demander de l'argent à son père. Il ne se sentait pas très à l'aise avec son père, de toute façon. Celui-ci n'avait jamais adressé à Eustace un seul mot gentil ni admis que son « idiot » de fils eût obtenu un diplôme universitaire avec mention. Jamais il n'avait écouté Eustace s'adresser à une salle comble en captivant son auditoire ; jamais il ne s'était intéressé aux aventures d'Eustace ou aux articles que la presse lui consacrait. (Il arrivait pourtant à Mme Conway d'en laisser traîner sur la table du salon, mais son mari n'y touchait jamais ; il posait dessus son *Wall Street Journal* ou son verre d'eau sans même les voir.) À tout point de vue, Grand Eustace se montrait plus détaché encore de ses enfants depuis qu'ils ne vivaient plus sous son toit.

« Je regrette que papa ne t'écrive pas, confia la mère d'Eustace à son fils aîné, à l'époque où il étudiait à la fac, mais on dirait qu'un obstacle l'en empêche. Il vient d'adresser une lettre à Martha pour la première fois de sa vie à l'occasion de son anniversaire. Elle en a été si étonnée que, à ce qu'elle m'a dit, un cri lui a échappé quand elle en a pris connaissance. »

À plus de vingt ans passés, Eustace dut admettre, à son grand dam, que les souffrances de son enfance le hantaient encore. Il s'attendait à passer outre en grandissant, en quittant le nid familial. Pourquoi diable son père avait-il encore le pouvoir de lui arracher des larmes ? Pourquoi des cauchemars le réveillaient-ils à 4 heures du matin « en exhumant de vieux souvenirs douloureux » ? Eustace n'en revint pas quand il dut s'avouer (à l'occasion d'un Noël à Gastonia) que son père demeurait « l'homme le plus dur, le plus enclin à juger les autres et le plus critique que j'aie jamais rencontré ».

Dieu sait pourtant qu'Eustace ne ménageait pas sa peine pour se réconcilier avec son père ! Il ne reculait devant aucun effort. Depuis son adolescence, sa mère encourageait sans répit Petit Eustace à « faire des concessions » dans l'espoir que sa relation avec Grand Eustace s'améliorerait.

« Je prie beaucoup pour que la situation s'arrange à la maison l'an prochain, écrivit-elle à Eustace avant qu'il entame sa dernière année au lycée. De même que tu aspires au respect et à l'affection de papa, celui-ci attend de toi l'affection, le respect et l'obéissance que tout enfant doit à ses parents. Je suis certaine que, si tu as toujours eu du mal à t'entendre avec papa, c'est parce qu'il passe depuis le début au second plan, vu que c'est à moi que tu accordes le plus d'attention et de temps et sur moi que tu comptes pour satisfaire tes besoins et te donner de l'affection. Tout a commencé dans ta plus tendre enfance. Comme je t'accordais trop de temps et d'attention, tes rapports avec papa se sont peu à peu envenimés. Au point où vous en êtes, il vous reste encore une chance à toi et papa de nouer une relation harmonieuse, mais c'est à toi d'en prendre l'initiative. À ton âge, on conserve encore la souplesse nécessaire pour changer d'attitude. Ravale ta fierté et fais preuve d'humilité envers papa en admettant que tu as pu lui déplaire par tes actes ou tes propos passés mais que tu ne demandes pas mieux, aujourd'hui, que de lui faire plaisir dans la mesure de tes capacités. »

Eustace a commencé à écrire à son père dès l'âge de douze ans. Comme ce dernier se croyait doté d'un don inné pour communiquer, Eustace se disait qu'il lui suffirait de trouver les mots justes pour que leur relation s'améliore. Il passait des semaines à peaufiner ses phrases en cherchant la manière la plus mûre et la plus respectueuse de s'adresser à Grand Eustace. Il lui expliquait qu'il était conscient de la difficulté de leurs relations mais qu'il aimerait y remédier. Il laissait entendre qu'un tiers pourrait peut-être les aider à se comprendre. Il regrettait enfin de décevoir son père, mais il suffirait sans doute qu'ils discutent de leurs problèmes sans se mettre à hurler pour que son attitude évolue en rendant son père plus heureux.

Son père ne répondit à aucune de ses lettres. Il lui arrivait pourtant d'en lire à haute voix, d'un ton moqueur, afin d'amuser les frères et sœurs d'Eustace. Son orthographe, sa syntaxe, son culot de s'adresser à son père comme un égal… Voilà qui prêtait à rire, non ? Grand Eustace tourna en dérision une lettre de Petit Eustace dans laquelle il suggérait que son frère Walton, brillant mais d'une sensibilité à fleur de peau, s'épanouirait davantage dans une institution privée où les ploucs du lycée de Gastonia ne le houspilleraient pas sans arrêt. Ce jour-là, ils s'en sont payé, une tranche, les Conway ! Grand Eustace relut la lettre à plusieurs reprises à ses autres enfants en les encourageant tous, Walton y compris, à se moquer de Petit Eustace, qui se croyait en droit de dire à son père ce qui valait le mieux pour le reste de la famille.

Malgré tout, même à l'âge adulte, Eustace se surprit plus d'une fois à renouveler ses tentatives de réconciliation.

« Je ne t'écris pas pour te peiner ou te saper le moral, confia-t-il un jour à son père, d'homme à homme. Au contraire, je te demande pardon de toute la peine et de tout le mal que j'ai pu te faire. J'ai toujours voulu être un bon garçon. Bon pour toi, pour maman, pour tout le monde. J'ai besoin que tu m'acceptes, que tu m'apprécies, que tu reconnaisses ma valeur, que tu me considères comme mieux qu'un moins-que-rien (quelqu'un de stupide, qui ne connaît rien à rien et se trompe sans arrêt). Jusqu'à présent, chaque fois que j'ai cherché de l'affection auprès de toi, je n'ai trouvé qu'un grand vide. Je ne veux rien de plus que ton affection. Je me sens comme un papillon de nuit attiré par la flamme d'une bougie. Peut-être vaudrait-il mieux que je m'avoue vaincu et que je prenne mes distances. Mais ce n'est pas ainsi que j'assouvirai mon besoin de me sentir accepté. »

Là non plus, pas de réponse.

En résumé : non, leur relation ne s'améliorait pas, mais Eustace devait emprunter une grosse somme que, à sa connaissance, seul son père possédait. Eustace n'avait jamais demandé un sou à son père. Question de fierté. Un jour, M. Conway avait déclaré à Eustace, encore adolescent, qu'il leur fallait se mettre d'accord sur le montant de la pension qu'il lui verserait. Eustace lui répondit : « Je ne crois pas que je mérite la moindre pension ». Fin de la discussion. Eustace ne réclama jamais à son père le remboursement de ses frais d'inscription à l'université (alors que M. Conway finança de bon gré les études de ses cadets). Comment Eustace Conway allait-il s'y prendre pour obtenir de l'argent de son père en 1987 ? Une somme rondelette, en plus !

La conversation, comme on le pense bien, ne s'engagea pas sur un ton très amical. Eustace se fit tirer les oreilles : il courait à l'échec et ne devait pas s'attendre à beaucoup d'indulgence de la part de son père quand le shérif viendrait lui annoncer sa faillite. Puis, pour qui se prenait-il, à prétendre ainsi assumer l'entretien de quarante-trois hectares ?

« Tu te trompes si tu te crois capable de t'en sortir », le mit en garde son père à maintes et maintes reprises.

Eustace ne se laissa pas ébranler. Tel un roc au beau milieu d'un ruisseau, il attendit que passe le déluge, impassible, les lèvres serrées, en répétant en son for intérieur : *Je sais que j'ai raison. Je sais que j'ai raison. Je sais que j'ai raison*... En fin de compte, son père céda : il lui prêta l'argent.

À un taux d'intérêt compétitif, bien entendu.

Le 15 octobre 1987, Eustace Conway acheta la première parcelle de la future île de la Tortue. Aussitôt, il se mit au travail afin de rembourser son père. En moins d'un an, il liquida sa dette. Il ne parvint à réunir la somme astronomique de quatre-vingt mille dollars en un laps de temps si court qu'au prix d'un travail insensé. Il entreprit de sillonner le sud des États-Unis pour y répandre son message au point de s'épuiser physiquement (et nerveusement aussi). Valarie joua de ses relations dans les parcs nationaux pour lui obtenir des engagements dans des écoles ou des centres de protection de la nature. Eustace devint ainsi le promoteur enthousiaste de ses propres projets.

« Les deux premières années à l'île de la Tortue, se rappelle aujourd'hui Valarie, ont été vraiment exaltantes. Au début, Eustace logeait chez moi, dans un charmant pavillon de banlieue en Géorgie. Il cherchait à donner un maximum de conférences afin de rembourser son père. Je lui servais d'agent : je lui décrochais des engagements d'un bout à l'autre de l'État. J'ai fini par démissionner de mon poste qui me plaisait pourtant bien et par vendre ma belle maison pour m'installer à l'île de la Tortue. J'étais sur mon petit nuage ! C'était là que j'aspirais à m'établir. Nous en avons bavé pour réaliser notre projet. J'ai prêté main-forte à Eustace quand il a bâti sa première construction : une remise à outils. Il voulait avant tout disposer d'un endroit où ranger les instruments indispensables à la réalisation de ses desseins. Pendant ce temps-là, nous vivions sous un tipi. Je préparais à manger sur un vieux poêle à bois et, pourtant, je nageais dans le bonheur ! Je tenais tellement à m'accoutumer à ce genre de vie ! Je croyais à ce que nous venions d'entreprendre. Je croyais à ce que nous prêchions. Je me sentais investie d'une mission complémentaire de celle d'Eustace. »

La vie qu'ils menaient s'apparentait en réalité à un cauchemar qui ne tarda pas à tourner à la farce. Eustace passait tant de temps sur la route qu'il dut bientôt emporter avec lui tout un tas de paperasses (son chéquier, son agenda et son courrier) dans une sacoche en cuir. Des dossiers contenant les coordonnées des écoles s'entassèrent peu à peu sous le tipi, où ils prenaient la pluie quand les souris ou la moisissure ne s'y attaquaient pas. Bien entendu, Eustace ne possédait pas de téléphone. Un jour, il demanda à l'un de ses voisins, le vieux Lonnie Carlton, s'il ne pourrait pas lui emprunter le sien, le temps de passer quelques appels nationaux, en lui promettant de le rembourser plus tard. Un appel national, voilà un événement rare dans la vie d'un vieux fermier des Appalaches du style de Lonnie ! (Un événement, surtout, qui se produisait au plus une fois par an, se rapportait en général au décès d'un membre de la famille et ne se prolongeait jamais plus de deux minutes...) Eustace décrocha le combiné pour s'entretenir six heures d'affilée avec des directeurs d'école et des journalistes de tout le sud des États-Unis. Pendant ce temps, le vieux Lonnie resta planté devant lui à le regarder, bouche bée.

Quand il se rendit enfin à l'évidence – il lui fallait absolument une ligne téléphonique –, Eustace en raccorda une à la maison d'un voisin, qu'il fit aboutir à une grotte aménagée en bureau. Le soir venu, il descendait de sa colline pour y négocier de main de maître, à la lueur d'un feu crépitant, ce qu'il qualifie aujourd'hui « d'affaires juteuses ». Il obtint par la suite la permission d'installer une ligne officielle à un poteau sur la propriété de son voisin Will Hicks. Valarie plaça le téléphone dans une boîte en polystyrène à l'abri des moisissures. Elle se souvient encore d'avoir négocié les contrats d'Eustace dans une grange au beau milieu des vaches en train de meugler.

« Les types à l'autre bout du fil me demandaient "C'est quoi, ce bruit ?" et je répondais "Oh, ça ? La télé dans la pièce à côté". Autant vous dire qu'on se serait crus dans la série *Les Arpents verts*. Puis, un beau jour, l'appareil a pris l'eau. Il ne fonctionnait plus. J'ai essayé de le sécher en le mettant à chauffer à l'intérieur du poêle. Bien entendu, il a fondu comme sur une toile de Salvador Dalí. Voilà le genre de vie que nous menions ! »

À l'évidence, un changement s'imposait. Un soir, Eustace emmena Valarie dîner à Boone, au Red Onion Café, pour la remercier de tout le travail qu'elle venait d'accomplir. À table, il dessina sur une serviette en papier les plans du bâtiment administratif qu'il estimait nécessaire de construire sur leur propriété. Comme les quarante jours à venir s'annonçaient plutôt calmes (un événement en soi !), il décida d'en profiter pour se mettre à l'ouvrage. Sinon, il ne se lancerait jamais. Le lendemain matin, dès l'aube, Eustace retroussa ses manches.

Il voulait un bâtiment en parpaing, en verre et en bois brut, et ne fonctionnant qu'à l'énergie solaire. Eustace ne savait pas au juste par quel moyen construire un tel édifice. À vrai dire, il n'avait jamais rien érigé de plus complexe qu'une remise à outils, mais il ne doutait pas d'y arriver quand même. Il choisit un bon emplacement ensoleillé à l'entrée du domaine : le bâtiment devait en effet servir de point d'accueil, à l'écart du centre proprement dit au cœur des bois. Il creusa des fondations assez profondes pour éviter les déperditions de chaleur et, avec l'aide de Valarie, posa un sol en brique absorbant l'énergie solaire. Des portes-fenêtres achetées cinq dollars à un marché aux puces donneraient accès au bâtiment. Les poignées des portes, Eustace les fabriqua lui-même, à partir des bois d'un cerf. Il perça deux grandes fenêtres en façade et posa dans le toit des Velux récupérés dans une décharge afin de laisser entrer un maximum de lumière.

Pour des raisons esthétiques, des bardeaux couvrent l'avant du toit (la seule partie visible) alors que l'arrière est en tôle, un matériau plus facile d'entretien. Des planches en pin blanc d'un demi-mètre de large dénichées dans une vieille grange à l'abandon habillent les murs intérieurs en réchauffant la pièce et en lui donnant de la profondeur. Le reste des planches a permis à Eustace de fabriquer deux grands bureaux plus un mur d'étagères divisant la pièce en deux espaces de travail distincts, aussi ensoleillés l'un que l'autre. Un antique tapis acquis lors d'une vente aux enchères au profit des Navajo masque le plancher. Des étagères en hauteur le long des murs accueillent des paniers et des poteries, dont un antique vase pueblo qu'Eustace a repéré un jour sous la véranda d'une vieille maison à Raleigh. Devinant aussitôt la valeur de l'objet, il en offrit vingt dollars à la dame qui habitait là. « Après tout ! lui répondit-elle. Allez-y, prenez-le. J'en ai marre de l'épousseter, ce vieux machin. » Plus tard, Eustace envoya une photo du vase à un expert de Sotheby's qui l'estima à plusieurs milliers de dollars.

En quarante jours à peine, Eustace construisit un très beau bâtiment, chaleureux et accueillant, équipé d'un téléphone et d'un répondeur et rempli de livres et de magnifiques objets d'art – et qui ne fonctionne qu'à l'énergie solaire. Des iris, des pinceaux indiens et des sabots de Vénus poussent aux alentours.

Les multiples activités d'Eustace commencèrent à lui valoir une réputation de touche-à-tout. Il achetait son bois à un vieux montagnard des Appalaches nommé Taft Broyhill, qui possédait une scierie. Eustace travaillait toute la journée sur son chantier, ainsi qu'à la nuit tombée, à la lumière des phares de sa camionnette. Quand il lui fallait du bois, il se rendait chez Taft Broyhill, sur la montagne voisine. Il le réveillait au beau milieu de la nuit afin de ne pas perdre le peu de temps où il bénéficiait de la lumière directe du soleil à régler ses affaires. Il retournait aussitôt à l'île de la Tortue où il dormait trois ou quatre heures avant de se remettre à l'ouvrage, bien avant l'aube.

Un soir, il se rendit chez Taft Broyhill aux environs de minuit, en compagnie d'un ami venu lui prêter main-forte quelques jours. Pendant que le vieil homme entassait du bois, Eustace aperçut sur un tas de rebuts une magnifique souche de noyer blanc d'Amérique, de trop bonne qualité pour servir de bois de chauffage. Il demanda à M. Broyhill si celui-ci accepterait de lui vendre la souche en la débitant en morceaux de plus petite taille.

« Qu'est-ce que vous voulez en faire ? s'étonna le vieil homme.

– Je me disais, lui expliqua Eustace, que je pourrais tailler là-dedans des manches d'outils ou d'autres choses dans ce goût-là. »

Le vieil homme sortit fort obligeamment sa tronçonneuse et, à la lumière des phares de la camionnette d'Eustace, au beau milieu de la nuit, sous la neige qui tombait, il entreprit de débiter la souche. Soudain, il s'interrompit, coupa le moteur et se redressa. Il observa un instant Eustace et son ami. Eustace, supposant que quelque chose clochait, attendit que Taft Broyhill prenne la parole.

« En fait, finit par leur avouer le vieil homme, je me demandais… Qu'est-ce que vous faites, les gars, de votre temps libre ? »

Eustace se tuait à la tâche. Il n'eut pas plus tôt fini de construire son bâtiment administratif qu'il reprit la route pour gagner de l'argent en prêchant le retour au mode de vie des peuples primitifs et en louant la sagesse des Indiens d'Amérique et les bienfaits d'une « vie simple ». Eustace se déplaçait frénétiquement d'un État à l'autre, en tentant de convaincre ses auditeurs de renoncer à la course à la réussite pour vivre en communion avec la nature. Lui-même menait une existence harassante. Un ami lui acheta un détecteur de radars afin qu'il cesse de récolter des amendes pour excès de vitesse en se rendant, pied au plancher, d'un engagement au suivant. Quand, en février 1988, Eustace écrivit ce qui suit, il semblait à deux doigts de basculer dans la folie :

« Une interminable course contre la montre, une aventure épique : voilà ce dans quoi je me suis embarqué et que je souhaite mener à bien avec une volonté tenace, en pauvre garçon condamné à rembourser un immense terrain. Il m'en coûte tant ! Je m'acharne au quotidien, je multiplie les efforts et, aujourd'hui encore, un jour sans engagement, pourtant, j'ai passé douze heures à remplir de la paperasse, à répondre à des courriers et à en rédiger d'autres. Et, pendant ce temps, le travail n'a pas cessé de s'accumuler. D'accord : je me sens capable de l'assumer, tel un haltérophile enthousiaste sous le coup d'une poussée d'adrénaline – je travaille même pendant mon sommeil, j'appelle ça du "boulot en sommeil" –, mais ça m'empêche de me consacrer autant que je le souhaiterais à Valarie, celle que j'aime, ou à la cueillette des fleurs [...]. Atlanta, puis Augusta, Toccoa puis Clarksville – je prostitue mon temps à des centaines de personnes –, jour après jour me voilà sur scène, encore et encore, hurlant à pleins poumons !

« Je tiens sur les nerfs en puisant mes forces dans le flux d'énergie qui m'entraîne sur scène, en m'efforçant de tout concilier [...] ; sept minutes de sommeil puis je me lève – de la route à parcourir – montre-toi au meilleur de ta forme. C'est toi le plus grand ! Ils me manipulent comme on tire sur les ficelles d'une marionnette, ils me contrôlent en me disant quoi faire – et ça n'arrête pas [...] ; et personne ne comprend ! Vous ne voyez pas que j'ai besoin de repos ? Vous ne voyez pas que j'ai besoin d'air ? J'ai besoin de respirer, bon sang ! Laissez-moi tranquille, bande de trous du cul ! Vous ne saisissez donc pas ? Abrutis, vous ne comprendrez jamais ? *C'est la meilleure conférence que j'aie entendue jusqu'ici, quel talent !* On m'en a si souvent rebattu les oreilles ! Comme si je ne me nourrissais plus que de papier mâché. Mince alors ! J'ai obtenu mon terrain. Je dispose maintenant d'une réserve naturelle où je pourrai me reposer un jour, une fois sorti du tunnel – quel paradoxe [...]. Jusqu'à quel point laisserai-je les autres empiéter sur mon territoire ? Oh, vous tous, les braves gens du monde entier, je vous aime – donnez-moi la force, Seigneur, d'aller jusqu'au bout ! Un jour, je m'assoupirai au milieu des fougères, à la lumière du soleil. Paix ! »

En conclusion d'une envolée dans la même veine, quelques semaines plus tard, Eustace admit dans son journal : « Sans compter que je commence à me demander si je veux vraiment de Valarie pour compagne durant le restant de mes jours. »

À l'été 1989, Eustace accueillit à l'île de la Tortue sa première colonie de vacances.

L'île de la Tortue ne se résumait plus à un simple projet sur le papier : la voilà dotée d'un statut institutionnel en bonne et due forme. Une brochure contractuelle vantait les mérites de cette association à but non lucratif assurée tous risques qui s'ancrait désormais dans la réalité. Dès la première année, les enfants en redemandèrent. Plutôt que de laisser les parents conduire leur progéniture en voiture à un parking de fortune au sommet de la montagne, les moniteurs, à la demande d'Eustace, vinrent à la rencontre des familles à l'entrée du domaine avant de les accompagner à pied au campement. Si les parents ne se sentaient pas de taille à entreprendre une telle marche... Eh bien tant pis ! *Faites vos adieux ici.* Les enfants pénétraient ainsi au royaume fertile de l'île de la Tortue en passant par les bois comme par une porte secrète et sacrée. La forêt débouchait soudain sur la prairie ensoleillée du campement et voilà que s'offrait aux enfants un monde nouveau et en même temps sanctifié par les ans, différent de tout ce qu'ils avaient connu jusque-là. Pas d'électricité, pas d'eau courante, pas de circulation et surtout pas de commerce.

À leur arrivée, Eustace Conway les attendait pour leur souhaiter la bienvenue, vêtu de peaux de daim, le sourire aux lèvres. Au fil de l'été, il apprendrait aux enfants à goûter à des aliments qu'ils ne connaissaient pas, affûter des couteaux, tailler des cuillers en bois, confectionner des nœuds, jouer à des jeux indiens et, chaque fois qu'ils coupaient une branche d'un arbre, sacrifier une mèche de leurs cheveux en signe de reconnaissance. Eustace inculquait aux enfants le respect les uns des autres et de la nature. Il s'efforçait de remédier aux méfaits de la culture américaine contemporaine ou, du moins, à ce qu'il considérait comme tels. Il se promenait dans les bois avec un groupe d'enfants quand il découvrait par exemple un rosier rubigineux. Il n'avait pas plus tôt vanté aux petits le goût des feuilles que ceux-ci se jetaient sur l'arbuste comme une armée de sauterelles, en arrachant des branches entières.

« Non ! s'écriait Eustace. Ne détruisez pas la plante ! N'oubliez pas que la nature ne possède que des ressources limitées. Prenez une feuille, grignotez-la, et passez-la à vos camarades. Rappelez-vous que votre environnement n'est pas là pour votre consommation personnelle. Rappelez-vous que vous ne serez pas les derniers à passer par ici. Ni les derniers à vivre sur notre planète. Vous devez en laisser pour les suivants. »

Eustace apprenait même aux enfants à prier. Dès leur réveil à l'aube, il les conduisait à la colline où lui-même avait prié en fumant la pipe, son premier hiver à l'île de la Tortue. Les petits la surnommaient « la colline de l'aurore » : ils y contemplaient le lever du soleil en méditant en silence sur la journée à venir. Eustace les emmenait ensuite randonner jusqu'à des cascades ou des étangs. Il acheta un vieux cheval sur lequel ils montaient se promener aux alentours. Il leur montra comment attraper des écrevisses dans le ruisseau ou piéger du gibier.

Quand un enfant protestait : « Je ne veux pas tuer un pauvre animal sans défense ! », Eustace lui rétorquait, un sourire aux lèvres : « Je vais te confier un secret : dans la nature, tu ne trouveras aucun animal “sans défense”. À l'exception, peut-être, de certaines personnes de ma connaissance… »

Enfin, le voilà en possession d'un terrain rien qu'à lui ; libre d'enseigner dans un environnement naturel, du matin au soir, sans que quoi que ce soit vienne distraire les enfants. Tout ce qu'il voulait leur montrer se trouvait là, à portée de main. Comme s'il évoluait à l'intérieur d'une encyclopédie vivante.

Il lui arrivait ainsi d'expliquer, à l'occasion d'une promenade : « Vous devez vous méfier du champignon que vous voyez là. Quatre espèces lui ressemblent à s'y méprendre. Or, deux seulement sont comestibles. Réfléchissez donc bien avant d'en manger ! La seule manière de distinguer les champignons vénéneux des autres consiste à les ouvrir et à goûter du bout de la langue la substance laiteuse à l'intérieur. Vous voyez ? Si vous la trouvez amère, n'y touchez pas : c'est du poison ! »

Il lui arrivait aussi d'expliquer que les peuples primitifs se soignaient à l'aide d'hamamélis. « Il en pousse ici ; c'est une plante capable de guérir toutes sortes de maux. »

Parfois, encore, il montrait un bouleau flexible aux enfants en les invitant à en mâcher l'écorce. « Elle a plutôt bon goût, non ? Il y a longtemps, les habitants des Appalaches en faisaient de la bière de bouleau. Et si on suivait leur recette, un de ces jours ? »

Le succès de son entreprise le réjouit au plus haut point. Il ne semblait y avoir aucune limite à ce qu'il était en mesure d'enseigner. À la fin de la colonie, les enfants retournèrent chez eux, en banlieue, et leurs parents écrivirent à Eustace : « Qu'avez-vous fait à mon fils ? Il a tellement mûri pendant les vacances ! Que lui avez-vous appris pour l'intéresser à ce point à son environnement ? »

Eustace organisait aussi des stages d'une semaine pour adultes. Un jour, il randonnait avec un groupe en forêt, le long d'une rivière, quand l'une des participantes, qui n'avait jusque-là jamais mis les pieds dans un bois, poussa un cri. Elle venait d'apercevoir un serpent nageant à contre-courant. Eustace, vêtu d'un simple pagne, plongea dans l'eau pour attraper le serpent à mains nues avant d'apporter à la jeune femme apeurée quelques précisions sur le mode de vie de l'animal. Il l'incita à le toucher en jetant un coup d'œil à l'intérieur de sa gueule. Elle consentit à le tenir entre ses mains, le temps que ses amis la prennent en photo.

À une autre occasion, Eustace emmena de tout jeunes enfants se promener dans les bois. Il leur désigna les frondaisons et leur apprit à identifier les différentes espèces d'arbres. Il leur proposa de se désaltérer à une source en leur prouvant ainsi qu'à l'origine l'eau vient du sol et pas d'un robinet. Il les invita à mâcher de l'écorce d'oxydendron et ils n'en revinrent pas : en effet, ils lui trouvèrent un goût de bonbon acidulé ! À mesure qu'ils avançaient en forêt, Eustace leur expliqua le cycle de la nature : les feuilles tombent des arbres et se décomposent pour se transformer en humus. L'eau s'infiltre dans le sol où elle apporte des nutriments aux racines des arbres. Des insectes et d'autres animaux encore vivent au ras du sol de la forêt, en se dévorant les uns les autres, de sorte que le cycle se poursuit sans fin.

« Les bois grouillent de vie », affirma-t-il, mais il lui fallut bientôt admettre que les petits ne saisissaient pas. Il leur demanda alors : « Qui veut me servir d'assistant ? » Un petit garçon de cinq ans se proposa. Avec son aide, Eustace creusa deux longues tranchées dans le sol de la forêt. Il s'allongea dans l'une et son « assistant » dans l'autre puis les enfants les recouvrirent de terre jusqu'à ce que seuls leurs visages dépassent encore.

« Maintenant, nous faisons partie du sol de la forêt, reprit Eustace. Racontons un peu aux autres ce que nous percevons. Expliquons-leur ce qui nous arrive. »

Eustace et le petit garçon enfouis sous l'humus décrivirent aux autres ce qu'ils discernaient : le soleil qui éclairait leur visage avant que les branches au-dessus d'eux ne leur apportent un peu d'ombre, les aiguilles de pin qui leur tombaient dessus, les gouttes de pluie qui ruisselaient des feuilles sur leurs joues, les insectes et les araignées qui grimpaient sur eux. Ils vécurent là un moment unique. Les petits en restèrent médusés. Puis, bien entendu, ils se mirent à réclamer qu'Eustace les enfouisse sous terre chacun leur tour. Eustace se plia à leur volonté en les laissant se fondre dans le sol de la forêt. Il leur adressa des sourires d'encouragement tandis que leurs voix haut perchées saturaient l'atmosphère humide et fraîche : enfin, ils comprenaient !

« Les bois grouillent de vie ! » n'arrêtaient-ils pas de répéter.

C'était à peine s'ils parvenaient à y croire.

CHAPITRE 6

Mes engagements publics me prennent tout mon temps [...]. J'ai été ravi d'apprendre que la première édition de mon livre était déjà épuisée [...]. J'aimerais savoir si vous disposez d'un agent à La Nouvelle-Orléans ou dans les villes le long du Mississippi, il se vendra sans doute mieux là qu'ailleurs ; [...] envoyez-m'en 10 exemplaires, que je puisse les distribuer à mes amis les plus proches. Je tiens en outre à ce que vous compreniez que l'honorable Thomas Chilton du Kentucky a droit à la moitié de 62,5 pour cent des profits en vertu de l'accord conclu entre vous et moi.

Davy CROCKETT, extraits d'une lettre d'affaires adressée à l'éditeur de ses Mémoires

Par un beau jour de mai 2000, je me trouvais assise en face d'Eustace Conway, dans son bureau ensoleillé. Un grand carton nous séparait, qui contenait autrefois (s'il faut en croire l'étiquette) une chaîne de tronçonneuse et du lubrifiant de la marque Stihl. C'est là-dedans qu'Eustace conserve la documentation relative à son domaine, qui couvre aujourd'hui plus de quatre cents hectares. Le carton est bourré d'enveloppes en papier kraft étiquetées « actes de vente », « cartes d'état-major », « impôts fonciers », « domaine de Cabell Gragg », « servitudes », « gestion des forêts » et (en ce qui concerne la plus épaisse d'entre elles) « acheteurs potentiels de terrains et terrains à vendre ».

Quelques mois plus tôt, à cheval en compagnie d'Eustace, j'avais fait le tour du propriétaire de l'île de la Tortue, qui disparaissait alors sous une couche de neige de quinze centimètres d'épaisseur. Il ne nous fallut pas moins de plusieurs heures pour parcourir l'ensemble du domaine et, plus d'une fois, nous avons dû mettre pied à terre, à l'assaut des pentes les plus raides. Pas un instant, Eustace n'a cessé de me parler. Il m'a montré les arbres et les pierres qui délimitent sa propriété en me précisant qui possédait le terrain adjacent, comment il l'utilisait et combien lui serait prêt à l'acheter. À présent que je venais de visiter l'île de la Tortue, il me semblait judicieux d'en obtenir une vue d'ensemble d'après un plan.

Eustace déplia devant lui une immense carte digne d'un pirate lancé dans une chasse au trésor. Sa propriété se divisait en parcelles contiguës de différentes tailles acquises les unes après les autres, au fil des ans. Un véritable coup de génie ! Dès le début, Eustace mit au point une stratégie imparable, comme lors d'une partie d'échecs : il commença par acheter les quarante-trois hectares de la vallée de l'île de la Tortue proprement dite avant d'acquérir les sommets des collines alentour à mesure que l'argent rentrait dans ses caisses. Après tout, ce sont les sommets qui valent le plus du point de vue des promoteurs immobiliers, étant donné que tout le monde a envie d'une maison qui domine les environs. Une fois Eustace propriétaire des buttes, les terrains voisins perdaient de leur attrait aux yeux des spéculateurs fonciers ; ce qui diminuait le risque qu'un autre acheteur mette la main dessus avant que lui-même ne réunisse la somme nécessaire à leur acquisition.

« Je tenais à m'assurer des crêtes qui encerclent la vallée, m'expliqua Eustace. Je ne voulais pas de pollution lumineuse, de maisons aux alentours ni de bruits autres que ceux de la nature. Il me fallait contrôler les hauteurs parce que c'est là que les promoteurs construisent des routes. Or, une fois qu'une route passe en forêt, c'est fini. Les routes amènent des visiteurs, qui dégradent l'environnement ; ce que je tenais à tout prix à éviter. Voilà pourquoi j'ai fait main basse sur l'ensemble des crêtes. Sans cela, aujourd'hui, une route passerait ici même, je te le promets. »

Une fois propriétaire des crêtes, Eustace combla les interstices en acquérant les talus qui reliaient sa vallée aux collines des alentours (et en s'assurant par la même occasion la mainmise sur son approvisionnement en eau). Son domaine allait bientôt se métamorphoser en une espèce de grand bassin – la vallée idéale – protégé de tous côtés par des éminences. Il acheta d'abord un terrain clé de quarante-six hectares, « le domaine Johnson ». (« Dick Johnson possédait seize mille hectares, dont une partie touchait à mon domaine. Un beau jour, il les a mis en vente. Je ne pouvais évidemment pas me permettre d'acquérir l'ensemble de sa propriété, mais il fallait au moins que je m'empare du lopin de terre contigu à l'île de la Tortue : une sorte de zone tampon entre ma réserve naturelle et le reste, sur lequel Dieu seul sait ce que des promoteurs iront bâtir un jour. » Eustace a fait main basse sur le domaine Johnson dans l'urgence : il a dû réunir les fonds nécessaires en deux jours à peine.) Il acquit ensuite une autre parcelle qu'il surnomme « la queue de baleine » en raison de sa forme. (« Un magnifique terrain pentu qui offre une vue à couper le souffle. Je me doutais qu'un jour, quelqu'un, en passant par là, se dirait : voilà l'endroit rêvé pour construire une maison ! Il a donc fallu que je l'achète. ») Puis il acquit le terrain le plus cher de tous : deux hectares à peine mais qui lui coûtèrent les yeux de la tête. (« Grâce à lui, je contrôle l'accès à l'immense domaine voisin du mien, vu qu'il n'y a pas d'autre endroit où aménager une route. Je n'avais pas les moyens d'acheter la propriété entière ; rien que cette petite parcelle. Par mesure de sécurité. Peut-être qu'un jour je réunirai la somme nécessaire pour acquérir le reste du terrain sans avoir à le disputer à d'autres acheteurs potentiels. »)

La parcelle dont l'acquisition s'avéra toutefois la plus décisive couvrait soixante-trois hectares et appartenait à Cabell Gragg, un vieux fermier coriace des Appalaches en possession d'un terrain contigu à l'île de la Tortue ; le seul qui manquait encore à Eustace pour s'assurer de l'approvisionnement en eau de sa vallée. Il lui suffit de poser les yeux sur le domaine boisé de son voisin pour pressentir que, un jour ou l'autre, il finirait par s'en emparer. Il ne s'agissait certes pas des soixante-trois hectares les plus affriolants du monde, mais, si jamais quelqu'un d'autre mettait la main dessus, les déboisait, les polluait ou y bâtissait un lotissement, l'île de la Tortue se retrouverait contaminée par ricochet ; un terrain clé, en somme. Le talon d'Achille d'Eustace.

« Si jamais je laissais le domaine de Cabell Gragg me passer sous le nez, m'expliqua Eustace, mon rêve s'effondrait. J'étais fini, pour peu que quelqu'un d'autre s'en empare à ma place. Je n'aurais plus eu qu'à vendre ma propriété en renonçant à mes projets. Puis à recommencer ailleurs en repartant de zéro. Pendant dix ans, dès mon réveil, chaque matin, je me suis démené pour que mes projets voient le jour. J'ai construit des bâtiments et des ponts, débroussaillé des pâturages, en sachant pourtant que, si je ne mettais pas la main sur le domaine de Cabell Gragg, mes efforts n'aboutiraient à rien. »

De 1987 à 1997, Eustace fit des pieds et des mains pour acquérir ces soixante-trois hectares. On ne peut pas parcourir dix pages de son journal de l'époque sans tomber sur au moins une référence au domaine de Cabell Gragg. Eustace inonda Cabell Gragg de courriers, il l'emmena visiter l'île de la Tortue, lui envoya des cadeaux et, les années passant, il alla même le trouver à sa maison de retraite afin de poursuivre les négociations. Plus d'une dizaine de fois, Eustace se crut sur le point de conclure un marché, mais non : le vieux Cabell Gragg se rétractait sans arrêt en doublant son prix ou en alléguant une meilleure offre. Il y avait de quoi devenir fou. Eustace gardait une bouteille de champagne au frais en vue du jour où il deviendrait enfin propriétaire du terrain. En dix ans, la poussière s'y accumula en formant une couche (comme le note Eustace avec la précision qui le caractérise) « d'un millimètre soixante d'épaisseur ». À ce moment-là, Eustace se disait prêt à recourir à n'importe quel expédient, si loufoque soit-il, pour s'emparer du terrain : il faillit ainsi acheter une bâtisse d'allure victorienne à Boone qui semblait intéresser Gragg afin de l'échanger ensuite contre le terrain, mais l'affaire tourna court.

Eustace finit par entrer en possession du domaine tant convoité de Cabell Gragg. Mais à un prix terrible et par le moyen le plus téméraire et périlleux qui soit.

En concluant un pacte avec le diable.

Une montagne se dresse à côté de celles où vit Eustace. Pendant des années, seule une épaisse forêt la couvrait. Des milliers d'hectares contigus à la propriété d'Eustace. Depuis qu'il a découvert l'île de la Tortue, il rêve de les acquérir en accroissant ainsi l'étendue de son domaine. Comment ? Au départ, il n'en savait trop rien, mais il comptait bien trouver un moyen. La route qui mène de Boone à l'île de la Tortue passe par un point de vue où Eustace garait souvent sa camionnette, le temps de contempler, au-delà du ravin, sa propriété et les magnifiques et immenses montagnes couvertes de bois juste à côté. *Un beau jour… qui sait ?* se disait-il alors.

Un après-midi de 1994 où il se rendait de Boone à l'île de la Tortue, il vit une Cadillac stationnée devant son point de vue favori. À côté, quatre hommes en costume observaient à l'aide de jumelles les magnifiques et immenses montagnes couvertes de bois. Le cœur d'Eustace cessa de battre : il venait de comprendre que son rêve d'acheter les montagnes touchait à son terme. Il ne connaissait pas ces hommes, mais il devina sans peine ce qu'ils voulaient et à qui il avait affaire. Voilà que l'histoire qui l'avait tant marqué, enfant, se répétait ! Des hommes en costume n'ont aucune raison d'observer à la jumelle un coin reculé des Appalaches à moins de le convoiter. Eustace arrêta sa camionnette derrière la Cadillac et en sortit. Surpris, les types en costume se retournèrent. Ils baissèrent leurs jumelles avant de le considérer un instant. Les mains sur les hanches, Eustace les regarda droit dans les yeux jusqu'à ce qu'ils détournent la tête. L'un d'eux rougit, embarrassé ; un autre se mit à tousser. Comme s'il venait de les surprendre la main dans le sac, en train de voler Dieu sait quoi ou de forniquer.

« Je peux vous aider, messieurs ? » leur demanda Eustace d'un ton qui n'annonçait rien de bon.

Trop tard : ils s'apprêtaient déjà à faire main basse sur les environs.

Cet après-midi-là, ils ne dirent rien, mais la vérité finirait par se faire jour au fil des mois suivants. Un dénommé David Kaplan venait de débarquer en ville afin de racheter tous les terrains disponibles aux environs pour y construire un complexe luxueux (« La Montagne céleste ») où de richissimes croyants pratiqueraient la méditation transcendantale dans un cadre haut de gamme. Bien entendu, La Montagne céleste nécessiterait des routes, une aire d'atterrissage pour hélicoptère, un terrain de golf, des courts de tennis et des bâtiments à n'en plus finir.

David Kaplan ne manquait pas de ressources, dans tous les sens du terme. Petit à petit, il acquit le terrain nécessaire à la réalisation de son projet. Des fermes désaffectées, des ravins perdus au milieu de nulle part, des rivières, des pâturages et des vallées rocheuses… Il rafla tout. Une boutade qui circulait alors parmi les habitants du coin prétendait que David Kaplan ne s'embêtait pas : il garait sa Jaguar devant un vieux taudis décrépit avant d'apostropher le montagnard tout aussi décrépit qui vivait là. « Hé ! Bonjour ! Je me présente : David Kaplan. Pour moi, l'argent n'est pas un obstacle. Comment allez-vous ? »

Bon. On ne va pas inverser le cours du temps. Ce qui est fait est fait. Inutile de s'appesantir là-dessus. Eustace a fini par chasser La Montagne céleste de ses préoccupations. Il a même tourné la chose à la plaisanterie. À partir du moment où les arbres abattus ont laissé place au centre de méditation aux allures de palace, Eustace a rebaptisé le domaine « La Montagne pas si céleste que ça ». Il s'est en outre moqué de ses nouveaux voisins en imitant à s'y méprendre le présentateur d'une célèbre émission pour enfants, M. Rogers : « La Montagne céleste est notre voisin. Répétez après moi, les enfants : "Voi-sin". La Montagne céleste construit des routes qui portent préjudice à notre environnement. Répétez après moi, les enfants : "Pré-ju-dice". »

Quoi qu'il en soit, se raisonnait Eustace, il aurait pu tomber sur pire qu'un centre de méditation transcendantale ; mieux vaut encore ça que des lotissements pavillonnaires ! Après tout, les adeptes du transcendantalisme venaient à La Montagne céleste communier avec la nature. Par le biais de leur architecture védique et de leur végétarisme strict, ils cherchaient de bonne foi à établir une relation plus harmonieuse avec l'univers (même s'il leur fallait pour cela construire des logements de quatre cents mètres carrés par personne). David Kaplan ne comptait mettre en valeur que dix pour cent de son terrain sans toucher au reste de la forêt. S'il souhaitait attirer dans son complexe des pratiquants en quête de paix intérieure, il valait mieux qu'il préserve le domaine voisin du sien ; ce qui fait qu'au final, ses intérêts coïncidaient avec ceux d'Eustace. En somme, du point de vue d'Eustace, on aurait pu imaginer plus catastrophique que la venue de David Kaplan.

Eustace en vint à considérer la situation sous l'angle que voici : David Kaplan convoitait toutes les terres du monde. Admettons ! Eustace n'allait pas le lui reprocher. Seulement, il lui fallait préserver à tout prix le terrain qu'il possédait déjà : David Kaplan pouvait acheter la Caroline du Nord dans sa totalité si cela lui chantait, à l'exception toutefois des soixante-trois hectares du domaine de Cabell Gragg.

Hélas ! Cabell Gragg se mit dès lors à jouer au plus fin. Quand Eustace revint discuter affaires avec lui, Cabell lui répondit : « Vous savez, les gars de la méditation transcendantale aussi lorgnent mon terrain ». Eustace n'y crut pas une seconde. Le terrain en question n'intéressait que lui. Puis il comprit : Cabell Gragg, à force de voir ses voisins s'enrichir en vendant leurs fermes à David Kaplan, l'homme à la Jaguar, avait décidé de ne jamais céder sa propriété à Eustace Conway (qui roulait, lui, dans une vieille guimbarde déglinguée) : à son tour, il voulait profiter du boom immobilier. Du coup, il se réservait pour l'offre du plus riche des deux hommes.

Là-dessus, Eustace réclama une entrevue à David Kaplan. Bon, il ne faudrait pas s'imaginer que David Kaplan et Eustace Conway (les deux types les plus futés de la région) s'appréciaient beaucoup. Ils se considéraient comme des rivaux : le montagnard New Age contre le promoteur immobilier New Age. Or, ils ne comptaient déjà plus leurs prises de bec : David Kaplan s'était construit à La Montagne céleste une immense résidence dont le perron se trouvait à quelques mètres à peine de la limite du terrain d'Eustace, qui trouva ça plutôt culotté et ne s'en cacha pas. Pour couronner le tout, l'un des hélicoptères de La Montagne céleste n'arrêtait pas de survoler en vrombissant la réserve naturelle d'Eustace. Bon sang ! Qu'est-ce que ça l'agaçait ! Comment parviendrait-il à préserver le sanctuaire de l'île de la Tortue si un hélicoptère lui passait sans cesse au-dessus de la tête ? Eustace eut beau multiplier les coups de fil excédés, impossible de s'en débarrasser ! Au bout d'un moment, il en eut tellement assez qu'il pointa son fusil sur l'hélicoptère en visant la tête du pilote et en criant : « Foutez-moi le camp d'ici tout de suite ! »

David Kaplan trouva ça plutôt culotté et ne s'en cacha pas.

Ce fut donc un événement quand Eustace demanda une faveur à David Kaplan ; d'autant que, en réalité, il lui demanda moins une faveur qu'il ne le supplia. Contraint d'admettre qu'il ne lui restait pas d'autre choix, Eustace se tourna vers son adversaire en déposant les armes. Il expliqua à David Kaplan tout ce qu'il y avait à savoir à propos du domaine de Cabell Gragg : quelle surface il couvrait, combien il valait, depuis combien d'années et pourquoi Eustace le convoitait, et ce qu'il arriverait si jamais il ne l'obtenait pas. Puis il demanda à David Kaplan de bien vouloir acquérir le domaine de Cabell Gragg en vue d'un rachat immédiat. Cabell obtiendrait la satisfaction d'avoir vendu son terrain à un riche promoteur ; Eustace, la parcelle qu'il lui manquait pour réaliser son rêve. Quant à David Kaplan... Bon. David Kaplan n'en retirerait aucun bénéfice, mais ce serait un beau geste de sa part.

David Kaplan accepta. Les deux hommes ne signèrent pas le moindre papier ; ils scellèrent leur accord d'une simple poignée de main. « Si vous me roulez dans la farine, lui expliqua poliment Eustace, je suis fichu. » Là-dessus, il s'éloigna en remettant sa vie entre les mains de son principal rival. Il jouait gros. Un peu comme à la roulette russe. Le voilà qui pariait sa vie sur un coup de dés ! D'un autre côté, il saisissait là son unique chance. Et puis, il soupçonnait David Kaplan d'être honnête, au fond. Non seulement honnête mais assez avisé pour ne pas se faire un ennemi à vie d'un homme de la trempe d'Eustace Conway.

Pour finir, le sort sourit à Eustace. David fit une offre à Cabell Gragg (la même qu'Eustace, depuis des années) et Cabell Gragg mordit à l'hameçon. David Kaplan lui acheta le terrain. Deux jours plus tard, il le revendit à Eustace.

Dont l'empire se trouvait dorénavant à l'abri du danger.

Il faut bien l'admettre : Eustace Conway semble parfois hors du coup. Il ne lit pas les journaux ; pas plus qu'il n'écoute la radio. Quand un jeune écolier lui demanda en 1995 s'il savait qui était Bill Clinton, il répondit : « Je crois qu'il s'agit d'un homme politique américain, mais je n'en jurerais pas ». Il n'est donc pas au courant de tout ce qui se passe dans le monde, mais il ne faudrait pas en déduire qu'il se montre moins dur en affaires que le premier abonné venu à *The Economist* muni d'un attaché-case. Eustace est un spéculateur, au meilleur sens du terme, rusé, perspicace et sans pitié.

Son habileté à mener sa barque correspond à un aspect de sa personnalité qu'ignorent la majorité de ceux qui ont affaire à lui (à moins, bien sûr, qu'ils ne travaillent au cadastre de Boone, en Caroline du Nord). La plupart ne remarquent pas le côté calculateur d'Eustace parce qu'il n'en parle pas autant que du bruit de la pluie qui goutte sur son tipi ou de l'art et la manière d'allumer un feu sans allumette. Après tout, on ne le paie pas pour qu'il s'étende là-dessus ! Tout de même… ça n'explique pas tout. La plupart ne s'en rendent pas compte pour la simple et bonne raison qu'ils ne veulent pas s'en rendre compte. Ils redoutent qu'une telle facette d'Eustace ne gâche la belle image qu'ils se forment de lui : un homme vêtu de peaux de daim, capable d'abattre n'importe quelle bête d'un coup de fusil, qui vit sous un tipi et mange dans un bol en bois taillé à la main, un grand sourire bienveillant aux lèvres. Voilà l'image à laquelle une immense majorité de gens cherchent à se raccrocher aujourd'hui ; l'image à laquelle ils se raccrochent d'ailleurs depuis le début.

« Chevaleresque dans ses manières et libre comme l'air », pour citer la description que la Britannique Isabella Lucy Bird nous a laissée dans ses récits de voyage du genre d'homme qui se lançait à la conquête de l'Ouest américain au XIXe siècle.

« Mon païen sauvage », pour reprendre les termes de Valarie Spratlin, alors qu'elle venait de tomber amoureuse d'Eustace.

C'est ce que nous pensons tous quand nous tombons amoureux d'Eustace. Du moins, ceux d'entre nous qui succombent à son charme. Or, nous sommes nombreux dans ce cas. Je connais ça. Moi aussi, à un moment, je me suis dit : enfin quelqu'un d'authentique ; le genre de personne que j'espérais rencontrer (et même devenir) quand, à vingt-deux ans, je suis partie dans le Wyoming ; une âme pure épargnée par l'influence délétère de la société moderne. Si la tentation est grande de voir en Eustace le dernier représentant d'une noble espèce en voie de disparition, c'est parce qu'il n'y a rien de métaphorique à son existence ancrée dans le réel. Voilà un type qui mène au pied de la lettre le genre de vie qui, pour ses contemporains, ne se résume plus qu'à une figure de style.

Songez un peu à la quantité d'articles que publie chaque année le *Wall Street Journal* en qualifiant un entrepreneur ou un quelconque homme d'affaires de « pionnier ». Combien de fois les journalistes disent-ils de ces ambitieux des temps modernes qu'ils repoussent avec audace une nouvelle « frontière » ? Nous employons encore ce vocabulaire du XIXe siècle à propos de nos contemporains les plus téméraires, mais il ne s'agit là que d'un effet de style : en réalité, il n'est plus question de pionniers mais de programmateurs informatiques de talent, de chercheurs en biogénétique, de politiciens ou de magnats de la presse qui nous en mettent plein la vue dans un contexte économique en mutation permanente.

Eustace Conway emploie dans leur sens le plus littéral les expressions du temps de la frontière dont la plupart d'entre nous ne se servent plus que comme de tournures figées. Quand il s'avoue désarçonné, la plupart du temps, la faute en revient à son cheval. Quand il affirme ne jamais lâcher les rênes ou ne pas vouloir se retrouver de l'autre côté de la barrière, il y a fort à parier que ni les rênes ni la barrière en question ne relèvent de simples images. Et quand Eustace évoque son tableau de chasse, il n'est pas question de conquêtes féminines mais des animaux qu'il a bel et bien tués.

Un jour, je prêtais main-forte à Eustace dans son petit atelier de forgeron à l'île de la Tortue. Eustace ne manque pas d'habileté, mais à la manière des fermiers d'antan : pas question pour lui de réaliser des ouvrages minutieux en filigrane, oh non ! Il se contente de réparer ses outils et de ferrer ses chevaux. Le jour dont je parle, Eustace, trop occupé à m'enseigner les rudiments de sa technique, oublia d'entretenir son feu. Les barres en fer qu'il avait mises à chauffer afin de rafistoler une pièce hors d'usage de son antique tondeuse à gazon se refroidirent peu à peu au point de perdre leur malléabilité. Quand il s'en aperçut, il s'écria : « Mince ! J'aurais dû battre le fer tant qu'il était encore chaud. »

Voilà bien la première fois que quelqu'un employait devant moi cette expression dans son contexte original ! C'est d'ailleurs là tout l'intérêt de fréquenter Eustace : auprès de lui surgit enfin la possibilité de tout resituer dans son contexte original. Eustace donne corps à une certaine idée de la frontière sur laquelle la plupart des hommes de sa génération ont tiré une croix depuis longtemps, n'en gardant plus qu'un lexique vide de sens. Le vocabulaire de la frontière a survécu à la frontière elle-même pour la simple et bonne raison que l'identité du mâle américain s'ancre dans cette époque éphémère d'exploration, d'individualité romanesque et de colonisation de l'Ouest. Nous nous raccrochons à une notion qui ne possède plus la moindre pertinence depuis belle lurette parce qu'elle nous fascine encore. Voilà pourquoi, me semble-t-il, tant d'hommes dans ce pays se considèrent au fond comme des pionniers.

Je songe en particulier à mon oncle Terry, né après guerre dans une ferme du Minnesota. Cet homme intelligent et sensé n'avait qu'une hâte, à l'adolescence : s'enfuir de chez ses parents, des descendants directs d'authentiques pionniers. Terry est parti s'installer sur la côte Est où il a monté son entreprise. Aujourd'hui, il gagne sa vie, et plutôt bien, en tant qu'expert en informatique. Il y a quelques années de ça, Terry s'est pris de passion pour un jeu vidéo intitulé *La Piste de l'Oregon* : le joueur se retrouve dans la peau d'un pionnier du XIXe siècle en route vers l'Ouest avec sa famille à bord d'un chariot bâché. Pour remporter la partie, il lui faut atteindre le Pacifique en surmontant un certain nombre d'épreuves (dont un tas de maladies, de tempêtes de neige et d'attaques surprises d'Indiens, sans parler du manque de nourriture au passage des cols enneigés). Une bonne préparation, c'est-à-dire une quantité suffisante de provisions et le choix d'un itinéraire sûr, augmente les chances de s'en tirer vivant.

Mon oncle Terry raffolait de ce jeu. Il passait des heures devant son ordinateur à tenter d'atteindre l'Ouest, à l'instar de ses grands-parents qui eux, avaient fait route dans la même direction, un siècle plus tôt, mais pour de vrai ; pas virtuellement. Une chose frustrait tout de même Terry : le programme informatique ne lui permettait pas d'improviser quand une catastrophe se profilait. Un message s'affichait à l'écran de but en blanc en lui annonçant que l'essieu de son chariot venait de casser et qu'il allait mourir faute de pouvoir continuer son chemin. L'ordinateur le condamnait à l'échec. Partie terminée ! Terry se levait alors pour prendre une bière dans le frigo en jurant dans sa barbe et en maudissant les concepteurs du jeu, blessé dans sa fierté masculine d'une manière plutôt comique.

« Si je suivais vraiment la piste de l'Oregon, je ne resterais pas en panne, ça non ! s'écriait-il. Je trouverais un moyen de réparer ce maudit essieu. Je ne suis pas idiot ! Je couperais une branche d'arbre, je bricolerais un truc ! »

On peut lui faire confiance : non content de grandir dans une ferme, Terry a passé sa jeunesse à sillonner les étendues sauvages d'Amérique en quête d'une forme d'indépendance bien à lui. Terry aurait sûrement déjoué la plupart des obstacles sur la piste de l'Oregon. Hélas ! Sa vie quotidienne ne lui fournira jamais l'occasion de le prouver. Alors qu'Eustace, lui… Eustace s'est bel et bien rendu d'un océan à l'autre. Il a relevé des défis en tout genre, et ça ne lui fait pas peur de bricoler une solution de remplacement quand l'essieu de son chariot se brise.

Le plus délicat consiste en somme à décider de quel point de vue se figurer Eustace Conway – un point de vue évidemment conforme à l'image que chacun se forge de lui en ignorant ce qui ne cadre pas avec la première impression, romantique à souhait, qu'il produit. Quand j'ai découvert le genre de vie que menait Eustace Conway, un profond soulagement m'a envahie. La première fois que j'ai entendu parler de lui et de ses aventures, je me suis dit en mon for intérieur : Dieu soit loué qu'il y ait encore en Amérique un homme de sa trempe ! Dieu soit loué qu'il subsiste parmi nous un authentique montagnard, un homme de la frontière, un pionnier ! Dieu soit loué qu'on trouve encore dans ce pays quelqu'un d'indépendant qui ne manque pas de ressources ! Du seul fait qu'il existe, Eustace apporte la preuve que nous, les Américains (en dépit des innombrables indices du contraire), formons bel et bien un peuple libre, fort, courageux et tenace – plutôt que gros, paresseux et désabusé.

Du moins, c'est ce qu'il m'a semblé quand j'ai rencontré Eustace, et c'est ainsi que j'ai vu réagir des dizaines de personnes entendant parler de lui pour la première fois. La plupart des Américains, et surtout des hommes, quand ils découvrent la vie d'Eustace Conway, expriment aussitôt le désir de l'imiter. En réalité, ils ne le souhaitent pourtant que rarement. Un grand nombre de nos contemporains ont certes un peu honte des commodités de leur vie moderne presque trop facile, mais il y a fort à parier qu'ils n'y renonceraient pas sur-le-champ. *Pas si vite, mon gars !*

La plupart des Américains n'ont aucune envie de tirer leur subsistance de la terre s'il faut que leur confort en pâtisse ; ce qui n'empêche pas un frisson d'exaltation de les parcourir quand ils entendent Eustace leur affirmer : « Bien sûr que si, vous en êtes capables ! » Voilà ce que la majorité d'entre nous souhaitent entendre. Nous ne voulons pas apprendre à réparer un essieu de chariot sous une tempête de neige le long de la piste de l'Oregon ; simplement nous convaincre que nous pourrions y arriver s'il le fallait. Eustace mène la vie qu'il a choisi de mener pour nous en apporter la preuve rassurante.

« Bien sûr que si, vous en êtes capables ! » nous serine-t-il sans jamais s'en lasser.

Et nous le croyons d'autant plus volontiers que lui paraît capable de tout.

Eustace incarne le mythe que chacun de nous chérit au fond de son cœur. Voilà pourquoi on éprouve une telle satisfaction à le rencontrer. Un peu comme quand on aperçoit un pygargue à tête blanche. (Tant qu'il en reste, ne serait-ce qu'un seul, on se persuade que tout ne va pas si mal.) Bien sûr, ce n'est pas une mince affaire de porter sur ses épaules les espoirs d'une société entière, mais, d'un autre côté, Eustace ne demande pas mieux. Les gens le sentent ; ils le devinent assez sûr de lui pour assumer son statut d'icône vivante, assez fort pour donner corps à nos désirs. En somme, on ne risque rien à l'admirer ; ce qui a de quoi exalter à une époque de désillusions comme la nôtre, où admirer quelqu'un ne va jamais sans risque. Eustace déchaîne l'enthousiasme de ses contemporains au point qu'ils en perdent le sens commun. Je le sais : moi-même, je suis passée par là.

L'un de mes passe-temps favoris consiste à relire ce que j'ai noté dans mon journal quand Eustace et Judson Conway sont venus me rendre visite à New York ; en particulier, le soir où Judson m'a présenté Eustace, « son frère aîné, charmeur, intrépide et candide au possible ».

Charmeur ? À n'en pas douter.

Intrépide ? Oh, ça oui !

Candide au possible ? Hum… Là, franchement : on peut toujours courir !

Il n'y a pas une once de candeur chez ce type. Ses acquisitions de terrains en offrent la preuve la plus criante. Ceux qui vont rendre visite à Eustace Conway dans son domaine perdu au milieu des montagnes se demandent rarement par quel hasard il en est devenu propriétaire. L'île de la Tortue cadre si bien avec Eustace qu'on en viendrait presque à croire que c'est lui qui a donné le jour à son domaine ou peut-être l'inverse. L'île de la Tortue, comme tout ce qui touche à Eustace, semble à l'abri de la corruption de notre société moderne décadente. Beaucoup la prennent pour la dernière parcelle au-delà de la frontière, au mépris du bon sens. Voyons ! Jamais Eustace n'a pu s'abaisser à racheter à un tiers son cadre de vie ! Il a tout bonnement dû se l'approprier.

Dans ces conditions, autant considérer Eustace du point de vue de Domingo Faustino Sarmiento. Cet intellectuel argentin du XIXe siècle vécut assez longtemps aux États-Unis pour remarquer que « le fermier indépendant y cherche une terre fertile, un endroit pittoresque, non loin d'un cours d'eau navigable ; une fois son choix arrêté, comme aux temps les plus reculés de l'histoire du monde, il s'écrie : "C'est à moi !" et, sans autre forme de procès, il prend possession de la terre au nom des deux puissances qui gouvernent le monde : le travail et la bonne volonté ». Une telle idée paraît si séduisante que considérer Eustace d'un autre œil ou envisager sous un jour différent la constitution de son domaine obligerait à renoncer à l'image si rassurante qu'il renvoie de lui : celle du dernier Américain digne de ce nom. L'histoire d'Eustace Conway offre pourtant un fidèle reflet de celle de ses plus fameux compatriotes. Astucieux, ambitieux, énergique, sûr de lui et animé par un enthousiasme communicatif, il se pose en continuateur d'une longue et illustre lignée d'hommes auxquels il ressemble à s'y méprendre.

Son habileté à mener sa barque n'a rien d'anachronique. Nous souhaitons assimiler Eustace à une sorte de Davy Crockett des temps modernes ? Très bien ! Pour qui le prenons-nous donc, ce satané Davy Crockett ? Il était membre du Congrès, ne l'oublions pas. Il a certes grandi au cœur d'une nature encore sauvage et, chasseur émérite, a tué un jour un ours à coups de couteau (quoique sans doute pas dans sa prime enfance), mais, d'un autre côté, il était finaud comme pas deux et ne manquait jamais de tirer avantage de son charisme sur le plan politique. Quand un aristocrate d'un bord opposé au sien lui demanda lors d'un débat s'il estimait nécessaire un changement radical « de l'appareil judiciaire à la prochaine session parlementaire », le représentant de l'État du Tennessee (vêtu de peaux de daim) s'attira la sympathie du public en laissant entendre d'un ton innocent qu'il ignorait jusqu'à l'existence d'une entité telle que « l'appareil judiciaire ». Voilà une admirable repartie teintée d'humour, qui n'en reste pas moins mensongère au vu des nombreux postes occupés par Davy Crockett au sein de l'appareil judiciaire (juge de paix, arbitre-rapporteur et, bien entendu, membre du Parlement).

Crockett ne manquait pas d'entregent quand ses intérêts se trouvaient en jeu. On pouvait toujours compter sur lui pour adresser aux journalistes la petite phrase qui fait mouche ou leur fournir un récit haut en couleur (hélas pas forcément vraisemblable) de son dernier combat en date contre une bête sauvage. Il eut l'habileté de publier ses Mémoires au plus fort de sa campagne pour sa réélection en 1833. « Quel misérable endroit qu'une ville ! » se lamenta plus d'une fois Crockett... qui n'eut rien de plus pressé, au lendemain de son élection, que de s'installer à Washington D.C., où il conclut un pacte avec ses rivaux libéraux du Nord-Est en comptant sur eux pour voter le projet de loi qui lui tenait tant à cœur.

Les Américains du genre de Davy Crockett, tout droit sortis d'une nature encore sauvage, acquirent leur fameuse réputation grâce à leur intelligence et à leur ambition autant qu'à leur image peaufinée avec soin. Daniel Boone, l'homme de la frontière par excellence, n'était autre qu'un spéculateur immobilier de haute volée. Il fonda la ville de Boonesborough dans le Kentucky avant de revendiquer officiellement vingt-neuf terrains, ni plus ni moins, en s'appropriant au final plusieurs centaines d'hectares. Il s'engagea dans une foule de litiges portant sur des limites cadastrales. Un procès qui ne tourna pas à son avantage le contraignit d'ailleurs à défendre ses droits dans le cadre du système judiciaire colonial pendant près d'un quart de siècle. (Même au XVIIIe, et même pour Daniel Boone, faire main basse sur un terrain n'allait pas de soi ; il ne suffisait pas de proclamer « C'est à moi ! ». Boone connaissait les rouages de la bureaucratie. Comme il l'écrivit à l'un de ses amis pionniers : « Je men doutent bien que tu voudré arranjé tes affère mais tu n'y arrivera jamé sans arjean. »)

Bon nombre d'épisodes héroïques de l'histoire de l'Amérique n'auraient jamais eu lieu sans argent. Sa célébrité, Daniel Boone la doit à un arrangement juteux conclu avec un maître d'école de Pennsylvanie nommé John Filson, dont la famille, propriétaire de vastes domaines dans le Kentucky, cherchait un moyen de rehausser le prestige de cet État dans l'espoir d'augmenter la valeur de ses terres. Filson broda sur la vie du colonel Daniel Boone un récit d'aventures palpitant, qui se vendit comme des petits pains en incitant comme prévu les colons à s'établir dans le Kentucky où ils se disputèrent les possessions de Boone et des Filson. Une aussi habile entreprise assura des profits enviables à Boone en le hissant de son vivant même au statut de légende.

Boone (au même titre, d'ailleurs, que Crockett) menait sa barque plus adroitement que ne le laissent supposer les programmes diffusés par la télé dans les années 1950. (« Le type le plus sensas, le plus populaire, le plus combatif qu'on ait jamais vu le long de la frontière ! ») Ils ne furent pas les seuls à tirer leur épingle du jeu. Kit Carson se débrouilla pour que paraissent de son vivant à New York des dizaines de récits d'aventures le prenant pour héros (*Kit Carson, l'ami des Indiens* ; *Kit Carson, pour une cargaison d'or*). Le vieux John Frémont, qui engagea Carson en tant que guide, eut lui aussi l'habileté d'agrémenter d'une touche romanesque le récit de ses explorations, qui devint très vite un succès de librairie à l'échelle nationale. Même Lewis et Clark surent tirer profit de leur image : de retour de leur fameuse expédition, ils ne se présentèrent plus en public que dans des tenues adaptées à une vie à la dure, qui ne manquaient pourtant pas d'allure. Ils remontèrent le cours du Missouri jusqu'à Saint-Louis où les accueillirent un millier d'habitants plus une cohorte de journalistes, dont l'un nota, admiratif : « On aurait dit des Robinson Crusoé, entièrement vêtus de peaux de daim ».

Quand Eustace Conway conclut « une affaire juteuse », qu'il procède à un échange de terrains, qu'il exploite son personnage d'homme des bois pour toucher le public le plus large possible ou qu'il note dans son journal : « Je viens de rassembler un tas de coupures de presse, histoire de me faire un peu de publicité ; au fil des ans, les journalistes ont dû me consacrer plus d'une trentaine d'articles de fond, de quoi me permettre de tirer profit de ma situation », il ne trahit en aucun cas ses prédécesseurs américains de la frontière. Au contraire, il leur rend hommage. Ceux-ci comprendraient tout de suite ce qu'il mijote et ne l'en admireraient pas moins. La capacité à s'assurer des profits juteux a toujours été indissociable de la réussite sur ce continent.

« Je travaille sept jours sur sept, du matin au soir, depuis bientôt un an, nota Eustace dans son journal à une époque où l'île de la Tortue accueillait des colonies de vacances depuis plusieurs années déjà. Je suppose que j'offre un bon exemple de ce qu'implique placer la barre haut sans viser un résultat immédiat mais en se projetant au contraire sur le long terme, comme le veut mon éducation. Par bien des côtés, mon grand-père m'a montré la voie à suivre avec le camp Séquoia. À l'instant même, un grand duc d'Amérique m'évoque son souvenir en hululant. La flamme qui l'animait continue de brûler en moi. »

Eustace ne devait plus d'argent à son père (« et c'est un bonheur d'être enfin débarrassé d'un tel fardeau »), mais il lui restait encore d'innombrables défis à relever. Les colonies de vacances à l'île de la Tortue lui réclamaient chaque été un énorme effort d'organisation. Sans parler des enfants ! Il leur arrivait de se couper avec un morceau d'obsidienne ou de s'empoisonner avec du sumac vénéneux ; dans ces cas-là, il fallait les conduire à l'hôpital. Certains fumaient de l'herbe, ce qui obligeait Eustace à les renvoyer chez eux. (Il ne tolérait la consommation de drogue sous aucun prétexte.)

Et ne parlons pas du personnel ! Eustace allait en baver pour recruter des employés à la hauteur de ses exigences. Ses frères Judson et Walton travaillèrent un temps à l'île de la Tortue en tant que moniteurs. Ils se débrouillaient comme des chefs, mais ils échafaudaient leurs propres projets et ne comptaient pas s'occuper de colonies de vacances jusqu'à la fin de leurs jours. Walton, une fois son diplôme en poche, passerait plusieurs années en Europe. Quant à Judson, il ne tarderait pas à céder à l'appel de l'Ouest en se lançant à l'aventure en stop ou en tant que passager clandestin de wagons de marchandises. (« Ces derniers temps, j'ai randonné, sac au dos, dans la cordillère de Wind River, dans le Wyoming, écrirait Judson à Eustace au dos d'une carte postale, avec toute l'exubérance qui le caractérise. J'ai lutté contre le blizzard sur vingt-quatre kilomètres à l'étage alpin, à trois mille six cent cinquante mètres d'altitude. J'ai failli y laisser la vie. C'était super ! J'espère que les colonies de vacances ne te donnent pas trop de fil à retordre. Oh, j'y pense ! Me voilà maintenant devenu un véritable cow-boy. »)

Eustace eut bien du mal à trouver en dehors de sa famille des employés prêts à trimer aussi dur (ou presque) que lui sans lui manquer pour autant de respect. Les efforts de son personnel donnaient rarement satisfaction à cet homme qui se prétendait pourtant « écœuré » par la simple idée d'une journée de travail de huit heures. Les nouvelles recrues arrivaient le plus souvent à l'île de la Tortue « admiratifs, un peu craintifs et follement épris du cadre naturel » (c'est l'un de ses anciens employés qui le dit), mais ils se remettaient rarement du choc qu'ils éprouvaient en prenant conscience du travail surhumain qu'il leur faudrait fournir. À d'innombrables reprises, Eustace perdit ses collaborateurs : ceux-ci finissaient la plupart du temps par démissionner quand il ne les congédiait pas.

Il aurait voulu disposer, par Dieu sait quel miracle, de la fidèle équipe de son grand-père au camp Séquoia dans les années 1930 plutôt que de ces gamins insolents qui ne pensaient qu'à leur épanouissement personnel. Son grand-père exigeait de ses subordonnés un comportement irréprochable, ni plus ni moins. Or, dans l'ensemble, il obtenait satisfaction. Si Chef entendait dire qu'on avait vu un moniteur fumer une cigarette en ville, un jour de congé, celui-ci trouvait ses valises déjà bouclées à son retour au camp. Chef s'en fichait pas mal d'entraver l'épanouissement personnel de ses subordonnés ou même de passer pour « injuste ». Il détenait une autorité indiscutée, et, au fond, c'était tout ce que réclamait Eustace. Ça, et que ses employés s'efforcent de trimer aussi dur que lui. De sacrées exigences, en somme.

Il m'est arrivé de travailler sous les ordres d'Eustace Conway. Personne ne visite l'île de la Tortue sans y travailler un tant soit peu. J'ai passé une semaine là-bas, un automne, à aider Eustace à construire une cabane avec un jeune apprenti taciturne et endurant du nom de Christian Kaltrider. Nous avons travaillé douze heures par jour. Or, je ne me rappelle pas la moindre pause déjeuner. Un labeur silencieux, sans interruption, qui engourdit l'esprit, comme s'il s'agissait de mener des soldats au pas. On cesse de réfléchir et on se coule dans le rythme. Pendant ce temps-là, il n'y a qu'Eustace qui parle, pour donner des ordres sur un ton d'autorité incontestable bien qu'extrêmement poli. À un moment seulement, nous avons interrompu notre travail : quand Eustace m'a demandé :

« Veux-tu bien m'apporter la tille qui se trouve auprès de mes autres outils, s'il te plaît ?

– Je te demande pardon, mais je ne sais pas à quoi elle ressemble. »

Il me l'a décrite : une sorte de hache dont la lame courbe forme un angle droit avec le manche. J'ai fini par la trouver et j'allais la remettre à Eustace quand celui-ci a soudain posé son marteau avant de se redresser en s'essuyant le front.

« Je suis presque sûr, m'a-t-il dit, que j'ai déjà lu ce mot dans un roman célèbre. Ce n'est pas Hemingway qui évoquait le bruit de la tille dans la cour d'une maison, où quelqu'un fabriquait un cercueil ? »

J'ai écrasé un moucheron sur ma nuque en lui suggérant :

« Tu es sûr que tu ne confonds pas avec Faulkner ? Il me semble que dans un passage de *Tandis que j'agonise*, il décrit le bruit que produit un type en train de fabriquer un cercueil devant chez lui.

– Mais oui, bien sûr ! s'est écrié Eustace. Faulkner ! »

Puis il s'est remis au travail. En me laissant plantée là, sa tille à la main, à le dévisager. Mais oui : bien sûr ! Faulkner ! Et maintenant, au boulot, tout le monde !

Comme Eustace tenait à terminer le plancher de la cabane avant la tombée de la nuit, nous travaillions à une cadence soutenue. Il lui tardait tant d'en finir qu'il décida de scier les bouts de bois les plus épais à l'aide d'une tronçonneuse. Hélas ! La chaîne rencontra un nœud du bois : un mouvement de recul involontaire amena la lame à deux doigts du visage d'Eustace, qui l'écarta juste à temps, en se charcutant la main gauche au passage.

Un bref cri lui échappa, une sorte de « rha ! ». Il posa l'appareil. Le sang se mit aussitôt à couler. Christian et moi nous pétrifiâmes, muets. Eustace secoua sa main gauche en éclaboussant les alentours, puis il recommença à scier son bois. Nous attendions qu'il dise quelque chose ou qu'il tente d'arrêter l'hémorragie, assez impressionnante, mais non, rien. À notre tour de nous remettre au travail ! Il continua à perdre du sang, à scier, à taper du marteau, à perdre du sang et à scier encore et encore. À la fin de la journée, le bras d'Eustace, le bois, les outils, mes mains et celles de Christian étaient entièrement couverts de sang.

Ah ! me suis-je dit. Voilà ce qu'on attend de nous, ici.

Nous travaillâmes jusqu'au crépuscule avant de retourner à pied au campement. Du sang gouttait du bras ballant d'Eustace, à côté de moi. Nous passâmes devant un buisson en fleur et, fidèle à sa vocation d'enseignant, il remarqua :

« Tiens ! Regarde ! C'est rare de voir une impatiente aux fleurs orange et jaunes à la fois. Tu sais que la racine entre dans la composition d'un onguent qui soulage les démangeaisons causées par le sumac ?

– Très intéressant », commentai-je.

Eustace attendit de sortir de table pour panser sa plaie. Il ne mentionna l'incident qu'au passage, mine de rien. « J'ai de la chance, admit-il, de ne pas m'être sectionné un doigt. »

Plus tard ce soir-là, j'ai interrogé Eustace sur la blessure la plus grave dont il ait souffert. Il m'a répondu qu'il ne s'était jamais grièvement blessé. Un jour, il s'est ouvert le pouce dans un moment d'inattention en dépeçant un daim ; une longue et profonde estafilade « avec la chair à vif et tout et tout ». À l'évidence, il lui fallait des points de suture : il s'est recousu le pouce à l'aide d'un fil et d'une aiguille en formant les mêmes points que quand il assemblait des peaux de daim. La blessure a fini par cicatriser, sans complication notable.

« Je ne crois pas que je serais capable de me recoudre le pouce, lui avouai-je.

– On est capable de n'importe quoi, pourvu qu'on en soit convaincu.

– Eh bien, je ne suis pas convaincue que je saurais me recoudre le pouce. »

Eustace se mit à rire et concéda :

« Alors, tu n'y arriverais sans doute pas, en effet. »

« J'ai du mal à faire avancer les choses, ici, se lamente Eustace dans son journal en 1992. Les nouveaux venus à l'île de la Tortue se sentent tellement dépaysés ! Cela dit, ce n'est pas un problème pour eux. Leur ignorance, leur lenteur ; il n'y a que moi qu'elles gênent. La plupart de mes hôtes savourent le moindre instant qu'ils passent ici. »

Dès qu'Eustace relevait un défi, un autre se présentait aussitôt. Un ami lui affirma qu'il avait tort de ne pas adhérer à une mutuelle. « Je suis en parfaite santé ! » rétorqua-t-il. L'ami en question lui expliqua que, si jamais il lui fallait des soins intensifs à la suite d'un accident, l'hôpital mettrait la main sur ses biens (son domaine y compris) afin de couvrir ses dépenses. Nom d'un petit bonhomme ! Eustace n'avait encore jamais envisagé une éventualité pareille. En plus, il lui fallait payer des quantités d'impôts et dresser des tas de relevés cadastraux. Et aussi régler le problème des braconniers. Un jour, il dut se lancer aux trousses d'un jeune idiot qui venait d'abattre un cerf en dehors de la saison de chasse avec un fusil dont la loi interdisait l'usage, à quelques dizaines de mètres de la cuisine d'Eustace. Pire encore : Eustace lui-même se retrouva accusé de braconnage.

Un après-midi où il dispensait ses connaissances à plusieurs dizaines d'élèves, quatre voitures banalisées s'arrêtèrent devant chez lui. Huit agents de police en sortirent et l'arrêtèrent pour braconnage. Renseignés par un voisin envieux, les officiers se rendirent droit à la cachette où Eustace entreposait des dizaines de peaux de daim que des amis lui avaient confiées pour qu'il les tanne. Ils l'accusèrent d'avoir tué les animaux sans autorisation. Eustace connut là un moment de panique terrible.

Il dut passer les mois suivants à réclamer des attestations aux amis lui ayant confié une peau de daim et à supplier des écologistes et des hommes politiques de tout le sud des États-Unis de témoigner que, en tant que fervent défenseur de la nature, il n'abattrait jamais plus de gibier que la loi ne l'y autorisait. Le jour de son procès, il eut le cran d'enfiler son pantalon en peau de daim. Pourquoi pas ? Après tout, il s'habillait toujours ainsi. Il se présenta devant ses juges dans une tenue digne de ce satané Jeremiah Johnson. Ma-Maw, sa vieille voisine du fond de la vallée, qui, comme n'importe quel montagnard qui se respecte, détestait tout ce qui incarnait la loi, accompagna Eustace afin de le soutenir moralement. (« J'ai bien peur que le juge ne m'enlève mon pantalon en peau de daim et ne me jette en prison », plaisanta Eustace. Ma-Maw lui répondit, d'un ton on ne peut plus sérieux : « Ne te bile pas, je porte un caleçon long sous ma jupe. S'ils te confisquent ton pantalon, j'enlèverai mon caleçon pour te le filer. Tu n'auras qu'à porter ça en prison, Houston ! ») Il faut dire que Ma-Maw aimait beaucoup les enfants Conway, mais elle n'arrivait jamais à se rappeler leurs prénoms…

Quand le moment vint pour lui de prendre la parole, Eustace prononça un discours vibrant d'éloquence à propos de son mode de vie et de ses rêves de sauver la nature. Le juge, ébahi et surtout impressionné, lui demanda, en signant les papiers qui l'innocentaient : « Il y a quelque chose que je pourrais faire pour t'aider dans tes démarches, fiston ? »

Eustace dut aussi se dépêtrer des ennuis que lui valut une lettre de l'association des Amérindiens au maire de Garner, en Caroline du Nord : ceux-ci se disaient inquiets des « informations qui nous ont été communiquées, selon lesquelles une certaine personne prendra part à un événement soutenu par votre commune, le 12 octobre prochain. Il s'agit d'un dénommé Eustace Conway […]. Nous avons cru comprendre que M. Conway comptait expliquer au grand public comment tirer sa subsistance de notre mère la terre en menant la vie la plus frugale possible. Nous savons en outre qu'il a pour habitude de dresser des structures connues d'ordinaire sous le nom de "tipis". Les Indiens qui occupaient la partie est de ce pays n'ont jamais vécu sous des tipis. Les Indiens de Caroline du Nord habitaient dans ce que l'on nomme des "maisons longues". Nous craignons que les personnes assistant à l'événement du 12 octobre prochain ne se figurent à tort : a) que M. Conway est un Amérindien ; b) que M. Conway représente ou s'exprime au nom des Amérindiens ; et c) que les Indiens de Caroline du Nord vivaient sous des tipis. Nous vous demandons humblement de ne pas autoriser M. Conway à dresser le type de structure connu d'ordinaire sous le nom de "tipi" pour les raisons mentionnées ci-dessus ».

Voilà exactement le genre de foutaises pour lesquelles Eustace n'avait pas de temps à perdre. Nom d'un chien ! S'il y a quelqu'un sur cette planète qui sait que les Indiens de Caroline du Nord ne vivaient pas sous des tipis, c'est bien Eustace Conway, qui a étudié la langue de la plupart des tribus indiennes de Caroline du Nord, qui connaît les pas de leurs danses même les plus méconnues, qui se procure de la nourriture en utilisant leurs techniques de chasse et qui a toujours pris soin d'avertir son public que le tipi nous vient des Indiens des Grandes Plaines et que lui-même n'est autre que le produit de la culture moderne des Blancs (ce qui prouve que n'importe qui peut mener le genre de vie qu'il mène). Ainsi qu'il l'explique dans sa réponse ou, plutôt, dans sa tentative de se justifier : « Je ne suis pas qu'un "blanc-bec singeant les Amérindiens", je ne fais pas ça pour m'amuser. Je possède une excellente connaissance du mode de vie des Indiens [...]. Je suppose qu'il est impossible d'exprimer de telles convictions par courrier [...], mais en fumant le calumet, en tirant ma subsistance de notre mère la terre et en prêtant attention aux créatures ailées qui peuplent les airs et à celles qui rampent sur le sol, je rends hommage à l'ensemble des puissances de l'univers ».

Pour couronner le tout, Eustace eut affaire à ces maudits inspecteurs des services de l'hygiène.

« La colonie n'était pas là depuis une semaine, peut-on lire dans son journal de juillet 1992, quand Judson a couru à ma rencontre. J'ai cru qu'un enfant venait de se blesser, mais non : les inspecteurs des services de l'hygiène en costume-cravate venaient fourrer leur nez à l'île de la Tortue. Bon ! J'ai enfilé une chemise blanche pour les accueillir et, surtout, je n'ai pas fait de mauvais esprit, je leur ai expliqué qu'il s'agissait d'un camp unique en son genre. Je les ai emmenés faire le tour du propriétaire en leur montrant les latrines et la cuisine (d'une propreté irréprochable) et en les amadouant de mon mieux ; ce qui, au final, m'a valu leur admiration. David Shelly, un jeune campeur, leur a montré comment affûter un couteau ; une démonstration impressionnante ! Ils m'ont promis de "fermer les yeux" sur notre situation atypique. »

Eustace trimait à n'en plus finir. Dieu sait à quel point il aimait les créatures ailées qui peuplent les airs et celles qui rampent sur le sol ! Eh bien, il ne lui restait plus une minute à lui pour consigner dans son journal ses observations de la nature.

« J'aime beaucoup voir les grands pics plonger en plein vol, trouva-t-il enfin le temps de griffonner à 4 heures du matin, à l'issue d'une journée de travail. Il me semble que je les entends toute la journée. Quel bonheur de savourer le chant de ces oiseaux que j'apprécie tant en musique de fond ! Je remarque beaucoup de corbeaux aussi et, de temps à autre, un faucon. J'ai repéré quelques roitelets à couronne rubis ; l'un d'eux a failli me donner un coup d'aile au visage alors que je me tenais à l'emplacement de la future prairie. J'ai aussi vu la piste d'un cerf mais pas la moindre dinde, cette année. J'apprécie le changement de saison. Je piaffe d'impatience (et pourtant je n'y pense pas assez) à la perspective de trouver enfin le loisir de suivre la subtile évolution des conditions climatiques au quotidien, dans la vallée des Appalaches. C'est là que mon cœur bat, que j'ai pris racine, que je mène ma lutte et que j'espère mourir quand mon heure sonnera. »

Pour le moment, disposer d'un peu de temps à lui semblait encore un rêve inaccessible à Eustace. À l'époque se multipliaient surtout dans son journal les annotations dans la veine suivante : « J'ai passé quelques coups de fil à des écoles pour confirmer mes engagements et j'ai encore rempli de la paperasse. Je crois bien que je pourrais y consacrer trois heures chaque jour sans pour autant rattraper mon retard. J'ai dû annoncer hier à une dame que je ne pourrais pas me rendre à son école comme prévu au printemps prochain.

Curieusement, ça me rend fier de recevoir trop de propositions pour toutes les accepter, mais je crains de ne pas compatir assez aux ennuis que causent mes désistements. Il faut que je me mette à la place des autres. »

Eustace manquait tellement de temps pour remplir ses obligations qu'il consacra une certaine somme à la réalisation d'une vidéo de quarante-cinq minutes intitulée *Ma famille à moi : Le cycle de la vie*, « un support pédagogique utilisable à n'importe quel moment de l'année », comme l'explique une lettre d'accompagnement qu'il adressa aux directeurs d'école de tout le sud des États-Unis. En un sens, la vidéo devait permettre à Eustace de se dédoubler. « *Ma famille à moi : Le cycle de la vie* convient aux cours d'histoire autant qu'à ceux de biologie ou d'anthropologie, poursuit Eustace avant de conclure : Le livret ci-joint vous fournira de plus amples informations, mais il ne rend pas justice à la vidéo qui mérite d'être regardée attentivement. Je me félicite d'être en mesure de la proposer à votre école à un prix aussi raisonnable. »

Paradoxalement, Eustace doutait de plus en plus de l'utilité de ses interventions devant des salles de classe. La routine de ses conférences éclair ne le satisfaisait plus, alors qu'à l'entendre, autrefois, il allait changer le monde pour peu qu'un assez grand nombre de personnes lui prêtent l'oreille assez longtemps.

« Aujourd'hui, je me suis adressé à une classe de gamins de onze ans, nota-t-il au soir d'une journée éprouvante. Je n'arrive pas à croire à un tel manque d'éducation de leur part ! Ils m'ont fait pitié [...]. Rien ne les motive. Ils ne comprennent rien au monde où ils évoluent. On dirait des robots au fonctionnement purement machinal. C'est bien de simple survie qu'il s'agit ici ; pas la moindre disposition artistique ni le plus petit semblant de créativité. Pas d'enthousiasme non plus. Rien qu'une existence monotone en butte à l'ignorance. Je leur ai demandé s'ils connaissaient le sens du mot "sacré". Eh bien, non. Quand je leur ai donné pour instruction de dresser la liste de ce qui revêtait de la valeur à leurs yeux, ils ont mentionné : l'argent, une voiture neuve, un téléphone portable. Sur cinquante élèves, un seul a su me citer quelque chose de sacré. "La vie", qu'il m'a dit. Un seul petit garçon parmi toute la classe avançait sur la bonne voie et ne laissait pas la cupidité lui dicter sa conduite. Dieu soit loué qu'il en reste encore un comme lui ! [...] J'ai pris la situation comme un défi à relever ; j'ai cherché à les tirer de leur léthargie pour qu'ils commencent enfin à se poser des questions, mais je ne pense pas être parvenu bien loin. Voilà où nous en sommes : dans les années 1990, face à des gamins déshumanisés. »

Deux ans à peine après l'ouverture au public de l'île de la Tortue, Eustace frôlait déjà l'épuisement. Il écrivit dans son journal, en juillet 1991 : « J'avoue que j'aspire vraiment à passer un peu de temps seul. Je ne veux pas d'une compagnie incessante. La pression qu'exercent sur moi les résidents de l'île de la Tortue m'use. Ils me bouffent mon temps et me pompent mon énergie [...]. Quant à l'administration... Personne n'a envie de se bouger et je n'arrive pas à obtenir le moindre travail de qui que ce soit. Hier, alors que je remplissais de la paperasse, Valarie, Ayal et Jenny ont organisé à l'improviste une réunion du personnel dans mon bureau. Ils empiètent sur mon territoire ! Hier soir, quelqu'un a débranché le répondeur alors que le raccord à la ligne de téléphone m'a réclamé plus de deux cents heures de travail. Je comptais me baigner dans l'eau froide du ruisseau ce matin pour me calmer un peu quand je me suis aperçu que mon bac à eau avait disparu. J'ai trouvé une chaussette moisie au jardin [...]. Les moutons paissaient toujours dans le même enclos, ce matin (ce n'est pourtant plus à moi de m'en occuper). Je leur ai ouvert la barrière en pensant à la journée que j'ai passée à planter cet enclos et, maintenant, plus personne ne veut prendre soin des moutons.

« Que faire ? Il faut à tout prix que je trouve un moyen moins éreintant sur le plan émotionnel de m'occuper de moi et de l'île de la Tortue. J'ai parfois bien envie de renoncer aux activités que je propose. Ça résoudrait le problème mais au détriment de la colonie et de sa raison d'être [...]. Qu'est-ce qui compte, au fond ? L'enjeu consiste à poser des limites (les miennes, en l'occurrence). Vaut-il mieux faire plaisir aux autres ou à moi-même ? J'ai travaillé d'arrache-pied pour que cet endroit devienne ce qu'il est. Qu'est-ce qu'ils ont fait, les autres ? Est-ce qu'ils se sont investis dans la moindre entreprise qui leur ait posé un défi ? Comment m'en accommoder ? Et à quoi bon, d'ailleurs ? S'ils y tiennent tant que ça, rien ne les empêche de m'aider par un don d'argent : quelque chose dont j'aie réellement besoin [...]. Ça me choque de constater à quel point ça m'use. Je viens de piquer un somme pendant six heures d'affilée, le moral au plus bas, au beau milieu de la journée [...]. Que faire ? Une ou deux idées me sont venues : déléguer, faire prendre conscience aux autres de mes besoins émotionnels, les inciter à se tenir à carreau. Je suppose aussi que je pourrais ne plus être là du tout. Pourquoi pas, après tout ? Imaginez un peu ! J'ai affaire à tant de monde [...]. Haut les cœurs ! »

L'année suivante, Eustace en vint à se dire que le sort s'acharnait contre lui, mais il se sentait alors trop épuisé et surtout trop déçu pour se lamenter dans son journal. Il n'y consigna, en l'espace d'un an, que ce commentaire lugubre : « Ce que j'ai envie d'exprimer aujourd'hui, c'est ma profonde insatisfaction face à la réalité de notre époque – la corruption du gouvernement – des gens qui jouent sans cesse un rôle – des valeurs malsaines. Des inconscients qui mènent une vie dépourvue de sens ».

À la page suivante figurent ces quelques lignes (écrites douze mois plus tard, jour pour jour) : « Pareil que l'an dernier. En pire encore. Sans doute que je deviens de plus en plus cynique. »

Pour couronner le tout, il s'apprêtait à perdre Valarie.

Toujours par monts et par vaux, Eustace, pris par ses multiples occupations, ne passait en fin de compte que peu de temps auprès de sa petite amie. Elle non plus ne ménageait pas sa peine. Or, elle aimait toujours Eustace, mais il lui semblait qu'elle s'oubliait auprès de lui.

« Je l'aime encore, m'a confié Valarie en évoquant leur relation, quinze ans après leur rupture. J'ai gardé tous les cadeaux qu'il m'a fabriqués ; un fourreau de couteau en perles, une hachette dont je me suis beaucoup servie à l'île de la Tortue ainsi qu'une magnifique paire de boucles d'oreilles. Si demain je meurs, je voudrais qu'on m'enterre avec ces boucles d'oreilles. J'aimais tant quand Eustace me transmettait son savoir. J'aimais tant les cadeaux qu'il m'offrait pour mon anniversaire et qu'il fallait toujours que je bricole moi-même. Je lui ai dit un jour que j'avais envie d'une pipe pour prier et, en rentrant un soir à la maison, j'ai trouvé un magnifique morceau de saponite dans la cuisine. "Qu'est-ce que c'est ?" lui ai-je demandé. Il m'a répondu : "Eh bien : ta pipe." "Je ne comprends pas. Où est-ce qu'elle est ?" Il m'a souri, de son fabuleux sourire, et m'a expliqué : "Elle est à l'intérieur de la pierre, ma puce. Il ne nous reste plus qu'à lui donner forme ensemble".

« Je l'aimais tant ! Seulement, ma personnalité a fini par se dissoudre dans la sienne. Il est tellement envahissant ! Avant de le rencontrer, je suivais mon petit bonhomme de chemin. Puis mon rôle s'est bientôt résumé à lui emboîter le pas. Mon univers s'est mis à graviter autour de lui. C'était (et c'est encore) quelqu'un d'aimant mais d'intolérant aussi. Il n'a jamais bien accueilli les opinions des autres. Il ne pensait qu'à gagner de l'argent pour acheter de la terre. Il passait le plus clair de son temps sur la route. Au point que je ne le voyais même plus. On ne se parlait que quand il me donnait des ordres. »

Valarie et Eustace avaient un excellent ami commun : un Amérindien prénommé Henry, qui les accompagnait souvent à des rassemblements et enseignait à l'île de la Tortue. Au bout de plusieurs années de solitude frustrante, Valarie, lasse de se cantonner au rôle de « première dame de l'île de la Tortue », tomba dans les bras de Henry. Elle ne parla pas de leur liaison à Eustace et nia qu'il y eût quoi que ce soit entre eux quand Eustace, qui flairait anguille sous roche, lui posa franchement la question. Pressentant qu'il se tramait du louche dans son dos, Eustace invita Henry à fumer une pipe avec lui, un soir, en tête à tête. Il voulut alors savoir si son ami avait couché avec Valarie. L'un des préceptes inviolables de la spiritualité amérindienne exige de ne jamais mentir en fumant la pipe ; ce qui ne dissuada pourtant pas Henry de regarder Eustace droit dans les yeux en niant les faits.

Eustace ne savait plus à quel saint se vouer ! Il sentait bien que quelque chose clochait, mais certaines données du problème lui échappaient encore. Anéanti, il rompit avec Valarie, incapable de lui accorder sa confiance. Quelques mois plus tard, Valarie lui avoua la vérité en le suppliant de la pardonner.

Le hic, c'est qu'une fois qu'on a menti à Eustace Conway, c'est fini : plus moyen de se rattraper. La confession de Valarie accabla trop Eustace pour qu'il songe à retourner avec elle ou à passer l'éponge. Quel choc de devoir admettre qu'il ne pouvait même pas se fier à la personne la plus proche de lui ! Il avait tant souffert à cause de son père qu'il s'était promis de chasser de sa vie tous ceux qui le blesseraient volontairement ou le trahiraient. Valarie allait donc devoir l'oublier. Pendant plus d'un an, Eustace se rongea les sangs en se demandant s'il parviendrait un jour à lui accorder de nouveau sa confiance. Il dut admettre que le pardon dépassait ses forces.

« La vérité est sacrée à mes yeux, écrivit-il à Valarie afin de lui expliquer pourquoi ils ne renoueraient jamais le fil de leur relation. La vérité, c'est ce que je suis. Je ne vis que pour elle. Je suis prêt à mourir pour elle. Je t'ai demandé la vérité. Je t'ai demandé de toujours me dire la vérité [...] ; peu importe qu'elle me blesse ou pas. Je t'ai suppliée de m'avouer la vérité [...]. Tu m'as chié dessus, tu as chié sur notre vérité. Que faut-il en conclure de ta capacité à comprendre mes besoins ? Va rôtir en enfer. Merde alors ! ça suffit [...]. Quel genre d'affront faudrait-il encore que j'avale ? Déjà que j'ai dû subir la cruauté de mon père [...]. J'avais besoin de ton soutien, j'ai reçu un coup de poignard dans le dos. Je t'aime tant. Tu comptes tellement à mes yeux. Je pourrais te serrer dans mes bras en caressant ton visage adoré jusqu'à la fin des temps, mais quelque chose en moi me dit : ça suffit, trop c'est trop ! »

Quant à son ami Henry...

« Fumer une pipe avec moi alors que je te suppliais de me dire la vérité... Tu m'as menti comme un vrai fils de pute. Tu ne mérites pas de vivre. Brise ta pipe et enfonce-la toi dans le cœur ; ça te donnera une petite idée de la douleur que je ressens. À cause de toi, la femme que je voulais épouser n'est plus qu'une vulgaire traînée. Tu ne mérites pas que je te considère comme un être humain. Va te faire foutre et crève. »

« Je conçois qu'il vaut mieux pour toi refuser la moindre part de responsabilité dans la désintégration et l'échec de notre couple, écrivit Valarie à Eustace, des mois après leur rupture. Sinon, il te faudrait bien admettre que, peut-être (je dis bien "peut-être") toi aussi, dans une certaine mesure, tu es à l'origine de la souffrance qui nous mine aujourd'hui l'un comme l'autre. Le reconnaître t'obligerait à te remettre en question. Or, comme nous le savons tous les deux, tu n'as pas le temps, ni la volonté, ni même – pardonne-moi ma franchise – l'humilité nécessaires pour y parvenir. Crois-moi, je ne cherche pas à minimiser ma culpabilité mais à te montrer la situation sous un autre angle. Mais bon ! C'est tellement plus facile de reporter la faute sur un tiers : "Ce sont mes parents qui ont fait de moi ce que je suis", "Le gouvernement détruit la planète", "Valarie m'a brisé le cœur" [...]. Tu as voulu rompre parce que, comme tu l'as si joliment dit, j'ai "chié sur ton cœur". Or, tu estimes impossible de trahir la promesse que tu t'es faite de n'accepter que la vérité ; tout ça te semble à coup sûr parfaitement sensé, je n'en doute pas. [...] Mais le véritable amour rend capable de tout endurer, de tout pardonner et il survit à tout [...]. En acceptant de surmonter une épreuve douloureuse, tu aurais gagné une compagne sachant enfin aimer et se faire aimer, une compagne qui t'aurait compris, aimé, qui aurait cru en toi, qui t'aurait soutenu et aurait tout donné pour participer à ton rêve. Tu ne te rends donc pas compte que tu repousses le don le plus généreux qui soit ? Une compagne qui accepte tes défauts, tes lacunes et même tes bizarreries en continuant tout de même à t'aimer envers et contre tout, espèce de maudit trou du cul imbu de lui-même ! »

Eustace vécut là une année atroce.

Mais les années passent. Et les chagrins d'amour aussi. Peu après le départ de Valarie apparut Mandy. « Salut, ma belle, écrivit Eustace à son nouvel amour. Je me félicite de mieux te connaître [...] ; tu as beaucoup à offrir. Le jour où tu t'ouvriras au monde, ce sera une bénédiction pour nous tous ! La tête me tourne depuis notre rencontre, depuis que j'ai fait ta connaissance. Je suis convaincu que nous étions faits pour nous trouver [...]. En ta présence, je me sens rajeunir, je retrouve mon innocence. Je pourrais contempler tes yeux, un sourire extatique aux lèvres, jusqu'à la fin des temps. »

Puis Mandy disparut. Une certaine Marcia lui succéda. « Je flotte sur un nuage depuis que j'ai rencontré Marcia. Un véritable don du ciel, une source d'inspiration qui instille en moi un nouvel espoir. Je prie pour que Dieu me guide dans tout ce que j'entreprends. »

Vint ensuite Dale. « Si gentille, elle m'apporte un tel soutien ! Elle partage ma vision du monde. »

Puis Jenny. « Une fille superbe, aux cheveux noirs, vêtue d'une longue robe en lin blanc [...]. Qu'est-ce que nous allons devenir ? Toi ? Moi ? Nos désirs et nos rêves ? »

Puis Amy. « De magnifiques cheveux longs, un sourire radieux, empreint d'innocence. Je l'ai rencontrée un jour que j'animais un atelier dans une école ; elle était si belle que j'ai eu toutes les peines du monde à rester concentré sur ce que je disais. Je n'arrêtais pas de la dévorer des yeux. À la fin du cours, je suis allé la voir pour lui demander : "Ça te dirait qu'on passe un peu de temps ensemble ?" »

Eustace et Amy finirent par passer beaucoup de temps ensemble. Étudiante de troisième cycle en sciences, brillante et posée, elle s'avéra d'une grande aide pour lui. Il passa une semaine en sa compagnie dans la maison d'été de sa famille à Cape May, dans le New Jersey. À cette occasion, il nota dans son journal :

« Nous ne sommes pas sortis une seule fois de toute la semaine que nous venons de passer ici. Nous avons rempli de la paperasse pour l'île de la Tortue ; Amy a tapé des documents à l'ordinateur avant de les imprimer pour que je les photocopie ou que je les envoie par courrier ou que sais-je encore [...] : une brochure, un formulaire d'inscription au camp de vacances, un autre de décharge de responsabilité, une circulaire d'information médicale, une liste de ce que doit contenir une trousse de secours, une carte routière indiquant les hôpitaux les plus proches [...] ; une lettre à Cabell Gragg pour l'inciter à me vendre son terrain en 1994, une lettre de remerciement et d'encouragement au personnel de l'île de la Tortue, des noms et des numéros de téléphone pour organiser mon emploi du temps, des prospectus des ateliers de printemps, des listes de choses à emporter (remises à jour), plus un plan du site pour aider les campeurs à s'orienter dès leur arrivée [...] ; des contrats et d'autres choses encore. [...] Waouh ! Amy parvient à d'excellents résultats, elle est un peu lente, mais ça vaut le coup d'attendre, vu la qualité de ses réalisations. »

Puis Amy disparut à son tour. Eustace enfouit ses lettres dans une enveloppe où il nota : « Un songe gâché par la réalité – des rêves qui, au moins, m'auront ouvert les yeux. J'ai apprécié notre relation pour ce qu'elle était et j'en ai tiré les leçons qui s'imposaient. »

Vint ensuite Tonya : une superbe et ténébreuse grimpeuse aborigène. Eustace et Tonya partirent quelques mois en Nouvelle-Zélande et en Australie, où ils escaladèrent les moindres sommets qu'ils aperçurent. Eustace aimait sincèrement Tonya, une fille épatante, douée d'un grand potentiel, mais, à l'en croire, quelque chose d'enfoui au plus profond d'elle la retenait d'aimer Eustace comme il le méritait. De toute façon, Eustace aurait eu du mal à lui ouvrir son cœur autant qu'il le souhaitait à cause du souvenir encore trop frais dans sa mémoire de *la* femme qui avait manqué de peu le briser à force de passion, de désir et de souffrance.

Celle-là se nommait Carla. Ce fut elle, le grand amour d'Eustace : une superbe et ténébreuse chanteuse folk des Appalaches dont il fit la connaissance à un festival où elle donnait un concert et lui, une conférence. (« Tu aurais dû voir cette fille sur scène en train de jouer de la guitare et de danser avec ses cheveux longs et sa minijupe, un grand sourire aux lèvres... Il aurait fallu une douche froide au public pour le calmer : elle était chaude comme la braise. ») Eustace fondit aussitôt et se prit d'une folle passion pour Carla. Aujourd'hui encore, il estime que, de toutes les femmes qu'il a connues, c'est elle qui s'approche le plus de son idéal.

« C'était quelqu'un d'incroyable. Une magnifique montagnarde des Appalaches, la fille d'un authentique mineur du Kentucky, dépositaire d'un savoir-faire transmis au fil des générations par la communauté que j'admire le plus au sein de ma propre culture. À mes yeux, c'était une déesse. Elle jouait de la musique, écrivait, dansait, cuisinait mieux que personne [...] ; elle n'avait pas froid aux yeux [...] : courageuse, brillante, confiante [...], un corps musclé et bronzé d'une souplesse incroyable. Elle possédait un don pour l'équitation. Elle jouait de toutes sortes d'instruments. Elle savait cuire une tarte sur un feu de camp, préparer des remèdes à base de plantes, fabriquer du savon et même tuer du bétail. Elle voulait beaucoup d'enfants [...]. C'est la partenaire la plus douée sur le plan sexuel, la plus généreuse et la plus insatiable que j'aie jamais connue. Bon sang ! Je pourrais continuer comme ça sans jamais m'arrêter ! [...] En vraie fille de la nature, elle dansait dans les bois à la manière d'un jeune cerf. Elle portait des robes aguichantes en vichy à la mode d'antan et je lui trouvais tellement de talent que l'envie m'est plus d'une fois venue de tout laisser tomber pour l'aider dans sa carrière de musicienne. Elle était beaucoup plus intelligente que moi ! Elle savait coudre et dessiner ! Et son orthographe alors... impeccable ! En fait, elle réussissait tout à merveille. On aurait dit un rêve que même moi je n'aurais pas osé caresser et, pourtant, je suis un incorrigible rêveur ! »

Presque sur-le-champ, Eustace demanda sa main à Carla. Elle rejeta la tête en arrière en éclatant de rire et lui répondit : « Tout le plaisir sera pour moi, Eustace ! »

Ils se fiancèrent donc. Carla s'installa à l'île de la Tortue. Avec le recul, il lui semble que de sérieux problèmes surgirent dès le début. « Je me sentais beaucoup d'affinités avec Eustace, au départ, mais nous n'étions pas ensemble depuis six semaines quand j'ai découvert certains aspects de sa personnalité qui m'ont fait peur. Je viens d'une famille traditionaliste des Appalaches comme on n'en fait plus. J'ai donc été très sensible à la répartition des tâches au sein de notre couple. En un sens, Eustace considère la femme comme l'égale de l'homme, mais, quand il se mettait en rage parce que je n'avais pas préparé le dîner en temps et en heure, ça me rendait nerveuse.

« En plus, ma famille n'aimait pas du tout Eustace : mes parents le prenaient pour un imposteur, un type qui jouait un rôle. L'emprise qu'il exerçait sur moi les inquiétait. Nous venions à peine de nous rencontrer quand il est venu dîner chez eux en vitesse avant d'embarquer mes affaires et moi avec. Mes parents et moi, nous formons une famille très soudée. Ils ont eu l'impression qu'Eustace m'arrachait à eux. Eustace, lui, s'est mis en tête qu'ils me montaient contre lui, il m'a donc incitée à couper les ponts. Quand mon père et mes frères s'en sont rendu compte, c'est tout juste s'ils n'ont pas tenté de me ramener à la maison, le fusil au poing. »

Il ne fallut pas longtemps à Carla, un esprit libre tel qu'il en a rarement existé, pour s'écarter de la voie qui l'attendait. Elle ne tarda pas à nouer une liaison avec un autre homme. Eustace le découvrit dans les circonstances les plus étranges : en recevant une facture de téléphone d'un montant astronomique : plusieurs centaines de dollars d'appels passés de son bureau au beau milieu de la nuit, toujours au même numéro. Intrigué, Eustace composa le numéro en question. Un homme décrocha. Eustace lui expliqua la situation. Puis une idée lui traversa l'esprit :

« Vous ne connaîtriez pas une certaine Carla, par hasard ?

– Bien sûr que si ! lui répondit l'autre. C'est ma copine.

– Sans blague ? Et moi qui pensais que c'était la mienne ! »

À l'évidence, Carla s'éclipsait en douce du tipi, nuit après nuit, pour appeler un joueur de banjo séduisant comme pas permis devenu entre-temps son amant. Encore une trahison ! Pour citer une vieille chanson de cow-boy : Eustace Conway n'en était plus à son premier rodéo. Or (comme l'histoire nous l'a montré), Eustace n'est pas homme à partager la vie d'une femme volage qui lui a menti. En conséquence, Carla dut plier bagage. Leur histoire semblait ne jamais devoir se terminer et voilà que c'était fini entre eux !

Eustace en resta dévasté. Détruit. Brisé. Anéanti.

En décembre 1993, il nota dans son journal : « Je lutte contre la dépression, le ressentiment et la douleur. Ça me blesse à un point, ma relation avec Carla ; qu'elle m'ait rejeté, que ça n'ait pas marché entre nous. Jamais je n'avais fait autant d'efforts – j'ai donné tout ce que j'avais. Jamais je n'ai autant souffert. »

Le voilà dans sa trente-troisième année. Quel choc de constater qu'il n'avait toujours ni femme ni enfant, alors qu'il menait tant de projets à bien par la seule force de sa volonté ! À son âge, il devrait être père de famille depuis belle lurette. Où se trouvait donc la ravissante épouse aux boucles folles censée préparer dans sa jolie robe vichy leur petit déjeuner à la lueur de l'aube ? Où étaient les magnifiques bambins pleins de vie ne demandant qu'à écouter leur père leur expliquer l'art de tailler le bois de hickory ? À quel moment Eustace avait-il fait fausse route ? Pourquoi ne parvenait-il jamais à garder auprès de lui les femmes dont il s'éprenait ? On aurait dit qu'il finissait à chaque fois par les oppresser ou les étouffer. D'un autre côté, ses compagnes lui semblaient incapables de le comprendre ou de le soutenir. Peut-être qu'il jetait son dévolu sur un genre de femmes qui ne lui convenait pas. Peut-être qu'il était incapable de s'engager dans une relation durable ou qu'il redoutait trop de souffrir pour laisser ses histoires d'amour suivre leur cours parfois tortueux. Peut-être devrait-il tenter une nouvelle approche ? Quoi qu'il en soit, Eustace accumulait les échecs sentimentaux.

Un jour, il invita l'une de ses amies psychologue à l'accompagner en promenade à l'île de la Tortue. Il l'emmena dans les bois et, là, il lui confia sa crainte que quelque chose ne tourne pas rond chez lui, sur le plan émotionnel, puisque ses relations avec son entourage ne le satisfaisaient jamais. Ses collaborateurs à l'île de la Tortue ne le comprenaient pas ou se mettaient sans cesse en rogne contre lui. Il ne se sentait pas aussi proche de ses frères qu'il l'aurait souhaité. Il faisait fuir celles qu'il aimait et ne se fiait à personne. Il parla de son enfance ; il avoua qu'il souffrait encore beaucoup à cause de son père. Ne fallait-il pas y voir un lien de cause à effet ?

« Je crois qu'il faudrait que je consulte un professionnel », conclut-il.

Son amie psychologue lui répondit : « Eustace… Tout ce qu'il te faut pour être heureux se trouve à portée de ta main, au cœur de la forêt. Tu n'as pas à t'embarrasser de psychologie moderne : tu es la personne la plus saine d'esprit que je connaisse. »

Ah lala ! Qu'est-ce que certains ne feraient pas pour préserver l'image idyllique qu'ils se sont un jour formée d'Eustace Conway ! La vision flatteuse (inspirée de Thoreau) de la vie en pleine nature à laquelle se raccrochait son amie psychologue (« Il ne saurait être habité par une noire mélancolie, celui qui vit au cœur de la nature. ») l'empêcha de s'intéresser de plus près à un individu en chair et en os, et surtout en souffrance, qui ne se résumait en aucun cas à un concept. Sans doute que cela lui aurait trop coûté de renoncer à l'image qu'elle se faisait d'Eustace. Puis au nom de quoi le lui reprocher ? Elle n'aurait pas été la première à nier l'évidence afin de préserver l'idéal de pureté qu'incarnait à ses yeux ce païen sauvage.

Pas forcément convaincu (et le moral au plus bas), Eustace se tourna une fois de plus vers son père.

« Je suis psychologiquement malade, lui écrivit-il, brisé par des années d'oppression. Je me sens meurtri. Je souffre. Chaque matin, je me réveille, j'y pense et ça me fait mal. Montre ma lettre à un psychologue au cas où il aurait un conseil à me donner. Je t'en prie, ne va pas croire que je ne te sois pas reconnaissant de l'aide que tu m'as apportée sur le plan financier. Je t'en sais très sincèrement gré. J'espère que, loin de voir en ma lettre une “attaque”, tu considéreras les émotions que j'y exprime sans fard comme un moyen d'aller de l'avant et de mieux nous comprendre l'un l'autre. Mon objectif consiste à rendre notre relation plus saine, pas à l'envenimer. Respectueusement, Eustace. »

Là encore, pas de réponse.

Je connais bien les parents d'Eustace Conway et je ne compte plus les invitations à dîner chez eux. Comme tout le monde, j'appelle Mme Conway « Grand-Maman » et, comme tout le monde, j'ai beaucoup d'affection pour elle. J'aime sa générosité. J'aime quand elle me raconte sa jeunesse en Alaska ou qu'elle me serre contre elle en s'écriant : « Oh ! Mais voilà notre petite montagnarde ! » dès que je sonne à sa porte.

Je dois par ailleurs admettre que la compagnie du père d'Eustace Conway ne me déplaît pas. J'apprécie son esprit vif et clairvoyant. Il me semble dévoré par la même curiosité insatiable que son fils : il me demande souvent combien d'heures m'a pris le trajet de Boone à Gastonia. De ma réponse, il déduit aussitôt (sans jamais se tromper) si je me suis arrêtée pour déjeuner et combien de temps. Bien entendu, il fait preuve d'une minutie et d'une rigueur impitoyables. En tant qu'homme dont « la logique à l'état pur gouverne l'être tout entier », il ne laisse jamais rien passer ; ce qui le rend invivable au quotidien. Ses échanges avec son épouse donnent souvent lieu à des dialogues déconcertants dans la veine de celui-ci :

MME CONWAY : Il y a des chances que Judson vienne nous voir demain.

M. CONWAY : Qu'est-ce qui te fait dire ça ? Tu n'en sais rien. Il t'a passé un coup de fil pour te prévenir qu'il viendrait ?

MME CONWAY : Non, mais j'ai laissé un message sur son répondeur, l'invitant à dîner.

M. CONWAY : Dans ce cas, ça me dépasse que tu oses affirmer qu'il y ait des chances qu'il passe demain. À ton avis, quelle probabilité y a-t-il au juste pour qu'il vienne, Karen ? Il ne nous a pas donné de nouvelles. Rien ne nous indique s'il compte se joindre à nous ou non. Tu as tort de prétendre qu'il y a « des chances » qu'il dîne avec nous ; c'est nous induire en erreur.

MME CONWAY : Excuse-moi.

M. CONWAY : De toute façon, personne ne m'écoute jamais.

Vous voyez le genre…

N'empêche que je n'ai aucun mal à entrer en communication avec le père d'Eustace. Quand je rends visite aux Conway, je parle souvent à Grand Eustace des aventures du *Magicien d'Oz*, une fabuleuse série de récits fantastiques écrits par L. Frank Baum au tournant du siècle passé. Enfants, Grand Eustace et moi avons tous les deux découvert l'œuvre de Baum dans la même édition reliée de luxe. (M. Conway en recevait un tome chaque année à Noël alors que j'ai hérité la collection complète de ma grand-mère.) Peu de gens se doutent que l'histoire de Dorothy Gale a connu de nombreux développements ultérieurs. Grand Eustace s'est réjoui de découvrir que je me souvenais par cœur des différents volumes, jusqu'aux illustrations en style Art déco. Je me rappelle les personnages même les plus méconnus : Tik-Tok, Billina la poule, le tigre affamé, le roi des gnomes et Polychrome (la fille de l'arc-en-ciel)… et M. Conway aussi ! Il nous arrive encore aujourd'hui d'en parler pendant des heures.

Parfois aussi, le père d'Eustace m'emmène au jardin où il m'apprend à identifier les oiseaux de Caroline du Nord. Un soir, nous sommes sortis observer le ciel à minuit. « Vous avez vu Mars, ces derniers temps ? » m'a demandé M. Conway. Je lui ai avoué que non. Il me l'a montré. Il m'a confié qu'il prenait plaisir à suivre la trajectoire de la planète d'un soir à l'autre, curieux de voir quand elle s'éloignerait à nouveau de Saturne.

« Depuis trois mois, elles se rapprochent un peu plus chaque nuit, a-t-il précisé. Il ne faut pas oublier que le mot “planète” signifie “astre errant”, à l'origine. »

En résumé, il nous arrive, à Grand Eustace et moi, de parler de littérature ou d'opéra ou encore de constellations, mais, le plus souvent, notre conversation porte sur son fils. Grand Eustace brûle sans cesse de savoir comment s'en sort Petit Eustace à l'île de la Tortue. Qui a-t-il engagé cette année ? A-t-il prévu de partir à l'autre bout du monde dans les mois à venir ? A-t-il construit de nouveaux bâtiments ?

À quoi ressemble la route qui mène à sa montagne ? A-t-il l'air surmené ou déprimé en ce moment ?

Je m'efforce de le tenir au courant. Un jour (parce que c'est plus fort que moi : il faut toujours que je me mêle de l'intimité des autres), je lui ai dit :

« Il s'en sort plutôt bien, M. Conway, mais il me semble qu'il guette désespérément votre approbation.

– N'importe quoi !

– Non, je ne dis pas n'importe quoi. C'est la vérité.

– Il ne me parle même pas. Je ne sais jamais ce qui se trame, dans sa vie. Apparemment, il ne veut rien avoir à faire avec moi. »

Il faut avouer que les Conway père et fils se parlent peu et se fréquentent encore moins. Ils se retrouvent une fois par an à Noël et voilà tout. Petit Eustace a horreur de passer la nuit chez ses parents, tant la présence de son père lui pèse. Un soir, au printemps 2000, Eustace a tout de même été dormir à Gastonia. Sa venue en plein mois de mai (alors qu'aucune fête de famille ne justifiait sa présence) était tellement inattendue qu'elle en devint presque choquante. Eustace voulait inspecter des stères de bois non loin de Gastonia ; il lui semblait plus commode de dîner chez ses parents. Je décidai de l'accompagner.

Eustace gara sa camionnette devant la maison où il avait passé les pires années de sa vie. Au jardin, nous trouvâmes son père en train de tripatouiller une vieille tondeuse à gazon déglinguée couverte de rouille. Eustace lui sourit.

« Qu'est-ce que c'est que ce truc, p'pa ?

– Une tondeuse à gazon en parfait état que j'ai trouvée aux encombrants hier soir en me promenant à bicyclette.

– Sans blague ? Tu veux dire que quelqu'un voulait s'en débarrasser ?

– Hein, ça, que c'est idiot ! Elle est très bien, cette tondeuse.

– En tout cas, p'pa, elle m'a l'air impeccable. »

À vrai dire, on l'aurait plutôt cru repêchée au fond d'un étang.

« Elle marche encore ? s'enquit Eustace.

– Évidemment !

– Ça, c'est une bonne chose. »

Jamais encore je n'avais vu Eustace et son père ensemble. Voilà bien le premier face-à-face auquel j'assistais depuis des années que je connaissais la famille Conway. Je ne saurais dire ce que j'escomptais mais, en tout cas, pas ça ; pas un compliment d'un Eustace souriant et détendu sur la tondeuse de son père récupérée aux encombrants. Ni un M. Conway senior ne se sentant plus de joie à l'idée de montrer à son fils sa dernière trouvaille.

« L'une des poignées était cassée à cet endroit-là, mais je l'ai rafistolée avec un morceau de métal. Tu vois, fiston ? Maintenant, elle est comme neuve.

– Super !

– Tu crois qu'elle te servirait, à l'île de la Tortue ?

– Je vais te dire, p'pa : tu peux compter sur moi pour lui trouver un usage, à cette tondeuse à gazon. Je pourrais la donner à l'un de mes voisins ou récupérer le moteur ou même le démonter. Oh oui ! En tout cas, je me ferai une joie de la récupérer. Je suis capable de trouver une utilité à tout ; tu le sais, ça. »

La minute d'après, père et fils, l'un et l'autre aux anges, chargeaient la tondeuse à l'arrière de la camionnette d'Eustace.

Bonté divine ! Quelle soirée mémorable à Gastonia ! Du début à la fin du dîner, les Eustace père et fils n'eurent d'yeux l'un que pour l'autre. Ils ne prêtèrent attention à personne en dehors d'eux. Jamais je n'avais vu M. Conway s'animer autant. Quant à Eustace, lui aussi semblait au mieux de sa forme. Je jurerais que, fiers l'un de l'autre, ils cherchaient à m'impressionner ; le père en me montrant son fils sous son meilleur jour et vice versa. Cela dit, les voir quêter avec autant d'avidité une approbation réciproque m'a plus brisé le cœur que s'ils s'étaient chamaillés devant moi. Comme s'ils cherchaient obstinément à se rapprocher.

À plusieurs reprises, ils s'incitèrent mutuellement à raconter des anecdotes sur la famille. Eustace convainquit son père de me narrer par le menu leur mésaventure aux urgences où une profonde blessure à la jambe l'avait obligé à se rendre : l'indifférence des infirmières l'écœura tant qu'il s'allongea par terre devant l'accueil en refusant de bouger tant que personne ne s'occuperait de lui. M. Conway rayonna en entendant Eustace nous faire part de ses aventures le long du sentier des Appalaches. Et la fois où il avait tellement soif qu'il but à une mare d'eau stagnante où pourrissait une carcasse de raton laveur « alors que des lambeaux de chair bleue putréfiée flottaient à la surface » ! À ces mots, M. Conway ne put retenir un cri d'admiration.

« Je n'imagine personne d'autre faire une chose pareille ! » s'exclama-t-il.

Après le dîner, par une paisible soirée comme il n'y en a que dans le sud des États-Unis, Eustace et son père sortirent au jardin discuter d'un buisson de houx à transplanter. Quelques nuages s'effilochaient dans le ciel où le soleil flottait si bas qu'une brume dorée nimbait les alentours. Les Conway père et fils parlaient du buisson de houx dans le jardin, les mains au fond des poches quand, tout à coup, un chant d'oiseau retentit, long et mélodieux. Les deux Eustace levèrent la tête en même temps, comme s'ils obéissaient aux indications d'un metteur en scène.

« Qu'est-ce que c'est ? s'interrogea Eustace. Un moqueur polyglotte ?

– Je ne sais pas... »

De nouveau, l'oiseau chanta.

« Waouh ! commenta Eustace, stupéfait.

– Jamais je n'ai entendu un moqueur polyglotte chanter comme ça, reprit M. Conway à voix basse, sur un ton d'intimité. Ça pourrait bien être un moqueur chat. »

La mélodie s'éleva une fois de plus, d'une telle beauté !

« Je n'avais jamais entendu de moqueur chat chanter ainsi avant ce soir, déclara Eustace.

– Je dois admettre que moi non plus. On dirait une flûte, tu ne trouves pas ? Je ne suis pas sûr que ça soit un moqueur polyglotte. Je jurerais qu'il s'agit d'un moqueur chat sauf que je n'ai encore jamais entendu de moqueur chat au chant aussi… mélodieux.

– Il n'y a qu'au cœur de la forêt tropicale que j'aie entendu des chants d'oiseaux semblables à celui-là, renchérit le fils.

– On dirait presque un air d'opéra. »

La tête penchée en arrière, ils scrutèrent sans mot dire les cimes du magnolia et du cornouiller que masquait un dais de verdure. L'oiseau chantait comme s'il suivait une partition ; on aurait dit une soprano faisant ses gammes avant un récital. Quel animal pouvait bien produire un chant aussi magnifique ? Ils envisagèrent différentes hypothèses. En cette saison, à cette heure, qu'est-ce que ça pouvait bien être ? Père et fils affichaient la même expression perplexe et fascinée en tendant l'oreille à l'oiseau et aux suppositions l'un de l'autre.

« Tu l'aperçois ? s'enquit M. Conway.

– Tu sais, papa, j'ai l'impression qu'il se cache derrière le mur d'angle, chuchota Eustace.

– Oui ! Tu as sans doute raison.

– Attends ! Je vais essayer de le repérer.

– Oui ! Vas-y ! »

Eustace disparut au coin de la maison tandis que l'oiseau chantait de plus belle. M. Conway couva son fils d'un regard où se lisait une intense satisfaction. Sa fierté se reflétait sur son visage détendu. Un moment de bonheur, en somme.

Il a fallu que je lui demande :

« M. Conway ? Vous croyez qu'Eustace finira par identifier l'oiseau ? »

L'expression ravie de M. Conway céda aussitôt la place à une autre plus coutumière et plus revêche aussi : la contrariété. Le changement s'opéra en un éclair ; comme si une horrible persienne en métal s'abattait d'un coup sur une devanture alléchante. Simple mesure de sécurité, mais pas belle à voir. À l'évidence, il ne pensait plus à moi. Voilà que je m'immisçais dans leur intimité, que je laissais traîner mes oreilles où il ne fallait pas et que, par-dessus le marché, j'attendais de lui qu'il reconnaisse la valeur de son fils !

« Non, m'a rétorqué M. Conway d'un ton ferme. Il ne l'identifiera jamais. Il n'y connaît rien. N'importe lequel de ses frères le reconnaîtrait tout de suite : ils sont doués pour ça ; mais pas Eustace. Son cas est désespéré. »

Là-dessus, M. Conway disparut à l'intérieur. En refermant la porte derrière lui. En tirant subitement un trait sur le meilleur moment de la soirée. J'en restai abasourdie. Cela lui aurait-il tellement coûté de dire un tant soit peu de bien de son fils ? Au bout d'un si grand nombre d'années ? Alors qu'il semblait au comble de la joie ? Est-ce que ça l'aurait tué de lâcher du lest, une fois dans sa vie ?

Il faut croire que oui.

Inutile de préciser qu'Eustace Conway finit bel et bien par repérer l'oiseau. Évidemment ! Il réussit à le distinguer parmi le feuillage parce qu'il se l'était promis et qu'il réussit tout ce qu'il se promet de réussir. Il le surprit en train de chanter ; ce qui lui confirma qu'il s'agissait bien d'un moqueur chat. N'empêche : quelle voix ! Un moqueur chat a-t-il déjà produit un chant si mélodieux ? Eustace accourut au jardin, tout excité.

« Je l'ai repéré, papa ! » cria Petit Eustace à Grand Eustace, trop tard.

Il scruta les alentours un moment.

Où est passé papa ?

Il a disparu.

Pourquoi ?

Qui le saura jamais ?

Eustace ne s'était dépêché que parce qu'il avait hâte de partager sa découverte avec son père. Il ne venait de se ruer au jardin, tout excité, pour personne d'autre. Seulement, son père ne voulait rien entendre, il ne voulait pas être témoin de sa réussite. Eustace prit une inspiration. Il se ressaisit. Puis il adopta une fois de plus son ton professoral ; le plus docte mais le plus las aussi du monde.

Et il me fit part de sa découverte ; à moi, faute de mieux.

CHAPITRE 7

Devant lui s'étend un continent sans fin et il se rue en avant comme si le temps pressait et qu'il craignait de ne pas trouver assez de place pour y déployer son activité.

Alexis DE TOCQUEVILLE, *De la démocratie en Amérique*

Eustace possède aujourd'hui dix chevaux. Il est le premier à reconnaître que ça n'a ni queue ni tête et que c'est surtout inutile vu la taille de sa ferme, mais il ne saurait renoncer à d'aussi belles bêtes que les siennes.

Bon. J'ai l'habitude des chevaux. J'ai grandi dans un milieu où l'on s'y connaissait en chevaux. Mon grand-père pouvait être fier de son écurie. J'ai travaillé pour un propriétaire de ranch dont les soixante-quinze chevaux lui obéissaient au doigt et à l'œil. Pourtant, jamais je n'ai rencontré quelqu'un d'aussi naturellement doué qu'Eustace de ce point de vue. Les chevaux l'écoutent. Ils lui prêtent attention. Quand Eustace surgit dans un pré, ses chevaux cessent de paître un instant pour se figer, la tête dressée, en attendant ses ordres. Un harem entièrement soumis, en permanence sur le qui-vive.

C'est d'autant plus impressionnant qu'Eustace n'a pas grandi parmi les chevaux et qu'il n'en possédait encore aucun, il y a dix ans. Il s'y est longtemps refusé, tant les chevaux exigent de soins, de terrain et d'argent. Quand on tire sa subsistance de la terre, ce n'est déjà pas toujours simple de se nourrir soi-même, alors un cheval... Cela dit, Eustace a toujours su qu'il finirait un jour par acquérir des chevaux, puisqu'ils s'inscrivaient naturellement dans son projet d'ensemble. Il s'est acheté une antique faucheuse attelable à un cheval des années avant de posséder la moindre bête pour la tracter ou même la plus petite parcelle d'herbe à tondre.

Dès qu'il eut abattu assez d'arbres pour disposer de pâturages dignes de ce nom à l'île de la Tortue, il emprunta à un fermier des environs une bonne vieille jument percheronne qui lui permit d'emmener les enfants de la colonie en promenade et surtout d'apprendre à se servir d'un cheval à la ferme. La jument, pourtant lente et pataude, fouettait le sang d'Eustace par sa simple présence. Ne voulant pas s'arrêter en si bon chemin, il s'acheta un jeune et vigoureux cheval de trait, une jument qui répondait au nom de Bonnie. Avec lui, Eustace apprit à anticiper les craintes d'une bête et à décider en un clin d'œil quels ordres lui donner sans jamais revenir dessus. Eustace se trouva en outre deux mentors dans le voisinage : un vieux montagnard nommé Hoy Moretz, qui savait tout ce qu'il y avait à savoir sur le dressage du bétail dans le plus pur respect des traditions, et un jeune mennonite, Johnny Ruhl, qui n'avait pas son pareil en matière d'équitation. Eustace amenait ses bêtes à ces hommes et progressait en les regardant s'affairer auprès d'elles. Hoy et Johnny tenaient Eustace pour *le* disciple idéal : attentif et doué, il semblait intuitivement convaincu du bien-fondé du vieil adage qui prétend que, si Dieu a donné à l'homme deux oreilles mais une bouche seulement, c'est pour qu'il se taise et qu'il écoute.

Bonnie prit part à de nombreux travaux à la ferme. Il faut dire aussi qu'elle était taillée pour : un bœuf dans la peau d'un cheval. Eustace appréciait ses qualités, mais il rêvait par ailleurs de longues randonnées à cheval. De temps à autre, il sellait sa bonne vieille jument et partait à l'aventure en montagne, histoire d'obtenir un avant-goût de sa future équipée avec un cheval pour seul compagnon. Eustace en piaffait d'impatience. Hélas ! Bonnie, trop lente, trop lourdaude, n'était pas bâtie pour ce genre d'aventures. Eustace ne songea bientôt plus qu'à se procurer une monture digne de ce nom ; une moto au lieu du bulldozer qu'était Bonnie. Sur les conseils de ses maîtres, en 1994, il s'acheta un morgan de pure race, un coureur de fond à l'endurance exceptionnelle : Hasty.

Hasty portait bien son nom*. Quand Eustace l'acheta, son dressage était déjà une affaire réglée. Eustace avait dû apprendre à Bonnie à bien se tenir. Or, voilà qu'à présent Hasty surpassait ses attentes ! Eustace, qui lui accorda toute son attention, progressa rapidement au point que Hasty et lui se retrouvèrent bientôt sur un pied d'égalité : ils passèrent dès lors leurs journées à s'enseigner l'un à l'autre comment fonctionner en tandem. Eustace ne tarda pas à s'aventurer de plus en plus loin en compagnie de Hasty, jusqu'à la côte. Maintenir une vive allure en terrain inconnu à califourchon sur un animal dont rien ne garantissait la sécurité présentait un sacré défi qui enthousiasma tout de suite Eustace ; ce qui ne le surprit d'ailleurs pas du tout. En revanche, il s'étonna d'entrer aussi facilement en contact avec des Américains de tous horizons rien que parce qu'il déboulait dans leur vie à cheval. Par sa simple présence, sa monture, romanesque à souhait, attirait les gens à lui.

Eustace suscita partout la même réaction extraordinaire. Un 1er janvier où il chevauchait vers la côte, il traversa un quartier pauvre de la Caroline du Nord rurale – des bicoques en ruine un peu partout, des caravanes minables et des terrains jonchés d'épaves rouillées. En passant devant une maison en piètre état, il remarqua un grand remue-ménage dans l'arrière-cour. Une centaine de Noirs sans le sou se réunissaient ce jour-là en famille. Une odeur de barbecue se

* « Hasty » signifie « impétueux ». *(N.d.T.)*

répandait dans l'air frais de l'hiver. L'humble demeure bourdonnait des rumeurs de la fête. Quand ceux qui traînaient là aperçurent Eustace (un montagnard barbu et ténébreux à souhait ; un blanc-bec à cheval, un fusil en travers de sa selle), ils se mirent à rire et à l'applaudir en lui criant : « Hé ! Viens ! Entre ! » Eustace s'avança sur son cheval au beau milieu de la cour... et du rassemblement. Et les hôtes le traitèrent aussitôt comme l'un des leurs. Ils l'embrassèrent en célébrant sa venue. À croire qu'il s'agissait de leur lointain cousin ! Ils se groupèrent autour de lui en réclamant une balade à cheval et en le bombardant de questions sur sa destination et son message utopique. Leur curiosité ne tarissait pas ! Ils donnèrent à manger à Eustace jusqu'à ce qu'il ne parvienne plus à avaler une bouchée ; ils le gavèrent de jambon, de tartes, de chou, de pain à la farine de maïs et de bière avant de le laisser enfin poursuivre sa route. Une délégation enthousiaste courut même après lui en lui souhaitant bon vent avant de se disperser peu à peu.

Une rencontre aussi spontanée, aussi gratifiante, fut une révélation pour Eustace, qui avait passé le plus clair de sa vie à réfléchir au moyen de faire tomber les barrières afin de délivrer son message à toutes sortes d'Américains. Il savait que jamais ces gens ne l'auraient accueilli parmi eux sans son cheval pour briser la glace. Eustace avait sillonné l'Amérique à pied, en stop et à bord de wagons de marchandises, mais rien ne l'avait encore préparé à entrer de plain-pied dans l'intimité de ses concitoyens comme son cheval semblait pourtant lui en fournir l'occasion. La voilà, la réponse à ses prières !

À l'évidence, l'heure était venue pour lui d'entamer une randonnée à cheval d'un bout à l'autre du continent.

Eustace se mit en tête de traverser l'Amérique à cheval en entraînant son frère Judson à sa suite. Judson Conway était un fabuleux compagnon de voyage ; le partenaire rêvé pour une expédition comme celle-là. Eustace estimait en outre indispensable de partager d'épiques aventures avec son frère. Judson lui laissait encore l'impression d'un petit garçon choyé toujours fourré dans sa chambre à jouer avec ses figurines de *La Guerre des étoiles*. Or, il tenait à passer outre à une telle image. Judson était désormais un homme ; un chasseur, un cavalier émérite, grand voyageur devant l'éternel. Eustace voulait découvrir les différentes facettes de la personnalité de son frère en se lançant avec lui dans une folle équipée qui les rapprocherait l'un de l'autre en les plaçant sur un pied d'égalité.

Inutile de préciser que Judson fut tout de suite emballé. Que dirait-il de fuir la société moderne pour traverser l'Amérique à cheval, tel un authentique héros hollywoodien tout droit sorti des Grandes Plaines ? Alors là... Judson ne demandait qu'à partir, qu'à saisir cette occasion unique de « voir grand et de vivre en permanence sur le fil du rasoir ». Il adhéra moins au projet qu'il ne s'y jeta la tête la première, claironnant qu'il se tenait prêt à se mettre en route n'importe quand et que, d'ailleurs, il piaffait déjà d'impatience. Il suffirait d'un mot (et de lui indiquer la direction de l'ouest) et hop ! en avant ! le voilà déjà en train de disparaître à l'horizon dans un nuage de poussière.

Affaire entendue, donc ! Ils se surnommèrent eux-mêmes les Cavaliers au long cours. Comme de juste, Eustace se chargea de tout organiser sur le plan pratique. Il calcula le nombre de chevaux, d'armes à feu et la somme d'argent qu'il leur faudrait et combien de temps ils s'absenteraient. Soucieux d'anticiper les difficultés qui les guettaient, il rassembla des cartes en cherchant conseil auprès de randonneurs aguerris. Bien entendu : impossible de se figurer à l'avance ce qui les attendait au juste. L'important consistait à suivre un itinéraire soigneusement choisi, sur des montures fiables, en prenant un bon départ.

Eustace arrêta son choix sur une route qui passait par le sud des États-Unis. Les Cavaliers au long cours partiraient de l'île de Jekyll, le long de la côte de Géorgie, pour atteindre l'ouest le plus rapidement possible en traversant l'Alabama, le Mississippi, la Louisiane, le Texas, le Nouveau-Mexique et l'Arizona avant d'arriver en Californie. Eustace tenait à contourner les principales agglomérations afin de diminuer le risque qu'un camion les renverse. (Sa mère lui arracha la promesse qu'il ne laisserait pas bébé Judson se faire tuer.) Il ne pouvait raisonnablement pas établir de prévisions plus précises. Eustace décréta impératif de maintenir une allure soutenue. Il ne se lançait pas dans une promenade de santé ou une balade pour le simple plaisir de contempler la nature : il voulait repousser ses limites et celles de son frère et de leurs chevaux par la même occasion. Il voulait découvrir combien de kilomètres ils réussiraient à parcourir sous la pression du formidable défi physique qu'ils se proposaient de relever.

Puis, tout à coup, une tierce personne se joignit à eux.

Judson, fidèle à lui-même, avait donné à sa future équipée une publicité qui retint l'attention d'une de ses amies, Susan Klimkowski, originaire de Caroline du Nord, ancienne collègue de Judson dans le fameux ranch du Wyoming. D'une beauté dont elle ne tirait pas avantage, d'une timidité affreuse et d'une force étonnante, Susan, du haut de ses vingt-cinq ans, s'y connaissait plus en équitation que Judson et Eustace réunis. Elle était de ceux qui montent à cheval avant de savoir marcher. Elle ne cherchait pas l'aventure pour l'aventure, ne souhaitait rien prouver à personne et ne se prenait pas pour la femme d'un destin, mais la perspective d'une randonnée d'un bout à l'autre de l'Amérique éveillait en elle un désir profond : pas question de manquer une occasion pareille !

Judson avait suffisamment travaillé avec Susan dans les Rocheuses pour s'assurer qu'elle tiendrait le coup, physiquement. Il l'avertit tout de même qu'elle allait devoir en parler à Eustace en personne. D'instinct, Susan résolut de demander à Eustace la permission de se joindre aux Cavaliers au long cours, non pas en l'implorant au téléphone mais en se rendant à cheval chez lui dans les montagnes afin de discuter l'affaire du haut de sa selle ; ce qu'il perçut à juste titre comme une marque de respect. En d'autres termes, Susan arriva chez Eustace comme sur le point de se lancer à l'aventure, prête à relever le défi et ne réclamant qu'un « oui » de sa part.

Qu'il lui accorda d'ailleurs sans hésiter. Rien que par sa façon de se présenter, Susan réussit à en imposer à Eustace qui devina tout de suite qu'elle avait le chic avec les chevaux. Puisqu'elle semblait capable de tenir le rythme… autant qu'elle les accompagne ! Cerise sur le gâteau : Susan leur prêterait une camionnette et un magnifique van flambant neuf ; un luxe pas forcément superflu, de l'avis d'Eustace. Ils pourraient très bien se passer de véhicule, mais il leur restait quand même beaucoup à apprendre. Or, un endroit où parquer les chevaux blessés ou ranger des couvertures de secours leur faciliterait la vie en leur évitant de courir certains risques. Certes, Eustace, Judson et Susan allaient devoir amener le van à destination, chacun leur tour, le matin tôt, avant de rejoindre les chevaux en stop pour galoper ensuite jusqu'au point de stationnement. Une sacrée corvée mais qui en valait à coup sûr la peine.

Parfait. Les voilà donc à trois. Trois randonneurs et quatre chevaux plus une camionnette et un van et un continent entier qui s'étendait devant eux. Ils partirent le jour de la Noël 1995, coiffés de bonnets de Père Noël, riant à s'en faire mal aux côtes et bouillants d'énergie. Presque aussitôt, ils trouvèrent le long de la route une bouteille de rhum intacte. « Une bénédiction du ciel, un don de la nature », à en croire Eustace. Ils lui firent un sort avant de se lancer enfin à l'aventure.

Eustace montait Hasty et Susan, Mac (un tennessee walker noir de douze ans, des plus fiables). Judson, lui, passait sans cesse de Spur, un magnifique pur-sang arabe gris acheté à une vente aux enchères, à Chef, une monture acquise en vue de leur équipée, que les frères Conway venaient de baptiser en l'honneur de leur légendaire grand-père, Chef Johnson.

« Pauvre Chef ! s'apitoya Judson, le jour où il en devint propriétaire. Jusqu'ici, il n'a encore jamais quitté son pré et ne se doute pas de ce qui l'attend. Il ne va plus tarder à se rendre compte de ce que c'est que la dure condition de cheval. »

À vrai dire, aucun d'eux, chevaux et randonneurs compris, ne se doutait de ce qui les attendait. (« Nous ne savions pas ce que nous faisions, admettrait par la suite Eustace. Et je ne plaisante pas. ») Eustace se tenait sur le qui-vive, à l'inverse de Susan et Judson, encore convaincus qu'ils étaient là pour s'amuser, un point c'est tout. Eustace eut le bon sens de se préoccuper de leur survie. En tout cas, peu importe ce qui leur arriverait, Eustace en conserverait une trace : il emporta un Dictaphone plus dix-huit cassettes afin de tenir son journal du haut de sa monture. Il ne voulait pas perdre de temps à consigner par écrit ses impressions. Ses longs monologues où il déroule le fil de ses pensées sur bande magnétique me semblent d'autant plus évocateurs qu'on y perçoit en fond sonore les chants des oiseaux, les rumeurs de la circulation et le choc des sabots contre l'asphalte.

« Je tiens le Dictaphone d'une main et les rênes de ma monture de l'autre, raconte ainsi Eustace, le lendemain de son départ. Un paysage magnifique, de la mousse d'Espagne, une petite fille au manteau de couleur vive perchée au sommet d'un vieux pin, des pressoirs à mélasse, des hauts-fourneaux, des palmiers. Ici, la route est jonchée d'ordures : des gobelets, des packs de bière, des paquets de cigarettes, des bouteilles, des papiers d'emballage, des cannettes, encore des bouteilles, du papier alu. Incroyable. Au-delà d'une dizaine de mètres, pourtant, ça devient superbe. Des arbres éclairés par le soleil, des pinèdes. Ils n'ont l'air de cultiver que ça, par ici. Un sol sablonneux. En ce moment, je me sens aussi libre que n'importe quel citoyen d'Amérique. C'est tellement chouette d'être ici, loin de nos responsabilités ; j'aimerais que les gens sachent se satisfaire d'une vie simple. »

Non content d'enregistrer ses observations, il se découvrit une vocation d'ethnographe et décida de s'entretenir avec les Américains qu'il croiserait en chemin. La disparition des dialectes régionaux sous l'influence omniprésente des mass media le préoccupait depuis bon nombre d'années. Le phénomène s'observait jusque dans sa montagne où les vieux habitants des Appalaches ne semblaient pas parler la même langue que leurs petits-enfants. Les grands-parents prononçaient encore l'anglais comme du temps de la reine Élisabeth Ire en désignant certains outils ou animaux par des termes qui ne tarderaient plus à sombrer dans l'oubli. Quand leurs descendants ouvraient la bouche, on croyait entendre des DJ de New York. Eustace s'intéresse beaucoup aux dialectes. Il est capable d'imiter des tas d'accents à s'y méprendre. Sa randonnée lui apparut comme une ultime chance de réunir un échantillon représentatif des patois du Sud. Leurs montures fournissaient aux Cavaliers au long cours un moyen incomparable de franchir bien des barrières (et des limites de propriété). Les voilà libres d'aller sonder le cœur de l'Amérique. Finis les frontières et les obstacles ! Les voilà métamorphosés en passe-muraille, en quelque sorte. Une occasion unique s'offrait à eux de toucher tous ceux qui croiseraient leur chemin.

Eustace enregistra sur bande magnétique un dialogue de sourds avec un vieil habitant de Géorgie curieux de savoir ce qu'ils avaient comme « pétoires ». Il fallut à Eustace un temps fou avant de comprendre que l'autre parlait de fusils.

Il raffolait aussi des inflexions de voix des Noirs, tel ce vieil homme sur sa balancelle ; un fils de métayer, qui lui raconta ses souvenirs d'enfance :

« Mon père déboulait dans les chambres en criant “Debout, là-d'dans !”. On n'avait pas d'électricité, en ce temps-là. “Debout, là-d'dans !” qu'il s'énervait et, quand il repassait, cinq minutes après, il nous houspillait : “Dites donc ! Vous n'étiez pas censés vous lever, tous ?" À l'époque, la maltraitance, on ne connaissait pas. Il valait mieux qu'on sorte du lit fissa parce que j'aime autant vous dire : mon père, il pesait plus de cent kilos et, quand il nous disait de nous lever, on n'avait pas intérêt à lambiner ni à se faire prier, sinon, gare à nos fesses ! »

Rien de plus aisé que d'amener les gens à parler ! Bien entendu, l'allure romanesque à souhait de nos trois cavaliers facilitait les rapprochements. Eustace, grand, mince et barbu, se tenait bien droit sur son antique selle de la cavalerie des États-Unis, la plupart du temps torse nu, des plumes dans les cheveux, conduisant sa monture d'une main experte, sans même passer de mors aux dents de Hasty. On aurait dit un déserteur des Texas Rangers ayant viré sa cuti pour vivre à la manière amérindienne. Judson et Susan s'habillaient quant à eux à la façon des cow-boys d'antan : des bottes en cuir à éperons, des Stetson ayant connu des jours meilleurs, des manteaux tellement longs qu'ils traînaient par terre, sans oublier des bandanas, bien entendu. Ils n'en rajoutaient que jusqu'à un certain point : imagine-t-on une tenue mieux adaptée à d'interminables chevauchées par tous les temps, qu'il pleuve, qu'il vente ou qu'il neige ?

Il faut tout de même préciser, à la décharge de Judson, qu'il n'hésitait pas à sacrifier son look de cow-boy pur et dur pour des raisons pratiques. Il prit ainsi l'habitude de porter sous ses jambières en cuir des collants moulants pastel qui arrachaient des cris d'horreur aux camionneurs. Les fibres synthétiques évitaient à Judson d'attraper des ampoules. Quand il en avait assez de chevaucher, il lui suffisait d'ôter ses bottes et d'enfiler une paire de tennis pour courir à côté de son cheval, le temps de se dégourdir les jambes et de garder la forme.

Les cavaliers eux-mêmes ne manquaient pas de raisons d'attirer l'attention, mais c'étaient surtout leurs montures qui incitaient les gens à s'approcher. « Où qu'on aille, raconte Judson, on passait pour l'attraction du jour et les gens nous faisaient fête. » Des jeunes de banlieue, non loin d'Atlanta, accoururent à eux sans l'ombre d'une hésitation, rien que pour caresser leurs chevaux. La même histoire se répéterait au Texas parmi les familles blanches et pauvres de fermiers.

Et aussi en Arizona, dans une réserve apache : une étendue désolée de terre stérile qu'ils envisagèrent un moment de contourner à force d'entendre des Blancs les dissuader de risquer leur vie au contact de ces « salauds de fils de pute d'Apaches ». Eustace (qui connaissait suffisamment l'histoire politique de son pays pour apprécier à sa juste valeur la mise en garde) ne voulut toutefois pas dévier de sa route. « Nous n'allons quand même pas laisser de maudits préjugés racistes nous détourner du chemin que nous voulions suivre ! déclara-t-il à ses compagnons inquiets. Qu'est-ce que notre randonnée nous a appris jusqu'ici ? De qui avons-nous eu à nous plaindre ? Noirs, Blancs, Latino-Américains, tous ont été bons pour nous. Laisser la peur nous dicter notre conduite reviendrait à saper les valeurs que nous sommes censés incarner. Libre à vous de faire un détour ; moi, je compte bien passer par cette satanée réserve, avec ou sans vous. Et je m'en fiche pas mal d'y récolter une balle dans la peau. »

Les Cavaliers au long cours se rendirent donc ensemble dans la réserve… où les Apaches, ces salauds de fils de pute ! ne trouvèrent rien de mieux que de les héberger chez eux pour la nuit en leur donnant à manger, à eux et à leurs montures.

La même histoire se répéterait encore les semaines suivantes dans les ghettos sordides de San Diego (« Ne vous y risquez surtout pas ! » leur conseillaient les Blancs). Des gamins mexicains déboulèrent de chez eux pour leur réclamer une balade à cheval pendant que leurs parents les prenaient en photo en leur donnant leur bénédiction ainsi que des provisions. D'un bout à l'autre du pays, ils reçurent le même accueil. Partout, des caméras de télévision et des représentants du shérif les escortèrent d'un comté à l'autre.

De l'Atlantique au Pacifique, des maires et des ministres leur souhaitèrent la bienvenue au nom des habitants de leur région. Ce fut un déchaînement d'hospitalité et d'enthousiasme.

Des voitures s'arrêtaient régulièrement le long de la route : les conducteurs en sortaient pour courir après les Cavaliers au long cours en leur posant encore et toujours les mêmes questions : « Qui êtes-vous ? Où allez-vous ? Que pouvons-nous faire pour vous aider ? »

Et, à chaque fois, ils ajoutaient : « Moi aussi, j'aimerais en faire autant ! »

« Rien ne vous en empêche, leur répondait invariablement Eustace. Rien ne vous en empêche. »

Ils se levaient à 4 heures du matin pour s'occuper de leurs chevaux en se demandant où, au cours des cinquante à quatre-vingts kilomètres suivants, ils trouveraient de quoi se nourrir, eux et leurs montures. Comme convenu avant le départ, chaque jour, l'un des randonneurs amenait le van à leur point de chute suivant avant de regagner le campement en stop (vu qu'ils tenaient à faire la route ensemble) ; ce qui leur prenait énormément de temps. Il arrivait à deux Cavaliers au long cours de devoir poireauter des heures pendant que le troisième tentait vaillamment d'arrêter un automobiliste. Ils n'allaient jamais se coucher avant minuit. Toute la journée, ils avalaient du kilomètre. À force de passer tant de temps à cheval, ils ne marchaient plus qu'en boitillant. Ils ne ralentirent pourtant pas une seule fois l'allure : jamais au pas, toujours au trot.

Ils se trouvaient parfois si loin du vétérinaire ou du maréchal-ferrant le plus proche qu'Eustace passa maître en l'art de soigner ses bêtes et de remplacer lui-même leurs fers. Il avait si souvent regardé des maréchaux-ferrants à l'œuvre qu'il se sentait à présent capable de les imiter. Il passa un coup de fil à Hoy Moretz, son mentor des montagnes de Caroline du

Nord, et lui demanda ce qu'il pensait de son idée de ferrer lui-même ses chevaux pendant sa randonnée. Hoy Moretz le mit en garde : « Surtout pas ! Tu n'es pas bête, mais c'est un métier. Rien ne t'empêche d'apprendre à ferrer tes chevaux chez toi, à ta ferme ; seulement, il y a trop en jeu dans une randonnée comme celle que tu viens d'entreprendre pour que tu coures le risque de blesser l'une de tes bêtes par ta maladresse. » Voilà un conseil qui ne manquait pas de bon sens ; ce qu'Eustace ne nia d'ailleurs pas. Pour autant, il n'en tint pas compte parce que l'on sait bien de quoi la nécessité est mère. Il fallait qu'il apprenne, eh bien il a fini par apprendre. Et aussi par donner des piqûres et des médicaments à ses bêtes en adaptant lui-même leur ration de nourriture à leurs besoins. Dans son journal, il s'étend à n'en plus finir sur leur condition physique.

« J'ai vu du sang dans les urines de Hasty ; ça m'a inquiété [...] ; il est tombé à deux reprises aujourd'hui, ça paraît incroyable, mais c'est ainsi, il s'est vautré par terre, la tête en avant [...]. Je lui ai bandé les yeux avant de le guider aux alentours, histoire de le préparer à franchir le prochain pont. Pour peu que l'on arrive à convaincre l'un des chevaux de passer sur ce nouveau genre de pont à grille métallique qui leur fait peur parce qu'elle leur laisse voir ce qu'il y a dessous, les autres lui emboîteront le pas et il n'y aura plus rien à craindre [...]. J'ai trouvé un caillou sous le sabot de Spur qui lui faisait mal [...] ; je surveille leurs ligaments ; on ne peut pas courir le risque de négliger la moindre blessure. »

À plusieurs reprises, Eustace dut admettre qu'il leur fallait des chevaux plus frais, en meilleure forme. Il s'arrêta donc pour en acheter quelques-uns. C'est ainsi qu'ils firent l'acquisition de Cajun, Fat Albert, Blackie et Chavez et aussi de leur légendaire mule : Peter Rabbit.

Ils la dénichèrent dans l'État du Mississippi. Eustace s'était mis en tête d'acheter une mule aux Cavaliers au long cours : il leur fallait un animal de bât vigoureux et endurant. Il en toucha un mot à tous ceux qu'ils croisèrent sur leur route.

Quelqu'un leur parla du propriétaire d'une grande ferme des environs, susceptible de leur céder une ou deux bêtes. Celui-ci, un dénommé Pierson Gay (bel homme à la moustache blanche impeccable, très attaché aux traditions) incarnait le type même du gentleman sudiste. Les Cavaliers au long cours lui téléphonèrent en lui expliquant ce qu'ils cherchaient. Il accepta de les héberger une nuit dans son étable afin de discuter affaires, mais (ainsi que s'en rappelle encore Judson) « quand il nous a vus arriver à sa ferme, hirsutes et crasseux comme une bande de sales hippies, Pierson n'a pas pu se retenir de détourner la tête. C'est un type tellement soigneux de sa personne que, je le jure devant Dieu, il a eu un haut-le-cœur de dégoût en nous apercevant ».

Heureusement : les experts en chevaux se reconnaissent tout de suite. À croire qu'ils parlent un langage secret qu'ils sont les seuls à comprendre ! De même qu'au premier coup d'œil Eustace avait pressenti en Susan Klimkowski une cavalière-née, il ne fallut pas longtemps à Pierson Gay pour deviner que ces petits jeunots savaient ce qu'ils faisaient. Pierson possédait un animal qu'il était disposé à céder : une diablesse de mule de belle taille, qui ne manquait pas d'allure. Vigoureuse comme pas deux. Son nom ? Peter Rabbit. Eustace, Judson et Susan examinèrent Peter Rabbit, qui leur parut en parfaite santé ; exactement le genre d'animal qu'il leur fallait. Pierson leur annonça son prix : mille dollars. Les Cavaliers au long cours (et en particulier Eustace) n'ignoraient aucune des ruses du marchandage : surtout, ne jamais accepter le prix initialement demandé. Ils proposèrent neuf cents dollars à Pierson, qui tourna aussitôt les talons en grommelant : « Un millier de dollars, c'est le prix que je demande. C'est ce que vaut ma mule et c'est ce que j'ai dit qu'elle coûtait ; alors, si vous ne m'en donnez pas mille dollars, elle restera paître à la ferme ; et moi, ça ne m'empêchera pas de dormir. »

Ils finirent par cracher les mille dollars.

Peter Rabbit allait tout de même leur causer quelques soucis. Pierson Gay ne s'en cacha d'ailleurs pas : les mules causent toujours des soucis. Contrairement à la plupart des chevaux, elles ne manquent ni d'intelligence ni de malice et savent raisonner et surtout ruminer leur vengeance. Mieux vaut donc se tenir sur ses gardes ! Cette mule-là en particulier était démoniaque. Règle n° 1 : interdiction de toucher aux oreilles de Peter Rabbit sous peine de s'exposer à une tentative de meurtre ; ce qui rendait le harnachement de Peter Rabbit pour le moins périlleux. Règle n° 2 : interdiction de toucher au ventre de Peter Rabbit sous peine de s'exposer à une tentative de meurtre ; ce qui rendait le sellage plutôt coton aussi. À part ça, les avertit Pierson Gay (qui s'y connaissait, question mules, et avait renoncé depuis belle lurette à mater celle-là), Peter Rabbit risquait aussi de se livrer à des tentatives de meurtre sans raison apparente. Sans compter qu'il ne fallait surtout pas lui toucher les pattes… sous peine de s'exposer à une tentative de meurtre.

D'un autre côté, c'était une belle bête. Aussi finirent-ils par l'acheter.

Le lendemain, les Cavaliers au long cours se mirent en route en compagnie de Peter Rabbit, plein d'entrain sous son chargement. Il ne fallut pas attendre longtemps avant que la mule manifeste son tempérament. Ce jour-là, comme il pleuvait des cordes, Judson voulut abriter la bête sous une bâche qui n'arrêtait pas de se soulever en claquant sous les assauts du vent ; ce qui n'eut pas l'heur de plaire à Peter Rabbit. La mule gratifia Judson d'un violent coup de sabot dans la partie la plus charnue de sa cuisse, en évitant ainsi de justesse de lui briser le genou, le bras, la hanche ou même de lui fendre le crâne. Judson fit un bond de plus de un mètre en l'air avant de se retrouver les fesses par terre. À l'en croire, il demeura sagement assis dans l'herbe humide en laissant la pluie ruisseler sur son visage et en songeant à part lui que ce ne serait pas un luxe de souffler un instant au cours d'une randonnée aussi éreintante.

Eustace entra dès lors en scène. Jusque-là, il se contentait de surveiller Peter Rabbit du coin de l'œil : il se doutait bien que sa volonté se heurterait un jour ou l'autre à celle de l'animal. Il guettait donc le moment propice pour lui expliquer qui commandait. Apparemment, ce moment était arrivé ! La mule et son propriétaire en vinrent aux mains, pour la première fois mais pas la dernière, loin de là. Eustace envoya un uppercut à la mule (comme dans une querelle d'ivrognes) en lui criant en pleine face : « Ne t'avise plus jamais de donner un coup de sabot à mon frère ! » La mule se retourna pour donner un coup de sabot à Eustace, qui s'empara de sa longe d'une main et d'un fouet de l'autre avant de la frapper. Peter Rabbit se rua en tous sens en traînant Eustace sur une trentaine de mètres, mais celui-ci tint bon en s'accrochant de plus belle à la longe. Peter Rabbit envoya Eustace valdinguer contre des arbres et des rochers, en se cabrant et en le mordant, tandis que l'un et l'autre hurlaient à pleins poumons. Judson et Susan, terrifiés, coururent se réfugier dans les bois. « Pour l'amour du ciel, Eustace ! s'écria Judson à d'innombrables reprises. Arrête ! Elle cherche à te tuer ! » Eustace ne se laissa pas démonter : il encaissa les coups et se fit traîner par la mule jusqu'à une antique station-service des plus pittoresques où il attacha l'animal à une pompe.

Il y eut alors une petite mise au point.

Eustace, qui venait de se rabaisser (ou de se hisser ?) à l'état de brute sauvage, attrapa le museau de Peter Rabbit qu'il mordit à belles dents. Il ouvrit grand la gueule de Peter Rabbit en y poussant des cris de grizzly déchaîné puis le saisit par les oreilles où il imprima une fois de plus les dents, sans cesser un instant de grogner ni de hurler comme un ogre blessé. Il fit ensuite le tour dc l'animal en le frappant des poings. Puis il attrapa les pattes de la mule, l'une après l'autre, histoire de lui monter qui avait le dessus, en beuglant dans ses sabots comme dans le combiné d'un téléphone. Les voitures qui passaient à ce moment-là sur la voie rapide ralentirent (et pas qu'un peu) tandis que des visages blêmes médusés se pressaient contre les vitres. Judson et Susan observèrent la scène depuis la lisière des bois, sous le choc.

« Que veux-tu que je te dise ? chuchota Judson à Susan, terrifié mais tout de même sacrément fier. Mon frère est un sauvage ! »

Eustace fit passer un sale quart d'heure à Peter Rabbit avant de la relâcher enfin. Celle-ci s'éloigna la queue entre les pattes en songeant probablement dans sa tête de mule : *Eh ben, ça alors !*

Il fallut encore quelques mises au point dans ce goût-là pour que Peter Rabbit (loin d'être stupide) saisisse enfin. Pour la première fois de sa vie de mule, elle accepta que quelqu'un d'autre lui impose sa volonté. Quand ils arrivèrent en Californie, Peter Rabbit leur obéissait au doigt et à l'œil ; au point, même, que les Cavaliers au long cours estimèrent de leur devoir d'en avertir Pierson Gay. Ils prirent une photo de la mule où Eustace lui mord une oreille tandis que Susan, accroupie, lui chatouille le ventre et que Judson sourit de toutes ses dents, à califourchon sur son dos.

Ils envoyèrent la photo à l'ancien propriétaire de Peter Rabbit dans le Mississippi. Quelques semaines plus tard, Eustace passa un coup de fil à Pierson Gay pour s'assurer qu'il l'avait bien reçue. Ce fut Mme Pierson Gay, une Sudiste des plus raffinées, qui décrocha. « Mais oui ! » s'exclama-t-elle, avec son accent traînant si délicieux. La photo venait tout juste de leur parvenir.

« Alors ? Qu'est-ce que vous en dites ? insista Eustace.

– Ma parole ! répliqua Mme Pierson Gay. Il semblerait que Peter Rabbit ait enfin appris les bonnes manières. »

Quand même, ils ne furent pas tous les jours à la fête. Ils vécurent de merveilleux moments au cours de leur randonnée, mais il leur arriva aussi de chevaucher sans fin le long de routes désertes où personne ne passait jamais alors que des papiers gras volaient au vent. Dans un coin retiré du

Texas, ils essuyèrent une tempête de sable aveuglante à laquelle ils ne survécurent qu'en s'abritant le visage derrière leurs bandanas. Ils se félicitaient encore d'avoir eu une idée aussi ingénieuse quand un policier les arrêta pour leur demander d'ôter leurs « masques, parce que ça rend certains automobilistes nerveux ; vous avez l'air de hors-la-loi comme ça ». À d'autres moments, la température monta tant qu'Eustace se mit à craindre pour la vie de leurs montures. Ne tenant pas à se brûler les poumons, cavaliers et chevaux marquaient alors une pause en milieu de journée en essayant d'échapper à la canicule à l'ombre.

« Combien de temps, la pause ? demandait Judson.

– Dix minutes », répondait Eustace.

Judson et Susan s'allongeaient aussitôt, leur chapeau sur le visage. Ils piquaient un somme de dix minutes, ni plus ni moins. Eustace, lui, ne baissait jamais la garde. Il consacrait toute son énergie aux chevaux. Il profitait des dix minutes de répit pour jeter un coup d'œil aux sabots, vérifier les nœuds des longes et s'assurer que le frottement de la selle ne blessait pas sa monture. Tant pis si la chaleur l'accablait ou s'il tombait de fatigue ! Seuls le préoccupaient les chevaux.

Ce fut en Louisiane qu'ils subirent les pires intempéries – une tempête glaciale qui leur tomba brusquement dessus et ne dura pas moins de quatre jours. Nos trois cavaliers parurent alors sur le point de se figer en bloc de glace : tout finit par geler : leurs chapeaux, leurs éperons, leurs bottes et même leurs barbes. Ce fut la seule fois où le mauvais temps les retint d'avancer. Et encore ! Uniquement parce que Eustace ne voulait pas exposer les chevaux aux dangers des routes verglacées. En quête d'un abri où attendre la fin de la tempête, ils se réfugièrent sous l'auvent d'une petite épicerie comme on n'en fait plus. Eustace lâcha Judson sur le voisinage en lui recommandant d'user et même d'abuser de son fameux charme afin de leur trouver un lit chaud cette nuit-là plus une étable pour les chevaux.

« Allez, p'tit frère ! l'encouragea Eustace. Arrange-toi pour nous tirer d'embarras. Fais ce que tu fais le mieux. »

Judson (qui ne perd pas de temps) prit dûment langue avec une bande de gars qui chiquaient du tabac dans l'épicerie. Quelques minutes plus tard, les Cavaliers au long cours furent priés d'attendre la fin de la tempête dans un bâtiment des environs qui appartenait à une milice de blancs-becs un peu péquenauds sur les bords réunis sous la bannière du mouvement patriote. Ces miliciens (c'est Eustace Conway qui le dit) « estiment que le gouvernement des États-Unis contrôle trop d'aspects de notre vie ; ce qui, à mon sens, ne manque pas de fondement. Je partage la majorité de leurs opinions. Cela dit, ils sont loin de m'en imposer, vu leur désorganisation. Ils picolent tellement qu'ils ne sont même plus fichus de diffuser leur message avec un tant soit peu d'efficacité ».

« Hum… ouais ! On connaît un endroit où vous pourriez passer la nuit, leur annonça l'un des miliciens. Vous avez des armes ? Eh bien, vous n'en aurez pas besoin ce soir ! Nous, des armes, on en a plein. »

Voilà comment le mouvement patriote offrit l'hospitalité aux Cavaliers au long cours. Coincés par le mauvais temps dans une petite ferme de Louisiane, Susan et Judson passèrent deux sympathiques journées à se saouler avec de fervents défenseurs du deuxième amendement ô combien sacré de la Constitution américaine, en tirant des coups de feu pour le plaisir d'en tirer. Pendant ce temps-là, Eustace s'efforça de rester sobre et de se rendre utile : il contacta tous ceux qu'il avait rencontrés un jour ou l'autre en Amérique pour leur demander si ça ne les tenterait pas (eux ou quelqu'un de leur connaissance) de se joindre aux Cavaliers au long cours en conduisant la camionnette et le van. Eustace en avait par-dessus la tête d'amener le van à leur point de chute avant de revenir sur ses pas en stop. Au bout d'une centaine de coups de fil, il trouva son chauffeur : un gamin de dix-neuf ans surnommé Swamper qui n'avait rien de mieux à faire à ce moment-là que de sauter à bord du premier bus à destination de la Louisiane.

Sitôt passée la tempête, les Cavaliers au long cours dirent adieu à leurs amis miliciens pour reprendre le chemin de l'Ouest avec leur nouveau compagnon, le jeune Swamper, au volant de la camionnette.

Le Texas marqua une étape majeure pour Eustace : ce fut là qu'il acquit le meilleur cheval de toute sa vie, son Hobo bien-aimé. Hobo, un trotteur taillé pour la randonnée, allait devenir une légende, le cheval le plus rapide et le plus loyal qu'Eustace eût jamais monté. Eustace acheta Hobo en plein cœur du Texas à un fermier, un certain M. Garland et, franchement, quelle trouvaille ! M. Garland se tenait accoudé à la barrière de son champ quand les Cavaliers au long cours passèrent au trot. Ils engagèrent la conversation. Rien qu'à entendre M. Garland leur décrire le cheval qu'il souhaitait vendre (« plutôt mince et rapide »), Eustace se mit à saliver. Il devina sans peine ce qui avait dû se passer : le fermier texan s'était acheté un magnifique cheval de course, incapable de résister à la tentation, mais il lui semblait trop vif à son goût. Parfait. Qu'on l'amène !

« Vous voulez le monter ? » leur proposa le Texan.

Eustace acquiesça et enfourcha Hobo. « Allez mon gars ! » l'encouragea-t-il. En un éclair, le cheval qui, jusque-là, paissait tranquillement dans le champ, fila au grand galop avec un G majuscule. Le chapeau d'Eustace s'envola et il manqua de peu tomber à la renverse.

« Ça m'étonnerait que ton frère s'en sorte, confia M. Garland à Judson qui observait la scène depuis l'autre côté de la clôture.

– Oh, ne vous inquiétez pas pour lui », répondit Judson.

Quelle journée ! Seule la crainte que le Texan le juge insolent ou mal éduqué retint Eustace de lui avouer qu'il exultait en sentant son cheval entre ses jambes, qu'il vibrait de partout quand Hobo piquait au grand galop « comme un champion-né, à la vitesse d'une fusée » et qu'il n'avait sans doute jamais ressenti de plaisir plus intense à chevaucher quoi ou qui que ce soit d'autre au monde à l'exception de Carla.

Il acheta Hobo sur-le-champ et s'en fut à califourchon sur sa nouvelle acquisition. Eustace et ce cheval hors du commun communiquaient de la façon la plus extraordinaire qui soit. Comme le dirait plus tard Eustace : « Il suffisait qu'une idée me vienne : je n'avais même pas fini de l'exprimer que Hobo avait déjà saisi où je voulais en venir. » Enfin, une monture digne de la volonté de son maître ! Un coéquipier au plein sens du terme, toujours prêt à donner le meilleur de lui-même. Les Cavaliers au long cours n'eurent qu'à s'en féliciter : il leur fallait un cheval aussi rapide que Hobo s'ils voulaient maintenir l'allure. Or, il leur en coûtait parfois de rester motivés. La lassitude et l'épuisement gagneraient chevaux et cavaliers, les uns après les autres. Judson ne manquait jamais de tirer à blanc au moment de passer une frontière entre États, mais, le jour où il sortit son arme en quittant l'Arizona pour entrer au Nouveau-Mexique, cela faillit mal tourner : la monture d'Eustace partit comme une flèche en le désarçonnant. Eustace ne chevauchait pourtant pas Hobo ni Hasty à ce moment-là mais une bête qu'ils venaient d'acheter : Blackie, un mustang demi-sang fougueux qui, apparemment, n'aimait pas les pistolets. Judson n'eut pas plus tôt dégainé le sien que Blackie fusa comme un projectile. Dans sa chute, Eustace s'ouvrit le cuir chevelu contre un rocher ; une blessure si grave qu'elle l'aveugla sur le coup. Le moindre mouvement de sa monture lui causa ce jour-là des élancements dans tout le crâne ; ce qui ne le dissuada toutefois pas de continuer sa route en laissant le sang coaguler en guise de pansement : « Qu'est-ce que j'allais faire ? M'arrêter ? Enfin ! Un peu de sérieux ! »

Ils ne randonnaient pas pour le plaisir. Ils n'étaient pas là pour flâner mais pour avaler la route ; ce qui explique qu'ils tombaient sans cesse d'épuisement. Ils avaient faim et mal partout en permanence au point qu'ils se disputèrent les uns avec les autres. Hélas ! Il finit par leur arriver tout le contraire de ce que voulait Eustace. Celui-ci s'attendait à ce que les liens qui l'unissent à son frère se renforcent. Or, Judson prenait de plus en plus de distance par rapport à son aîné qu'il avait pourtant longtemps vénéré comme un héros. Judson, qui n'aspirait qu'à prendre un peu de bon temps, s'agaçait de l'obsession qu'avait Eustace de la route à parcourir sans jamais leur laisser le temps d'apprécier le paysage ni d'explorer les alentours.

« Que veux-tu que je te dise ! me confierait plus tard Judson. Il faut toujours qu'Eustace se prenne pour ce maudit Ernest Shackleton, qu'il établisse un record du monde, qu'il soit le plus rapide à ci et le meilleur à ça. Incapable de se détendre ou de s'accorder du bon temps ! Ce n'était pas pour en arriver là que Susan et moi avions décidé de nous joindre à lui. »

La randonnée à cheval d'un océan à l'autre devint la toile de fond contre laquelle s'accuseraient les divergences entre les frères Conway. D'un côté : Eustace, mû par un attachement sans faille aux antiques mythes de héros porteurs d'un destin, et d'un autre : Judson, animé par le simple désir de se divertir et conscient (à l'instar des Américains de sa génération, son frère excepté) de se composer un personnage en société – lui comme les autres, d'ailleurs. Seule une telle lucidité lui donnait d'ailleurs assez de recul sur lui-même pour oser déclarer sur le ton de la blague en dégainant son six-coups : « Hé ! Je suis un vrai cow-boy, maintenant ! » Judson traversait l'Amérique à cheval parce que d'autres avaient tenté l'aventure avant lui et parce que ça l'amusait de se donner l'allure d'un cliché ambulant. Eustace traversait l'Amérique à cheval parce qu'il souhaitait incarner ce cliché, lui donner vie. Judson voyait ça comme un jeu alors qu'Eustace se prenait on ne peut plus au sérieux.

« Ça ne nous aurait pas déplu, à Susan et moi, d'avancer deux fois moins vite mais en prenant le temps de flâner et de respirer le parfum des fleurs, commenterait par la suite Judson.

– Ce n'est pas parce que j'avale quatre-vingts kilomètres par jour, lui rétorquerait Eustace, que je ne respire pas le parfum des fleurs. Au contraire ! Je le respire au galop, le parfum de ces foutues fleurs ! Et pendant quatre-vingts kilomètres de plus que les autres. D'abord, on ne pouvait pas lambiner à cause de l'emploi du temps de Judson et Susan, qui devaient reprendre leur travail quelques mois plus tard. On n'avait pas toute la vie devant nous pour rejoindre la Californie ! Et puis, je tenais à voir de quoi nous serions capables ; nous comme les chevaux. Je voulais aller plus loin, relever un défi, infléchir le domaine du possible. Je voulais examiner nos limites à la loupe pour mieux les repousser. Franchement, je m'en fiche pas mal de mon confort ou de prendre du bon temps. Quand je me fixe un objectif, quand je me propose de soutenir la gageure, je n'éprouve plus les mêmes besoins que les autres. Peu m'importe de dormir, de manger à ma faim ou de me maintenir au chaud ou au sec. Je peux très bien vivre de trois fois rien à partir du moment où j'arrête de m'alimenter et de me reposer.

– Sauf que ça ne s'appelle plus vivre mais mourir, Eustace, lui objectai-je.

– Non ! affirma-t-il en souriant. C'est ça, vivre ! »

Difficile d'accorder un tel sentiment d'urgence à une philosophie inspirée du zen qui préconise de vivre en parfaite harmonie avec les rythmes de la nature en « suivant l'exemple de l'eau ». Les Cavaliers au long cours ne suivaient pas vraiment l'exemple de l'eau ; plutôt celui d'une scie sauteuse qui coupe à travers tout. Or, ça n'incite pas à devenir zen. La détermination sans faille d'Eustace pesait à ses compagnons de route au point que Judson prit l'habitude de boire du whisky le soir : le seul moyen, selon lui, d'avaler le zèle fanatique de son frère.

« Je savais bien qu'Eustace détestait me voir picoler au point de m'abrutir, mais, sans cela, je serais devenu fou. »

Eustace ne fléchissait jamais. Son autorité virait souvent à la tyrannie, mais, même avec le recul, il ne regrette aucune de ses décisions. « Personne ne se rend compte (du moins, Judson et Susan ne se rendent pas compte) que ce n'est pas un hasard si nous avons parcouru une telle distance sans nous blesser grièvement ni nous tuer, nous ou nos montures. J'en connais d'autres qui ont voulu traverser l'Amérique à cheval et pour qui l'affaire a mal tourné. Leurs chevaux se sont blessés, on leur a volé du matériel ou des voitures les ont renversés. S'il n'y a pas eu d'incident fâcheux à déplorer, c'est parce que j'ai toujours fait gaffe ! Chaque jour, j'ai pris des milliers de décisions, qui ont toutes réduit la probabilité qu'une tuile nous tombe dessus. Quand je choisissais de traverser la route, ce n'était pas par caprice. Si je pouvais éviter à mon cheval d'user ses sabots sur l'asphalte en le guidant dans l'herbe sur quelques mètres, eh bien, c'était toujours ça de pris.

« Soir après soir, quand nous cherchions où passer la nuit, mon cerveau étudiait l'éventail des possibilités, en prenant en compte des dizaines de paramètres que j'étais le seul à ne pas négliger. *Quel genre de personnes peut bien habiter aux alentours de ce pré ? Y a-t-il une route par où nous pourrions prendre la poudre d'escampette au besoin ? Les chevaux ne risquent-ils pas de s'emmêler les pattes dans les cordes qui traînent par terre ? L'herbe qui pousse de l'autre côté de la chaussée ne va-t-elle pas les inciter à traverser la voie rapide au beau milieu de la nuit, quitte à ce qu'une voiture leur rentre dedans ? Peut-on nous voir depuis la route ? Certains automobilistes ne s'arrêteront-ils pas pour nous poser des questions en gaspillant notre énergie alors que nous devons nous occuper des bêtes ?* Judson et Susan ne voyaient rien, eux. Ils n'arrêtaient pas de me dire : "Et là, Eustace ? Ça m'a l'air d'un chouette endroit où camper !" Je leur répondais : "Non, non, non ; pas question" sans prendre la peine de leur expliquer pourquoi. »

Judson et Susan, qui rongeaient leur frein depuis belle lurette, finirent par se mutiner en Arizona. Nos trois cavaliers en vinrent à un tournant où leurs chemins se séparèrent. Littéralement. L'envie vint à Judson et Susan de quitter la grand-route pour prendre un raccourci par un canyon qui leur promettait un peu d'aventure sur un terrain accidenté. Eustace s'y opposa. Lui voulait rester sur la grand-route, plus monotone et plus longue mais moins éprouvante pour les chevaux. Les trois compagnons tinrent conseil.

« C'est trop dangereux, affirma Eustace. Vous ne savez pas ce qui vous attend là-bas. Qui vous garantit que vous ne tomberez pas sur une rivière infranchissable qui vous obligera à revenir sur vos pas en vous faisant perdre une journée de route ? Sans compter le risque d'y laisser votre peau ! Vous ne disposez d'aucun renseignement fiable ni de la moindre carte d'état-major. Vous devrez emprunter des pistes mal indiquées semées d'éboulis qui éreinteront vos chevaux alors qu'ils n'en peuvent déjà plus. Ce serait cruel de votre part de leur imposer une aussi rude épreuve, et surtout trop risqué.

– On en a marre de la grand-route ! se plaignit Judson. On s'est lancés dans l'aventure parce qu'on voulait voir du pays. Une chance s'offre à nous de nous retrouver en pleine nature. On veut plus d'imprévu, on veut continuer sur le fil du rasoir. »

Ils votèrent et, naturellement, Judson et Susan l'emportèrent. Eustace ne voulut pas céder pour autant.

« Je m'y oppose à cent pour cent. Libre à vous de passer par le canyon si ça vous chante. Moi, je ne vous suivrai pas. »

Judson vécut là un moment terrible. Ils avaient conclu un pacte avant le début de la randonnée : ils appliqueraient des principes strictement démocratiques. Si jamais un désaccord s'élevait, l'opinion de la majorité prévaudrait. Jamais ils ne laisseraient un différend les désunir. Or, voilà justement que c'était ce qui leur arrivait ! Leur folle équipée de plus de quatre mille kilomètres resterait entachée par un regrettable hiatus d'une cinquantaine de kilomètres au cours duquel les inséparables compagnons de route se sépareraient faute de parvenir à un consensus.

« On n'était pas censés former une équipe ? » objecta Judson.

Eustace lui rétorqua :

« Je ne demande pas mieux que de former une équipe avec vous à condition qu'on opte pour les choix dont je sais pertinemment qu'ils nous réussiront le mieux. »

Judson et Susan s'engagèrent dans le canyon.

« Ce fut la plus chouette journée de toute la randonnée ! se rappelle Judson. Des paysages à couper le souffle, une nature encore vierge… Nos chevaux ont traversé des cours d'eau dont la surface leur arrivait juste sous le ventre. Nous sommes passés par des défilés rocheux de toute beauté, en savourant chaque instant de la promenade. On a ri et chanté du début à la fin. Voilà enfin ce que j'imaginais au moment de me lancer dans l'aventure ! On se serait crus des hors-la-loi du temps jadis. Et dire qu'Eustace a manqué ça !

– Leurs chevaux sont revenus en boitant, se souvient Eustace. Jamais ils n'auraient dû se risquer là-bas. Ils auraient pu y trouver la mort ou blesser leurs montures. J'avais vu juste. »

À partir de là, Judson résolut de la boucler et de se soumettre à la volonté d'Eustace parce qu'une telle attitude lui valait moins de tracas qu'une lutte ouverte, mais, alors qu'il continuait à cheminer au côté de son frère aîné, il dut s'avouer, non sans effroi, que leur relation ne serait jamais plus la même.

Ils rejoignirent le Pacifique à Pâques, comme prévu. Sans aucune désertion ni perte (humaine ou animale) à déplorer. À San Diego leur parvint un avant-goût du parfum de l'océan. Quand ils quittèrent la grand-route pour de bon en arrivant à la plage, Eustace conduisit son cheval dans l'écume, comme si l'envie le démangeait de pousser sur le dos de Hobo jusqu'en Chine. Des larmes se mirent à ruisseler le long de ses joues alors qu'il pressait encore les flancs de sa monture.

Ce ne fut pas le cas de Judson et Susan. Ils en avaient enfin terminé. Leur éprouvante aventure touchait à son terme et, ma foi, tant mieux ! Judson se mit aussitôt en quête de compagnie. Il amena son cheval dans un bar où il demeura assis (sur sa monture !) plusieurs heures d'affilée à faire tournoyer son six-coups en racontant ses aventures pendant que les autres clients se massaient autour de lui et que le patron lui payait une tournée après l'autre. Quant à Susan, elle attacha son cheval à l'entrée du même bar puis se mêla à la foule sans un mot. Personne ne lui prêta d'attention particulière.

Ils passèrent la semaine suivante à San Diego où leurs mères vinrent les retrouver. Mme Conway et Mme Klimkowski voulurent emmener leurs enfants dîner dans des restaurants chics et visiter la ville, le parc de Sea World ou encore le zoo. Judson et Susan ne demandaient pas mieux que de se laisser choyer, mais Eustace, lui, se maintint à l'écart, taciturne et morose.

« Je ne comprends pas qu'ils aient pu tirer un trait là-dessus aussi facilement commenterait-il par la suite. J'avais envie de leur dire : "Hé, les gars ! Vous venez de passer par des moments fabuleux et vous n'y pensez déjà plus ? Un jour, vous vivez à cent à l'heure et le lendemain vous montez en voiture vous acheter un hamburger et des frites ? Comme si de rien n'était ?" Entre nous, ils avaient l'air de s'en fiche éperdument. »

Il passa la semaine seul, à broyer du noir, en longeant la mer sur son cheval du matin au soir. Ses compagnons de route lui demandaient : « Tu n'en as pas marre ? » Non. Jamais. Eustace parcourut la plage des heures entières sur sa monture en repensant à son équipée, face à la limite indéniable que lui imposait le Pacifique. Il s'efforçait de prendre son parti de la réalité géographique de sa destinée manifeste : il ne lui restait nulle part où aller. Le pays se terminait là. Fini ! Si seulement un autre continent pouvait surgir de l'océan pour qu'il parte à sa conquête...

Ils ramenèrent les chevaux en Caroline du Nord à bord du van. Histoire de leur accorder un peu de répit. Eustace n'estimait pas forcément nécessaire de se détendre après sa randonnée, mais il ne comptait pas priver son Hobo bien-aimé d'un délassement mérité.

Hobo eut ainsi droit à un peu de repos dans le van qui le conduisit en Caroline du Nord comme une célébrité. De retour à l'île de la Tortue, Eustace laissa le cheval décompresser quelques mois dans son pré avant qu'ils recommencent à cavaler ensemble. Bien entendu, ce qui attendait Hobo à l'île de la Tortue ne ressemblait que de très loin à son récent exploit. Hobo allait se révéler d'une plus grande utilité à Eustace pour les travaux de la ferme que pour battre des records de vitesse. Il aurait surtout besoin de lui pour faire le tour de sa propriété ou le harnacher à des traîneaux chargés de bûches ou d'outils. Ils feraient du bon travail, ensemble : la docilité de Hobo dépassait encore ses dispositions pour la course.

Puis, un beau jour, de longs mois après l'équipée des Cavaliers au long cours, Eustace estima que Hobo et lui méritaient bien une petite randonnée pour le plaisir, comme au bon vieux temps. Ils s'éloignèrent quelques jours de l'agitation qui régnait à l'île de la Tortue pour s'enfoncer dans les montagnes. Ils grimpèrent au sommet d'une colline où, se rappelle Eustace, il lâcha la bride à Hobo en étendant les bras et en le laissant galoper d'un pré à l'autre, tout à sa joie de s'ébattre dans l'air vif et frais.

Enchantés et détendus, Eustace et son cheval bien-aimé prirent ensuite le chemin du retour. Hélas ! À proximité de l'écurie, Hobo trébucha. Sur un caillou. Un incident plus qu'un accident digne de ce nom ; tellement anodin en apparence ! Ce magnifique cheval, qui avait traversé le continent sans se blesser ni se plaindre une seule fois, qui se lançait à l'assaut des éboulis ou des pentes raides des Appalaches sans l'ombre d'une hésitation et devançait jusqu'aux moindres intentions d'Eustace, buta contre une pierre tout ce qu'il y a de plus banale. Il esquissa un pas de côté et se fractura la patte. Son fémur manqua de peu se casser en deux.

« Non ! s'écria Eustace en sautant à terre. Non ! Par pitié ! Pas ça ! »

Impossible à Hobo de se relever. Déboussolé, il n'arrêtait pas de tourner la tête pour examiner sa patte blessée. Ainsi qu'Eustace, dans l'espoir que celui-ci lui expliquerait ce qui clochait. Eustace courut à son bureau où, au désespoir, il passa un coup de fil à ses mentors, le montagnard Hoy Moretz et le mennonite Johnny Ruhl. Il contacta tous les vétérinaires de sa connaissance avant de passer aux maréchaux-ferrants. À chacun d'eux, il expliqua ce qui venait d'arriver avant de recevoir la confirmation de ce qu'il pressentait déjà : il n'y avait rien à faire. Eustace allait devoir abattre son ami. Après tout ce qu'ils avaient enduré ensemble, qu'une telle catastrophe lui tombe dessus par un radieux après-midi, en vue de l'écurie…

Eustace alla chercher son pistolet. À son retour, Hobo se tenait toujours dans la même posture. Son regard oscillait de sa patte à Eustace ; il s'efforçait de comprendre. « Je suis navré, Hobo, lui confia Eustace, je t'aime tant ! » Là-dessus, il acheva Hobo d'une balle dans la tête.

Le cheval s'effondra et Eustace avec lui, le corps secoué de sanglots. Il s'accrocha au cou de Hobo à l'agonie, en lui rappelant sa bravoure et tous les bons moments qu'ils avaient passés ensemble, afin de lui rendre hommage. Comment cela avait-il pu arriver ? À quelques pas à peine de l'écurie…

Plus tard ce jour-là (et ce fut ce qui lui coûta le plus), Eustace revint couper la crinière et la queue de Hobo, qui allaient désormais revêtir une grande importance à ses yeux. Peut-être Eustace tisserait-il un jour à un autre cheval digne de Hobo une bride avec les poils de sa crinière et de sa queue afin de lui rendre un hommage mérité ? Le premier coup de couteau, la première atteinte à la dépouille de son ami, parut à Eustace presque au-dessus de ses forces. Il se mit à pleurer en proie à une souffrance d'une intensité telle qu'il crut que l'univers tout entier allait s'écrouler autour de lui.

Il laissa Hobo à l'endroit où il était tombé en attendant que les vautours le dévorent. Les Amérindiens ne considéraient-ils pas les vautours comme des véhicules sacrés acheminant au ciel les esprits libérés de la terre ? Eustace laissa donc Hobo là où il se trouvait, là où les oiseaux ne tarderaient plus à le manger. Ce qui signifie qu'aujourd'hui encore, quand Eustace aperçoit des vautours au ciel, il salue Hobo d'un hochement de tête, parce que c'est là qu'il continuera de vivre à jamais.

Le printemps venu, Eustace revint à l'endroit où Hobo s'était écroulé afin d'examiner les ossements de son ami. Il voulait rassembler les plumes de vautour qu'il trouverait autour de ses restes en vue de les conserver en un lieu sacré, mais ses intentions ne touchaient pas qu'au domaine spirituel : il tenait à jeter un coup d'œil au fémur de Hobo, à présent séparé des restes de sa chair. Il soupçonnait la fracture d'avoir été inévitable. Il se demandait souvent si Hobo n'était pas à l'origine un cheval de course à la carrière écourtée par une blessure ; ce qui expliquerait qu'il se soit retrouvé entre les mains d'un fermier texan prêt à le céder à un prix raisonnable. Peut-être Hobo souffrait-il d'une fracture mal remise depuis des années. Ce n'était sans doute qu'une question de temps avant que son fémur fragilisé se brise de nouveau.

Ce que découvrit Eustace en se penchant sur les os blanchis de Hobo lui confirma ses soupçons : la fracture remontait bien au-delà de sa fin prématurée. Le moment où Eustace pose un genou à terre pour examiner le fémur d'un œil scientifique me semble crucial entre tous : voilà la preuve que, même au plus fort de son chagrin, Eustace Conway cherche le pourquoi des choses en prenant la logique pour seul guide. Après tout, la vie continue ! Autant tirer les leçons de ce qui arrive ; peu importe la douleur. Surtout : ne jamais rester passif, ne jamais cesser de recueillir des informations.

Ce fut sa répugnance à demeurer passif qui incita Eustace, deux ans à peine après la randonnée des Cavaliers au long cours, à se lancer dans une autre équipée à cheval d'une folle ambition. Parce qu'il faut toujours aller plus loin, relever de nouveaux défis et examiner ses limites à la loupe pour mieux les repousser.

Bien entendu, Eustace ne suivrait plus le même itinéraire. Quel intérêt de se répéter ? Une aventure un peu différente l'attendait cette fois-ci. Cavalier émérite depuis sa chevauchée d'un océan à l'autre, Eustace décida d'atteler ses bêtes à un cabriolet facile à manier afin de sillonner à la vitesse de l'éclair les grandes plaines du nord de l'Amérique en effectuant un parcours circulaire de quatre mille kilomètres depuis le Nebraska jusqu'au Wyoming en passant par le Dakota du Sud, le Dakota du Nord, le Canada (le Manitoba, l'Alberta et la Saskatchewan) puis le Montana. Il estimait possible de revenir à son point de départ en moins de soixante jours. Cette fois, il partirait avec quelqu'un d'autre : sa nouvelle petite amie. Un peu auparavant, il s'était autorisé à tomber amoureux pour la première fois depuis la tornade Carla. Leur rupture remontait à quelques années à peine, mais il se sentait prêt. Son nouvel amour l'exaltait au plus haut point. Il m'appela peu après leur rencontre pour tout me raconter.

« Décris-la-moi plutôt ! le priai-je.

– Belle, intelligente, gentille, jeune. À moitié mexicaine. Le teint le plus éblouissant que tu aies jamais vu.

– Comment s'appelle-t-elle ?

– Patience.

– Pourvu qu'elle porte bien son nom ! »

En dépit de son jeune âge (vingt-trois ans), Patience Harrison avait de l'endurance à revendre ; assez, en tout cas, pour venir à bout d'une équipée comme celle dans laquelle comptait l'entraîner Eustace. Cette institutrice (ancienne capitaine d'une équipe de hockey à l'université) possédait un corps d'athlète et ne manquait pas de cran : elle avait déjà voyagé en Afrique dans des circonstances bien plus éprouvantes que ce qui l'attendait au Canada. Eustace était fou d'elle.

Il aimait Patience pour sa vivacité d'esprit, sa personnalité envoûtante et son courage. Lors de sa première visite à l'île de la Tortue, Eustace l'emmena se balader en cabriolet. Il lui proposa de diriger les chevaux quelques instants et, sans l'ombre d'une hésitation, elle s'empara des rênes, prête à tout tenter. Il se dit alors : *waouh ! Voilà la fille qu'il me faut !* Il se laissa en outre séduire par une vidéo de l'université où Patience jouait au hockey : à un moment, une joueuse de l'équipe adverse la frappe par inadvertance avec sa crosse. Patience s'écroule en se tordant de douleur. (Elle venait de se casser le poignet.) Aussitôt, elle se relève et se lance aux trousses de l'autre, alors même que sa main pendouille de travers le long de ses côtes. Puis elle s'effondre de nouveau sous le coup de la douleur. Avant de bondir une fois de plus à la poursuite de son adversaire, en se traînant tant bien que mal sur le terrain, les mâchoires serrées. Pas question qu'elle abandonne la partie ! Au diable les films pornos : voilà bien la vidéo la plus excitante qu'Eustace eût jamais vue !

Il aimait aussi Patience, il faut bien le dire, pour son physique. C'était une fille superbe. Bon. D'accord : Eustace Conway n'est pas du genre à tomber amoureux d'une fille qui ne soit pas au moins superbe, mais Patience (comme il le dirait par la suite) correspondait en tout point à son idéal. « Tu imagines rencontrer un jour ton idéal ? Ses ancêtres mexicains lui ont transmis le teint mat, les yeux noirs et les dents blanches qui m'attirent plus que tout chez une femme. Elle m'inspire un tel désir ! Je ne peux pas me trouver en sa présence sans la désirer aussitôt. Ses mains, son corps, ses lèvres, ses oreilles, le reflet de la lumière sur sa chevelure… J'adore la moindre cellule de cette fille ! »

Il lui déclara sa flamme en y mettant toute la passion qui le caractérise.

« Tu es si belle quand je te regarde que c'est comme si je contemplais un arc-en-ciel, lui écrivit-il, au début de leur relation. Le soleil réchauffe mon cœur quand je songe à l'amour que tu m'inspires. Des papillons me guident auprès de toi. Je rêve de notre avenir irrigué par les pluies fertiles de l'espoir. Je te veux plus passionnément que tu ne le souhaiterais sans doute pour te sentir tout à fait à l'aise. »

Ce dernier point était incontestable : la vie romantique d'Eustace fascina tout de suite Patience qui tomba sous son charme mais ne répondit d'abord que fort tièdement à son ardeur. Il fallut à Eustace une éternité pour la convaincre de nouer une relation intime avec lui. En public, elle restait sur son quant-à-soi. Elle n'était pas du genre à tenir la main à son petit ami si quelqu'un l'observait. Les sentiments passionnels d'Eustace la mettaient mal à l'aise. Quand il la sondait du regard jusqu'au tréfonds de son âme, l'envie lui venait à chaque fois de détourner la tête, gênée. Elle ne supportait pas qu'il l'appelle « ma puce » et l'obsession qu'il avait de son physique l'agaçait. « Tu ne pourrais pas plutôt me dire, se plaignait-elle souvent, que je suis intelligente, bourrée de talent ou intéressante et pas seulement belle ? »

Eustace lui répondait en plaisantant : « Tu as les cheveux noirs les plus intelligents que j'aie jamais vus. Ton sourire et tes yeux sont les plus bourrés de talent du monde. Tu possèdes le corps le plus intéressant de la création. »

La plupart de leurs connaissances trouvaient leur couple mal assorti. Patience, une jeune femme résolument moderne attachée à son indépendance, avait toujours maintenu à distance ses petits amis. (Elle se montrait parfois tellement sur la réserve, admettait-elle en riant, que l'un de ses ex la surnommait « Prudence ».) Eustace, qui, fidèle à ses principes, voulait une union sans faille à laquelle se vouer corps et âme, prit sa froideur en mauvaise part. En plus, Patience hésitait à tout laisser tomber pour s'installer à l'île de la Tortue. Elle admettrait par la suite qu'une chose en particulier la dissuadait de s'engager : la crainte que lui inspirait le désir d'Eustace (dont il lui fit part dès le début de leur relation) de donner le jour à pas moins de treize enfants.

Vous avez bien lu : treize.

Là, il a fallu que je pose la question à Eustace :

« Rassure-moi, tu n'as quand même pas osé lui dire une chose pareille !

– Il y a un siècle, m'a-t-il rétorqué, une telle perspective n'aurait pas affolé la plupart des femmes. »

En voilà, une réponse décevante ! Même sans s'arrêter à l'évidence qu'on ne vit plus comme au siècle passé, il y a tant d'aspects de la déclaration d'Eustace qui posent problème que je ne sais même pas par où commencer à la décortiquer. Ses études d'histoire et d'anthropologie auraient pourtant dû lui ouvrir les yeux. Il y a cent ans, les Américaines ne donnaient naissance qu'à 3,5 enfants en moyenne : elles n'hésitaient déjà plus à recourir à des techniques de contrôle des naissances ni à débattre en public de l'incidence d'une famille nombreuse sur leur niveau de vie économique et social. En d'autres termes, il faut revenir à plus d'un siècle en arrière pour dénicher le genre de génitrice enthousiaste dont rêve Eustace.

Sans compter que d'autres considérations entrent en jeu. Prenons la fidèle épouse de Daniel Boone : Mme Rebecca Boone. Mariée dès l'âge de dix-sept ans, Rebecca dut tout de suite se charger de l'éducation des deux enfants orphelins du défunt frère de Daniel. Elle mit ensuite au monde, le long de la frontière, dix enfants qui survécurent et adopta les six enfants orphelins de mère de son propre frère avant d'aider ses quatre filles à s'occuper de leurs trente-trois fils et filles.

Rebecca Boone passa l'essentiel de sa vie d'adulte à l'intérieur d'un fort. Ses enfants ne mangeaient jamais à leur faim l'hiver, ni elle non plus. Il arrivait aux Indiens de blesser ou même de tuer ses fils. Quant à ses filles, ils se contentaient de les enlever. À un moment donné de sa vie de couple,

Rebecca et sa famille réussirent à se réfugier dans une douillette propriété en Caroline du Nord où ils passèrent deux merveilleuses années pendant que Daniel fondait une nouvelle colonie au Kentucky. Quand il revint chercher son épouse, celle-ci, au bord de la rébellion, n'accepta qu'à contrecœur de retourner avec lui au fin fond des bois. Il insista ; elle résista. Leur union, laisse entendre l'histoire, faillit toucher à son terme. Cependant, Rebecca, en loyale épouse qu'elle était, finit par suivre son mari dans la nature sauvage. Hélas ! Elle était alors au bout du rouleau. Un missionnaire qui la rencontra dans les années 1780 nous apprend qu'il s'entretint avec cette « bonne âme » devant sa petite cabane pendant qu'elle balayait en lui confiant ses misères et « la détresse et la crainte qui hantent son cœur ».

Bon. En un sens, Eustace n'a pas tort : beaucoup de femmes de pionniers mirent au monde des flopées d'enfants. Mais les désiraient-elles pour de bon ? La perspective d'une telle quantité de bambins dans leurs jupons les emballait-elle tant que ça ? Les concevaient-elles vraiment à la suite d'une décision inspirée ? Je ne sais pas pourquoi, mais je n'arrive pas à me représenter Rebecca Boone bondissant de joie en découvrant, au plus profond de la forêt, à la quarantaine bien entamée, qu'elle attend un heureux événement pour la dixième fois de sa vie. Dans le même ordre d'idées, je n'imagine pas la jeune Patience Harrison, globe-trotteuse émérite, fraîche émoulue de l'université, trépigner d'enthousiasme à l'idée qu'Eustace Conway lui donne un jour treize enfants.

Eustace eut beau l'assurer que ses treize enfants ne correspondaient qu'à un rêve, qu'il en nourrissait des quantités d'autres sans s'attendre pour autant à ce qu'ils se réalisent, qu'il envisagerait même de ne jamais devenir père si c'était ce qu'elle voulait ou qu'ils pouvaient aussi adopter et qu'il restait encore un tas de possibilités à considérer… ça ne suffit pas à la rassurer. Eustace voulut savoir si Patience connaissait des communautés dans le genre des Amish ou des Mayas du Guatemala qui chérissent les enfants plus que tout au monde.

Peut-être changerait-elle d'avis en constatant par elle-même l'aisance avec laquelle ces cultures donnent aux immenses familles leur place au sein de la société. En attendant, le chiffre fatidique retentissait encore sous le crâne de Patience, tel l'écho de la grande cloche d'une cathédrale.

Treize ! Treize ! Treize !

Puis il n'y avait pas que là que le bât blessait. Patience se montrait hésitante et distante vis-à-vis d'Eustace. Pourtant, il ne l'en aimait pas moins. Il attribuait ses réticences à son jeune âge en espérant que, au fil du temps, ils en viendraient à brûler l'un pour l'autre d'une passion plus intense. Peut-être leur relation évoluerait-elle s'ils se lançaient ensemble à l'aventure ? Peut-être une randonnée en cabriolet arrangerait-elle tout ?

Cette fois, Eustace voulait pousser ses chevaux et lui-même jusqu'aux limites de leur endurance. Il les savait capables d'aller bien plus vite en traînant un cabriolet qu'en portant un cavalier. Or, il était curieux de découvrir quelle distance ils arriveraient à parcourir chaque jour. Il disposait d'un véhicule léger et maniable ; rien à voir avec une carriole tout juste bonne pour les travaux de la ferme. Sans compter qu'il équiperait ses bêtes de harnais en Nylon, plus confortables qu'en cuir.

Il fallait à tout prix éviter aux chevaux le fardeau d'une charge inutile. Patience dut soumettre à l'approbation d'Eustace le moindre vêtement qu'elle souhaitait emporter : hors de question qu'une paire de chaussettes superflue ajoute à l'effort déjà consenti par les bêtes. Un jour, Patience s'arrêta dans une épicerie du Dakota du Nord pour acheter un bocal de cornichons à grignoter. Eustace lui passa un savon : « Ce bocal en verre rempli de liquide, c'est autant de poids en plus pour les chevaux », fulmina-t-il. Eustace ne se calma que lorsque Patience, une fois terminés les cornichons, se débarrassa du bocal. Il tenait d'autant plus à ménager les bêtes que la randonnée ne s'annonçait pas facile : il les pousserait jusqu'aux limites de leur endurance à des kilomètres du vétérinaire le plus proche, en surveillant leur « moindre pas, tout ce qu'ils avalent ou boivent, l'infection la plus bénigne, le plus léger boitillement, la couleur de leur urine chaque fois qu'ils pissent, la fréquence à laquelle ils défèquent, le plus infime mouvement de leur oreille ; tout ».

Son obsession de la vitesse tournerait encore plus au fanatisme que lors de sa précédente randonnée. Eustace craignait tant de perdre ne fût-ce qu'une minute que, lorsqu'il apercevait une grille, il tendait les rênes à Patience, sautait à bas du cabriolet et courait aussitôt l'ouvrir avant de la refermer et de piquer un sprint pour rattraper sa compagne. Il ne s'arrêtait même pas pour se soulager : il aimait mieux bondir à terre et uriner dans les bois pendant que les chevaux continuaient à trotter puis les rattraper en courant de toute la vitesse de ses jambes.

Eustace et Patience apprirent à remplacer un sabot de cheval en un tournemain (ce dont il leur fallut se charger à une cinquantaine de reprises au cours de leur aventure), un peu comme une équipe de mécanos sur un circuit de Formule 1 ; Patience passait les outils à Eustace qui fixait le sabot vite fait mais toujours bien fait. Ils sillonnèrent les Grandes Plaines, comme le raconterait plus tard Eustace, « à la vitesse où les ombres des nuages glissent sur l'herbe courbée par le vent ». Ils ne s'arrêtaient pratiquement jamais. Eustace fit imprimer des dépliants à propos de leur équipée ; des sortes de dossiers de presse qu'ils distribuaient à la ronde quand les inévitables questions surgissaient par milliers mais qu'il leur fallait se dépêcher d'avancer. Eustace ne leur accorda pas un instant de loisir. Des ranchers du Canada les invitèrent à s'attarder auprès d'eux pendant qu'ils rassembleraient leur troupeau en vue de le marquer. Patience eut bien envie d'accepter, mais Eustace lui rétorqua : « Il y aura encore beaucoup de rassemblements de troupeaux alors que c'est notre seule chance d'établir un record du monde de vitesse en parcourant plus de quatre mille kilomètres en cinquante-six jours. »

Techniquement, la randonnée fut un succès incontestable, mais la relation amoureuse des deux compagnons de route, déjà fragile au départ, ne s'en releva jamais. Ils ne dormirent que quatre heures par nuit, bringuebalant le long des prairies, transis de froid, le moral au plus bas, à bout de nerfs, du matin au soir. Il leur fallut endurer des conditions climatiques terribles. Quand le vent ne soufflait pas à plus de cent dix kilomètres à l'heure, une pluie glaciale leur tombait dessus. Le froid leur engourdissait les mains au point qu'ils ne parvenaient même plus à détacher les harnais, le soir venu. Ils ne mangeaient que de la nourriture pas très ragoûtante ou, pire encore, rien du tout.

Bien entendu, ils vécurent aussi des moments inoubliables. Dans les Grandes Plaines, un panorama grandiose s'offrit à eux. Ils passèrent quelques merveilleuses journées dans un no man's land : une longue bande de terre qui n'appartenait à personne, sur la frontière américano-canadienne, où ils crurent rouler au beau milieu de nulle part. Quand il cessait de pleuvoir, ils se lisaient l'un à l'autre des romans de Cormac McCarthy. De bons moments, en somme. Ils firent la connaissance d'hommes et de femmes au grand cœur. Eustace prenait plaisir à rester en retrait en laissant Patience désarmer ses interlocuteurs par sa grâce naturelle. Il aimait la voir enjôler des inconnus qui s'éprenaient d'elle au point de leur offrir un abri pour la nuit, de quoi manger ou encore un coup de main pour leurs chevaux. Ils formaient avec les bêtes une équipe à l'efficacité redoutable. Surtout, le plus impressionnant, c'est que Patience, en véritable athlète, ne se plaignit pas une seule fois de la fatigue physique.

« Ce n'était pas le plus pénible, loin de là ! » m'a-t-elle confié.

Le plus pénible, ce fut de passer des journées entières sans échanger un mot si ce n'est à propos des chevaux. La nuit, ils ne dormaient même pas ensemble. Aucun échange, aucun contact physique.

« Jamais je n'ai pleuré parce que j'avais mal quelque part ou que je n'en pouvais plus, explique Patience. En revanche, ma relation avec Eustace m'a fait verser beaucoup de larmes, vers la fin. Ça tournait au vinaigre, entre nous. »

En somme, leur épopée, tout héroïque qu'elle fût, rappelle cette fine observation d'Ursula K. LeGuin : « Le revers de la médaille du héros n'est souvent pas beau à voir ; les épouses et les valets le savent bien. »

Patience ne supportait pas l'ascendant qu'Eustace exerçait sur elle. « Petite, j'étais un garçon manqué, raconte-t-elle. J'intimidais les hommes par ma force. Avant de le rencontrer, je me sentais dans la peau d'une femme moderne, confiante en elle. Mais, peu à peu, il a pris une telle emprise sur moi qu'il ne m'est plus resté la moindre volonté. Voilà ce qui arrive : on se laisse happer par le tourbillon des objectifs d'Eustace au point d'en perdre la boussole. À ses yeux, je n'existais pas. Souvent, des journalistes demandaient à nous accompagner. Eustace les invitait à bord du cabriolet tandis que je les suivais au volant de leur propre voiture. Il leur sortait son numéro de charme et leur parlait toute la journée. Le lendemain, en revanche, je me retrouvais à côté de lui vingt heures d'affilée sans qu'il ouvre une seule fois la bouche. Du début à la fin, il s'est contenté de me donner des ordres. »

« Évidemment que je lui donnais des ordres ! admet Eustace. Évidemment que je prenais tout en charge ! Moi, au moins, je savais ce qu'il nous fallait, ce qu'il nous en coûterait de tenir la route jusqu'au bout, grâce à mon expérience. Je nous ai sauvé la vie, à nous et à nos chevaux, à deux mille occasions au moins, dont une bonne moitié a dû échapper à Patience. Jamais je n'ai obtenu d'elle le respect que je méritais. Au contraire ! Elle s'est de plus en plus renfrognée à mesure qu'on avançait. Elle ne soupçonne même pas à quel point j'en ai bavé pour qu'on s'en sorte vivants, l'un et l'autre. Notre objectif consistait à établir un record du monde de vitesse. Quand je m'engage à relever un défi, je me donne à cent pour cent. Il faut qu'elle respecte mes compétences et qu'elle cesse de réagir aussi puérilement à mon autorité. »

J'ai demandé à Eustace si remiser le cabriolet un jour ou deux, le temps de parler de leurs difficultés dans un pré, ne les aurait pas aidés. « Ça n'était pas prévu, m'a-t-il répondu, et ça nous aurait empêchés d'atteindre notre objectif. »

Patience finirait par se plaindre (à l'instar de Judson) qu'Eustace se comportait comme son père, M. Conway. Patience connaissait suffisamment les parents d'Eustace pour que la domination et le mépris de Grand Eustace envers sa femme l'agacent au plus haut point. Or, voilà que Petit Eustace lui réservait le même traitement, la même tyrannie, le même perfectionnisme enragé, le même refus de prendre en compte des besoins autres que les siens. Patience et Judson ont fini par trouver Eustace impossible à vivre mais surtout pathétique. Quoi de plus triste qu'un homme qui se rend au bout du monde mais qui ne peut pas s'empêcher pour autant de copier son père ?

Il me semble toutefois qu'Eustace copiait moins son père qu'il ne lui rendait un hommage involontaire en s'efforçant de prouver sa valeur, son courage et la logique de son comportement, comme il l'avait d'ailleurs déjà tenté lors des folles équipées de sa jeunesse et de ses précédentes réussites époustouflantes. Eustace aimait Patience et son frère de tout son cœur, mais il ne tolérait pas que leurs besoins prennent le pas sur l'enjeu de son aventure, à savoir : attirer enfin sur lui l'attention de son père. La vieille histoire d'amour manquée, qui attendait encore son dénouement, l'obnubilait toujours. Grand Eustace ne reconnaissait aucune valeur à son fils en dépit de tout ce qu'il avait accompli. Que fallait-il pour qu'Eustace cesse de lui apparaître comme un misérable idiot voué à l'échec ? Qu'il batte un record du monde de vitesse à cheval ?

Un deuxième encore ?

On ne saurait rien reprocher de pire à Eustace que de se comporter comme son père. « Je me ferais sauter la cervelle de bon cœur, affirme-t-il, s'il me semblait un jour que j'ai traité quelqu'un comme lui m'a traité. » Eustace se remet certes plus souvent en question que son père. Il a beaucoup souffert de ses difficultés à se lier avec les autres (et jamais autant que lors de ses randonnées à cheval). Il a conscience de ses problèmes. Hélas ! Il ignore comment y remédier. Il possède suffisamment de recul sur lui-même pour admettre, selon ses propres termes, qu'il est « abîmé par la vie », mais il ne sait pas par quel moyen se « rabibocher ». Sa relation avec Patience Harrisson le dépassait. Pour Dieu sait quelle raison, il n'a pas réussi à établir avec elle un échange à même d'assurer la pérennité de leur couple. Peut-être à cause de son immaturité à elle, de son perfectionnisme intransigeant à lui, ou d'une combinaison explosive de leurs travers respectifs. Quoi qu'il en soit, leur liaison a tourné au désastre.

« Peut-être, admet-il, que nous aurions dû nous concentrer sur notre relation, quitte à négliger notre objectif. Cela dit, il me semblait parfois que seul notre objectif nous réunissait encore. Je ne sais pas ce que j'aurais dû faire. Je ne suis pas doué de ce point de vue ! En fait, j'espérais tirer la situation au clair par la suite. »

Sauf qu'il n'y eut jamais de suite. Du moins, pas vraiment. Leur relation se poursuivit cahin-caha un an encore après la randonnée en cabriolet puis Patience accepta un travail à Boone : elle entraînerait dorénavant une équipe de hockey, en se détachant peu à peu d'Eustace et de l'île de la Tortue. Il eut beau l'inonder de lettres fiévreuses d'une quinzaine de pages (« Je me désole de ne pas avoir su te communiquer mes sentiments ou mon point de vue [...]. Je prie pour qu'un jour tu deviennes assez forte ou du moins que tu te sentes de taille à prendre la mesure de l'amour que j'éprouve pour toi »), impossible de la persuader de revenir.

Patience venait de tirer un trait sur eux.

Ce qui a démoli le plus Eustace, dans cette histoire, c'est que Patience ne l'a jamais compris. Elle n'a pas compris à quel point il l'aimait. Elle n'a pas compris ses insuffisances ni ses blessures émotives. Ni ses objectifs. Ni combien il manquait d'affection alors qu'il ne demandait pourtant qu'à lui en donner. Ni qu'il lui tenait à cœur qu'elle lui témoigne sa confiance en lui. À vrai dire, Patience n'a rien compris à ce qui le concernait, lui.

Or, c'est précisément dans la mesure où il lui semble qu'on ne l'apprécie pas à sa juste valeur, qu'on ne le comprend pas et qu'on n'a pas foi en lui, qu'Eustace souffre sur le plan émotionnel. Humilié d'entendre son père lui répéter qu'il ne vaut rien et qu'il court à l'échec, comment pourrait-il accepter que la personne censée l'aimer doute de lui ou de son jugement ? Il n'a que trop l'habitude d'une telle situation. À partir du moment où celle qu'il aime ne le comprend pas, de qui donc espérer la moindre compréhension ? Où trouver un tant soit peu de reconnaissance et de sympathie ? Dans les bras de qui se réfugier ? Dans le regard de qui plonger le sien ? Eustace Conway finit par acquérir la certitude que personne ne le comprendrait jamais, qu'il resterait toute sa vie condamné à la solitude et que son destin l'appelait à vivre comme un réfugié dans notre monde.

« Je me sens dans la peau d'Ishi », conclut-il.

Le personnage d'Ishi compte au nombre de ceux qui hantent Eustace depuis sa plus tendre enfance. À la fin du XIXᵉ, les Blancs qui s'aventurèrent dans les canyons aux alentours de Los Angeles en quête d'or et de pâturages exterminèrent une tribu amérindienne qui vivait là comme à l'âge de pierre depuis la nuit des temps. Au tournant du siècle précédent, les anthropologues se disaient convaincus qu'il ne subsistait plus un seul Indien de Californie.

Du moins, jusqu'au 29 août 1911. Ce jour-là, en pleine époque des chemins de fer et des téléphones, Ishi, un Amérindien en parfaite santé d'une cinquantaine d'années, fit son apparition à Oroville, en Californie. Nu, les cheveux brûlés en signe de deuil. Il se cachait depuis tout petit dans les canyons avec l'une de ses sœurs et sa grand-mère dont les récentes disparitions l'avaient incité, submergé de chagrin et en proie à la solitude la plus complète, à entreprendre à pied un long chemin qui l'amènerait « dans un autre monde ». Ce fut bel et bien dans un autre monde que ce représentant de l'âge de pierre échoua : celui de l'Amérique à l'ère industrielle. Il fallut des semaines aux chercheurs et aux ethnographes pour comprendre d'où venait Ishi et trouver un langage qui leur permette de communiquer avec lui. Bien entendu, Ishi leur apparut comme une trouvaille d'une valeur inestimable. Il leur apprit sa langue et les mythes de son peuple ainsi que certaines techniques de chasse (dont une de tir à l'arc inconnue jusque-là hors de Mongolie). Les anthropologues qui s'intéressèrent à Ishi finirent par l'amener au musée où il occupa bientôt un poste de concierge.

« Cet homme, commente Eustace, incrédule, mieux armé qui quiconque pour se débrouiller dans la nature, passerait dorénavant ses journées à balayer ! »

Ishi fabriquait aussi des pointes de flèches devant les visiteurs du musée en guise d'attraction hebdomadaire. Il apprit quelques mots d'anglais, s'accoutuma au pantalon, aux spectacles de variétés et aux déplacements en train, puis la tuberculose l'emporta, moins de dix ans plus tard.

« Je le jure devant Dieu, parfois, je me sens dans la peau d'Ishi, affirme Eustace. Complètement différent des autres ; le dernier de mon espèce. Et, pourtant, je ne cherche qu'à communiquer. À transmettre mon savoir. Mais personne ne me comprend. »

Lors de ses randonnées à cheval, Eustace se heurta maintes et maintes fois à l'incompréhension des autres. Il rencontra de nombreux défenseurs de l'environnement végétariens choqués de le voir vêtu de peaux de daim ou de découvrir qu'il chassait pour se nourrir. Il ne trouva bientôt plus le courage de leur expliquer que leurs habits synthétiques causaient plus de tort que les siens à l'environnement vu qu'ils provenaient d'usines polluantes et gourmandes en énergie utilisant des ressources non renouvelables. Sans compter qu'ils ignoraient d'où sortait ce qu'ils mangeaient ou à quel point la terre souffrait du conditionnement et du transport de leur nourriture. Quant aux militants pour les droits des animaux, ils trouvaient cela cruel de la part d'Eustace de demander tant d'efforts à ses chevaux.

« J'ai rencontré des propriétaires de bêtes grosses et grasses qui passaient leur temps à paître, commente Eustace. Jamais de leur vie, ils n'avaient vu un cheval en bonne condition physique. Mes montures ont un corps élancé et musclé d'athlète taillé pour tenir la distance. Elles ont toujours trimé dur en avalant des kilomètres et des kilomètres. C'est à ça que sont destinés les chevaux. Personne ne prend soin des siens mieux que moi. Quand j'entends quelqu'un me reprocher de ne pas nourrir assez mes bêtes, je me fâche et j'ai souvent bien envie de répondre : "Écoutez, je leur donne une telle quantité de nourriture que si vos vieilles carnes avachies dans votre prairie à la con devaient en engloutir autant, elles y laisseraient leur peau." Si mes chevaux n'ont pas un pouce de graisse, c'est parce qu'ils brûlent énormément de calories. »

L'incident le plus déplaisant du voyage survint à Gillette, dans le Wyoming. Eustace, Patience et leurs chevaux venaient de parcourir quatre-vingt-deux kilomètres quand ils parquèrent leur cabriolet devant un saloon minable aux allures de décor de cinéma où ils se commandèrent un hamburger. Au moment où ils en sortirent, un vieux cow-boy qui passait dans le coin jeta un coup d'œil au meilleur cheval d'Eustace, Hasty, son fidèle morgan qui se reposait alors, tête baissée. « Ce cheval n'a rien dans le ventre. J'ai vécu toute ma vie auprès des chevaux et je peux vous dire que cette bête a déjà un pied dans la tombe. Vous feriez mieux de la céder. »

Eustace ne pipa mot. Il ne dit pas au cow-boy que Hasty avait parcouru des milliers de kilomètres dans sa vie. Il ne lui confia pas que, même quand Hasty venait de passer des heures à trotter, son cœur ne battait qu'à quarante-cinq pulsations par minute, un pouls plus lent que celui de la plupart des chevaux au repos. Et il ne haletait même pas ! Il ne précisa pas que Hasty s'apprêtait à couvrir plus de sept cents kilomètres au cours des huit jours suivants. Ni qu'Eustace Conway ne le céderait pas même en échange d'un million de dollars.

« Hasty n'était qu'un banal cheval bai, m'expliqua Eustace. À la robe marron, à la crinière et à la queue noires. Il ne payait pas de mine et, pourtant, c'était un héros. Seulement, personne ne s'en doutait. Le cow-boy en question a prétendu que Hasty n'avait rien dans le ventre. Ben tiens ! Hasty, c'était mon champion. Il donnait tout ce qu'il avait. Nous avons vécu ensemble des aventures que ce cow-boy n'aurait même jamais crues possibles. On se comprenait l'un l'autre. Il m'incitait à aller le plus loin et le plus vite possible et je le lui rendais bien. Hasty en redemandait toujours. Je vais te dire : ce cheval n'a pas encore découvert ses limites. Or, personne à ma connaissance ne comprend ce que ça signifie. »

Au Kentucky vit un type qui (parce qu'il faut bien que ce titre revienne à quelqu'un) passe pour la plus grande sommité mondiale en matière de randonnées à cheval. Il se nomme CuChullaine O'Reilly et possède la plus vaste collection jamais réunie d'ouvrages consacrés à des aventures équestres. Lui-même compte à son actif cinq randonnées à cheval en Asie centrale, dont une dans l'Himalaya où l'un de ses chevaux a d'ailleurs laissé la vie (avant que des indigènes ne dévorent sa carcasse).

« Il faut replacer dans leur contexte les aventures d'Eustace Conway », déclare CuChullaine O'Reilly. Or, s'il y a bien quelqu'un qui en est capable, c'est sans doute lui. « Je sais de quoi je parle et j'aime autant vous dire que ce type n'a rien d'un simple amateur. Combien de gens dans ce pays possèdent un cheval ? Des centaines de milliers, au moins ! Combien d'entre eux ont emmené leur monture ne serait-ce qu'une seule fois à plus de quatre-vingts kilomètres de l'écurie ? Pas un seul. Parce que ce n'est pas rassurant de se lancer à l'aventure sur son cheval sans rien qui garantisse sa sécurité. J'en sais quelque chose.

« Les distances parcourues par Eustace Conway n'ont rien de remarquable. Je connais un couple qui a couvert près de vingt-neuf mille kilomètres et un gars du Maine qui a effectué un circuit de vingt-deux mille cinq cents kilomètres à cheval, il y a quelques années. Traverser le pays, en soi, ce n'est rien. Ce qui est extraordinaire, c'est qu'Eustace y soit parvenu en cent trois jours. Incroyable ! Voilà plus d'un quart de siècle que personne n'avait établi un tel record de vitesse. Et le plus ahurissant, c'est qu'au départ, Eustace n'était même pas un cavalier émérite. Il a su tirer parti de ses aptitudes, de son intelligence et de son courage pour éviter la moindre erreur. Quant à sa randonnée en cabriolet... Apprendre à manier un cabriolet en aussi peu de temps ! C'est à se demander comment il s'y est pris ! Je ne connais qu'une poignée de cavaliers qui touchent autant leur bille qu'Eustace. Or, ils pratiquent l'équitation depuis le berceau. Ils se renseignent deux années à l'avance avant de se lancer dans la moindre aventure, ils cherchent des soutiens financiers, engagent des vétérinaires et investissent des sommes astronomiques dans leurs projets. Ce qui ne les empêche pas de commettre des bévues dont Eustace n'a jamais eu à rougir, lui. »

Si l'on se fie à CuChullaine O'Reilly, un cavalier digne de ce nom se caractérise par sa détermination, sa résistance et son intrépidité romanesque ; des qualités qui ne manquent certainement pas à Eustace. Puis ce n'est pas tout : Eustace possède un don hors du commun. À en croire CuChullaine O'Reilly, sa traversée des États-Unis en cent trois jours représente un exploit aussi sensationnel qu'une victoire d'un ouvrier agricole de l'Iowa à un cent mètres sans aucun entraînement. Ça paraît impossible. Et, pourtant, Eustace y est arrivé.

De ce point de vue, en termes de force de caractère, CuChullaine O'Reilly ne connaît qu'une personne capable de soutenir la comparaison avec Eustace Conway : un dénommé Eugene Glasscock ; une sorte d'homme sauvage originaire de l'Alaska. Ce barbu qui vivait en ermite (« M. Montagne » le surnomme-t-on chez les siens) a décidé sur un coup de tête, dans les années 1980, de rejoindre l'équateur à cheval en partant du cercle arctique, vêtu comme de juste d'habits en peau de daim cousus main. Le taré de service, en somme. Ce fut tout juste s'il sortit vivant du Yukon et des Rocheuses. Des malfaiteurs armés de machettes l'attaquèrent au Mexique et il dut franchir des fleuves en crue au Guatemala à la nage au côté de sa monture. Cela dit, il se plut dans la jungle, ce qui explique que M. Montagne vive aujourd'hui encore en Amérique centrale, dans un lieu qui ne figure sur aucune carte. Dommage qu'il soit si difficile de le contacter ! déplore CuChullaine O'Reilly ; ce serait amusant de réunir Eugene Glasscock et Eustace Conway un week-end, « le temps qu'ils se racontent leurs aventures en picolant et en grignotant des opossums ».

« Personne n'est en mesure de comprendre Eustace, affirme-t-il. Quand un Américain de nos jours rencontre Eustace Conway sur son cheval, c'est le XXIe siècle qui se heurte à une tradition nomade vieille de six millénaires ; une tradition qui remonte à une époque si reculée que bien peu sont encore à même de l'apprécier ou de la rattacher à leur propre culture. La notion de communication interspécifique ne signifie plus rien pour nos contemporains. Ils ne se rendent pas compte qu'Eustace ne se sert pas de sa connaissance des chevaux pour accroître son prestige ni collectionner des médailles ou des trophées mais qu'il y voit au contraire un moyen d'établir un lien avec un animal pour partager avec lui des expériences incommunicables avant de parvenir enfin de l'autre côté du miroir. »

Ce n'est pas tout : le plus grand expert au monde en randonnées équestres reste convaincu qu'Eustace Conway n'a pas fini de nous étonner. Selon lui, Eustace ne nous a pas encore donné la pleine mesure de ses capacités alors qu'il semble de taille à se lancer « dans une aventure surhumaine du genre de celle de Jason et des Argonautes. Enfin, peut-être. »

Pourquoi « peut-être » ?

« Parce que, explique notre spécialiste, je crois qu'Eustace vient d'atteindre un palier dans sa vie. Il est allé aussi loin qu'il le pouvait avec son charisme et son courage. À présent, il lui faut s'embarquer dans un voyage spirituel. Il a besoin d'accomplir quelque chose qui ne regarde que lui. Il joue un rôle public depuis tant d'années qu'il ne se connaît toujours pas. Son âme possède des facettes qu'il ne soupçonne même pas et, tant qu'il n'aura pas éclairci certains aspects de sa personnalité, il ne deviendra jamais le nomade qu'il est pourtant appelé à devenir. Il ne manque pas de cran, non ; ce qu'il lui manque, c'est d'entreprendre un pèlerinage spirituel. Tant qu'il ne se lancera pas seul à l'assaut du monde, qu'il ne larguera pas les amarres et qu'il ne renoncera pas à sa renommée, son ego et toutes ces foutaises et qu'il n'accomplira pas une action vraiment héroïque, il se contentera de péter plus haut que son cul. Je vais vous dire encore autre chose : il n'a rien d'un fermier. Il ferait mieux d'arrêter de jouer au cul-terreux. Ce n'est pas dans sa nature. Il faut qu'il tire un trait là-dessus. Il vaudrait mieux pour lui aussi qu'il renonce à sauver le monde. Parce que tant qu'il vivra dans l'ombre de son grand-père en prétendant que ça l'amuse de creuser des trous dans la terre pour y planter des saletés de légumes, il ne deviendra jamais le Jason des Argonautes.

« Mais bon, ajoute tout de même CuChullaine O'Reilly, tout ça n'engage que moi. »

CHAPITRE 8

Moi seul ai conçu un projet digne de ce nom et moi seul ai une idée du moyen de le réaliser.

Charles FOURIER

Le grand-père d'Eustace Conway fonda le camp Séquoia en 1924. Il dirigerait son domaine d'une poigne de fer jusqu'à ce qu'il meure d'une crise cardiaque à quatre-vingts ans. Il se tua à la tâche, blanchi sous le harnais, comme on dit, sans avoir une seule fois ralenti le rythme – ni, d'ailleurs, nommé son successeur. Au lendemain de son enterrement, on s'aperçut que rien n'avait été prévu pour que le camp continue à fonctionner après sa disparition. Chef avait toujours eu de nombreux employés, mais il ne se fiait à aucun d'eux ; du moins pas assez pour passer la main. Il n'estimait personne de sa connaissance en mesure de s'occuper de son bien-aimé camp Séquoia « où les faibles parviennent à la force et où les forts parviennent au pinacle » ; du moins, en respectant ses exigences draconiennes.

Dès l'arrivée au camp Séquoia des campeurs et des moniteurs, Chef prenait en charge le moindre aspect de leur existence. Il leur imposait leur tenue vestimentaire, l'heure à laquelle ils prenaient de l'exercice, celle où ils priaient, et même la nourriture qu'ils ingurgitaient. Un moniteur se rappelle que Chef Johnson lui infligea un jour un exposé d'une heure sur l'art et la manière de balayer une chambre. Un autre moniteur reçut un sermon sur les trombones. (« La boucle la plus grande doit se retrouver au dos du document ; la plus petite, sur le devant. ») Naturellement, Chef interdisait le tabac, les jurons et l'alcool au camp, mais il en bannissait aussi le Coca, le vinaigre, le poivre et les blue-jeans. Une rumeur prétendait que Chef versait du bromure dans la compote de pommes pour « refréner les désirs » en éloignant des garçons la tentation du plaisir solitaire. (« C'est vrai qu'on en a mangé, là-bas, de la compote de pommes », me confirma un ancien du camp Séquoia à qui j'en touchai un mot.) Il fallait que les coupes de cheveux laissent les oreilles dégagées et que les campeurs portent des chemises blanches repassées le dimanche. Les infirmières du camp (les seules employées de sexe féminin) devaient incarner une figure maternelle sans beauté afin de ne pas susciter de troubles. Les progrès des membres du personnel faisaient l'objet d'une évaluation du début à la fin de l'été. Leur loyauté, leur propension à endosser des responsabilités et leur magnétisme leur valaient une reconnaissance assurée.

Chef n'acceptait aucun compromis. Il n'adressait pas de compliments. Personne ne se débrouillait jamais assez bien compte tenu de ses exigences. Personne ne trimait plus dur ni plus efficacement que lui. L'aménagement du camp au sein d'une nature indomptée résulta de la seule force de son génie. Il dut en baver, les premiers hivers là-bas, dans sa cabane en rondins. Il détermina lui-même les principes philosophiques du camp, qui le rendaient unique en son genre, en construisit les moindres bâtiments et continua même à le faire fonctionner (et prospérer) pendant la rude époque de la crise de 1929 et la Seconde Guerre mondiale. Qui méritait donc de donner des conseils à Chef Johnson ? Personne. Comme le dirait son petit-fils Eustace cinquante ans plus tard, en se plaignant dans son journal de la médiocrité des moniteurs à l'île de la Tortue : « J'ai travaillé d'arrache-pied pour que cet endroit devienne ce qu'il est. Qu'est-ce qu'ils ont fait, les autres ? Est-ce qu'ils se sont investis dans la moindre entreprise qui ait constitué pour eux un défi ? Comment m'en accommoder ? »

Eh bien, en exerçant un pouvoir absolu sur les corps comme sur les âmes, par exemple. Ce fut la solution pour laquelle opta Chef. Il organisait à l'intention des campeurs des « causeries » en fonction de leur âge où il discutait de Dieu et de la Nature, de l'Honnêteté et du Courage ou encore de l'art d'incarner un Destin ; le tout assaisonné de mises en garde contre la Masturbation et le Flirt. Il évoquait devant de jeunes garçons « L'incidence d'une vie sexuelle rationnelle sur la vie de couple et la descendance » (Causerie n° 5) ou « Les maladies vénériennes » (Causerie n° 6). Chef restait en contact avec les campeurs bien après la fin de la colonie, alors que le camp accueillait des milliers de garçons chaque année. Il leur envoyait des petits mots d'encouragement à Noël et, aux moments clés de leur vie, des brochures qu'il rédigeait lui-même :

Lettre ouverte aux élèves qui s'apprêtent à quitter le domicile familial pour entrer en classe préparatoire

Lettre ouverte aux jeunes hommes sur le point d'entrer à l'université

Lettre ouverte aux jeunes hommes à la veille de leur vingt et unième anniversaire

Lettre ouverte aux jeunes hommes près de se marier

Lettre ouverte aux jeunes hommes qui viennent de devenir pères

Chef les considérait tous comme ses fils. En grandissant, ils deviendraient médecins, juges, professeurs, soldats : l'épine dorsale du sud des États-Unis pendant des décennies. Leur réussite était dans une certaine mesure celle de Chef. Une maman lui adressa un courrier dans les années 1950 l'assurant que son fils, un ancien du camp Séquoia, venait de passer deux années dans la marine sans y acquérir « les déplorables habitudes qui valent leur mauvaise réputation aux marins. Je crois que les principes qui lui ont été inculqués au camp Séquoia continueront de le guider encore longtemps sur la bonne voie ».

Chef considérait tous les campeurs comme ses fils ; ce qui ne l'avait pas empêché de donner naissance à deux garçons : Harold et Bill Johnson, les frères de Karen, la mère d'Eustace Conway.

« Les jeunes de chaque génération doivent être conscients du rôle qu'une partie d'entre eux auront le privilège de jouer dans le progrès de l'humanité vers une plus noble destinée », écrivit un jour Chef. Or, aucun jeune homme ne sentait une aussi lourde responsabilité lui peser plus que les fils de Chef. Harold et Bill firent les quatre cents coups, en rébellion contre l'autorité de leur père (ce dont on ne s'étonnera pas outre mesure). À quinze ans à peine, ils fumaient déjà et buvaient en se repliant sur eux-mêmes quand ils ne tenaient pas tête à leur entourage. Ils roulaient sans arrêt à tombeau ouvert ou tiraient des coups de feu pour le plaisir d'en tirer. La rage au ventre en permanence. Impossible de les raisonner.

« Ils incarnaient tout l'opposé, se rappelle un ancien du camp Séquoia, de ce que Chef attendait de ses fils. C'est-à-dire la perfection, ni plus ni moins. »

Chef ne comprenait pas pourquoi ses fils s'écartaient du droit chemin. Peut-être la faute en incombait-elle à leur mère ? Madame Chef (c'est sous ce sobriquet qu'elle passerait à la postérité) désappointa son mari faute d'exiger de leurs enfants une discipline aussi rigoureuse qu'il l'eût souhaitée. Mais bon… Il fallait s'y attendre ! Madame Chef n'arrivait pas à la cheville de son époux en matière d'intransigeance. Pianiste de talent, diplômée de l'université, citadine raffinée mais frustrée, en proie à des sautes d'humeur imprévisibles, Madame Chef en voulait à la terre entière de se retrouver coincée au fin fond des bois auprès de milliers de garçons. Émotive, elle était affligée d'un « tempérament artistique », comme on disait alors par délicatesse. À l'inverse de son mari, qui maintenait l'emprise d'une logique implacable sur les aspects même les plus bestiaux de la nature humaine, il arrivait à Madame Chef de hurler à en perdre la tête dans des accès de rage. Il lui arrivait aussi de se glisser en catimini au piano où elle jouait des airs de ragtime d'une gaieté insouciante quand son mari ne se trouvait pas à portée d'oreille. Sans doute aimait-elle aussi le poivre.

Peut-être fallait-il donc jeter la pierre à Madame Chef ? Ce fut en tout cas ce qu'en conclut son mari. Leurs fils prirent le large à la première occasion venue. Ce fut Harold, l'aîné, qui causa le plus de soucis à son père. *Tu ne sais pas implorer ?* Non, Harold Johnson ne savait ni implorer ni se soumettre. Il ne supportait pas de vivre sous le même toit que son père. Comme le neveu de Harold, Eustace, le confierait à son journal d'adolescent, des années plus tard : « Ce serait une bêtise de m'enfuir. Pourtant, je crois que je m'épanouirais plus en forêt. Si je m'en vais un jour, je me débrouillerai pour ne plus jamais revenir. Tant pis si je meurs de faim ! N'importe quoi, mais pas ça ! ».

À dix-sept ans, Harold partit en Alaska. À l'instar de plusieurs générations d'Américains avant lui, il fit route vers la frontière pour échapper à l'autorité de son paternel. Il ne supportait plus sa présence : impossible de dialoguer avec lui. Son père ne complimentait jamais Harold, il ne lui passait rien, ne lui laissait pas le moindre espace de liberté. Harold voulait devenir un grand homme. Or, il ne tarda pas à se rendre compte qu'il n'y avait pas de place pour lui et son père dans la même ville. Harold prit donc le large.

Depuis qu'il avait lu Jack London, l'envie le démangeait de partir à l'aventure dans le Grand Nord. À son arrivée à Seward, il ne lui restait plus que cinquante cents en poche : il mourait de faim, seul au monde et pas très rassuré, mais pas question pour autant de retourner au camp Séquoia. Ça non ! Il trouva du travail sur un chantier puis il s'acheta une moto avant de suivre des cours de mécanique. À la veille de la Seconde Guerre mondiale, il s'engagea dans la marine (à la consternation de son père, pacifiste convaincu depuis qu'il avait été témoin du carnage dans les tranchées en France). Harold enseigna l'art de survivre en pleine jungle à des pilotes de l'Air Force à Hawaï. Au lendemain de la guerre, peu désireux de retourner dans le Sud, il ouvrit un commerce après l'autre en Alaska : d'abord de crème glacée, puis de bateaux et, pour finir, de développement de diapos par correspondance. Il se mit ensuite à fabriquer et vendre des générateurs ; entreprise ô combien lucrative dans un État qui ne disposait alors d'aucune centrale électrique. Puis il se lança dans la fabrication de moteurs Diesel et devint millionnaire. Il mesurait près de deux mètres et, bien charpenté, ne manquait pas d'allure. Il avait la réputation d'un travailleur acharné, d'un homme charismatique au bras long, d'un génie de l'autopromotion qui ne lançait pas de compliments à la légère et se fichait pas mal de l'opinion des autres.

Quand Chef Johnson mourut à quatre-vingts ans, il ne se trouva personne pour prendre la relève au camp Séquoia. Aucun des fils de Chef ne voulut s'en occuper. Harold, qui détestait le Sud, avait un empire financier à gérer en Alaska. Bill, le plus jeune, avait opté pour la profession honnie entre toutes de promoteur immobilier. Il exprima le souhait de vendre une partie du magnifique domaine boisé de son père (que celui-ci avait tant lutté pour préserver) afin d'y bâtir des lotissements.

Un point essentiel mérite ici qu'on s'y attarde un instant : pas un seul membre de la famille Johnson ne semble avoir songé à la fille de Chef pour sa succession. En dépit du profond attachement de Karen aux idéaux de son père et de sa capacité à se tirer d'affaire en pleine nature, jamais elle ne figura au nombre des candidats à la direction de la colonie. Peut-être ses proches ne l'estimaient-ils pas de taille à endosser une telle responsabilité. En tout cas, le mari de Karen, lui, rêvait de prendre la relève de son beau-père ; il mourait d'envie qu'on lui laisse les rênes du camp. Or, ce fameux mari n'était autre qu'Eustace Robinson Conway III.

C'est-à-dire Grand Eustace, qui, une fois diplômé du MIT, décida de travailler au contact d'enfants en pleine nature au camp Séquoia. Grand Eustace (l'un des moniteurs vedettes du camp : motivé, brillant, énergique et en parfaite condition physique) raffolait de la vie à la dure. Il détenait le record de la plus longue marche à pied au camp. Excellent professeur, doué d'une patience d'ange, il savait y faire avec les jeunes garçons. Tout le monde l'adorait, au camp Séquoia. (Je suis allée un jour à une réunion d'anciens de la colonie où des hommes d'un certain âge, en m'entendant parler d'Eustace Conway, se sont écriés : « Il est là ? Mon Dieu ! Qu'est-ce que je ne donnerais pas pour le revoir ! Jamais personne ne m'a enseigné autant de choses à propos de la nature ! Cet homme, je le vénérais ! » Il m'a fallu un certain temps pour faire le calcul et en déduire que ces types parlaient en réalité du père de mon Eustace.) Guidé par la logique mais passionné par les forêts, Grand Eustace s'estimait apte à prendre un jour la relève de Chef. Comme il l'a spontanément reconnu devant moi, il a épousé Karen Johnson « en partie pour ce qu'elle était et en partie pour mettre la main sur le camp de son père ».

Il faut reconnaître qu'il aurait fait merveille. Comme s'en souviendrait plus tard un ancien du camp, Grand Eustace se montrait « aussi strict, aussi impliqué et aussi compétent que Chef en personne. Nous supposions tous qu'il assumerait la direction du camp un jour. C'était encore lui qui s'approchait le plus de l'administrateur idéal dont rêvait Chef ». Celui-ci mourut hélas sans laisser d'instructions à propos de son successeur. Harold et Bill se déclarèrent prêts à se battre jusqu'au bout pour empêcher leur beau-frère de prendre le contrôle du camp. Ils détestaient le mari de leur sœur à cause de sa supériorité intellectuelle, qu'il ne manquait jamais de leur faire sentir. Ils le tenaient pour un opportuniste et refusèrent de le laisser ne serait-ce que s'approcher du camp.

Celui-ci continua de fonctionner pendant des années, tant bien que mal à cause de la mauvaise gestion de directeurs sans envergure étrangers à la famille. Quant à Grand Eustace, il fit une croix sur son rêve de sensibiliser les jeunes à la nature pour accepter un poste d'ingénieur dans une usine chimique. Il habiterait dorénavant à l'intérieur d'une boîte, travaillerait dans une boîte et se rendrait d'une boîte à l'autre à bord d'une autre boîte sur roues. Jamais plus il ne mettrait les pieds au camp Séquoia. Quand il s'aperçut que Petit Eustace, un garçon volontaire et farouche, préférait les bois à l'école, Grand Eustace se mit à lui reprocher son comportement « anormal. Tu es aussi têtu et impossible à vivre que tes oncles Johnson ».

Le camp finit par tomber en quenouille. Plus personne n'occupa les cabanes en rondins de construction artisanale. À l'époque où le camp fut définitivement laissé à l'abandon, dans les années 1970, Petit Eustace, adolescent, était déjà un meneur d'hommes accompli apte à se débrouiller dans les bois : il avait convaincu les enfants de son quartier de se relayer du matin au soir pour veiller sur sa collection personnelle de tortues.

« Je veux le camp Séquoia ! s'écria Petit Eustace. Donnez-le-moi ! Laissez-moi le diriger ! Je sais que j'en suis capable ! »

Bien entendu, personne ne l'écouta. Ce n'était encore qu'un enfant.

Été 1999.

Quand Eustace Conway s'en retourna chez lui, à l'île de la Tortue, après sa traversée de l'Amérique à cheval et sa randonnée en cabriolet, il trouva son paradis dans un état, ma foi… déplorable.

À l'issue d'années d'agrandissements et de transformations, l'île de la Tortue était passée du statut de réserve naturelle à l'état sauvage à celui de ferme à la mode d'antan, à l'organisation rodée et à la productivité remarquable. Des constructions traditionnelles réalisées par Eustace en personne s'y dressaient un peu partout : pour commencer, le bâtiment administratif qui ne fonctionnait qu'à l'énergie solaire, puis un confortable dortoir à l'usage des visiteurs, au plan copié sur celui de l'étable d'un voisin et à l'entrée duquel un écriteau indiquait « À tout le monde ».

Eustace s'était construit une ravissante remise à outils sur le modèle de ce qui se faisait du temps de Daniel Boone : une porte en panneau de chêne fendu à la main, aux charnières de fabrication artisanale, et des rondins aux interstices comblés par un mélange de lisier et d'argile. Eustace s'inspirait de bâtiments aperçus sur des sites historiques classés. Il se construisit un enclos à cochons dans la plus pure tradition des Appalaches (la palissade se composait de morceaux de bois taillés pour s'emboîter les uns dans les autres), ainsi qu'un poulailler aux fondations en pierre enfouies à plus de vingt centimètres sous terre pour empêcher des prédateurs de voler des œufs en creusant le sol, sans oublier un silo à maïs en pin « et tant pis si, d'ici une centaine d'années, quelqu'un s'en plaint. Il fallait bien que j'en vienne à bout ». Il bâtit une forge en robinier et en chêne, à l'emplacement d'un atelier de forgeron vieux de deux siècles, c'est-à-dire datant de l'époque où l'île de la Tortue correspondait au seul point de passage des alentours. Il réutilisa les pierres des bâtiments d'origine pour les murs de la forge où il ferre aujourd'hui ses chevaux. Il aménagea une cuisine en plein air. En l'espace d'un été à peine, à l'aide d'une équipe de dizaines de jeunes gens qui n'avaient jamais rien bâti de leur vie, il édifia sans la moindre planche sciée une écurie en robinier, en pin et en peuplier de douze mètres de haut, au toit en auvent soutenu par des poutres de dix-huit mètres de long, dotée de six box à chevaux et couverte de milliers de bardeaux taillés à la main.

Mais je ne vous ai pas dit le plus beau…

Au plus fort de cette fièvre bâtisseuse, un professeur d'anthropologie de Caroline du Nord entendit parler de ce talentueux jeune homme qui vivait là-haut dans la montagne, édifiait des constructions sans le moindre clou et tirait ses seules ressources de la terre en élevant du bétail. Intriguée, elle envoya l'un de ses étudiants à l'île de la Tortue demander à Eustace s'il ne voudrait pas expliquer à sa classe comment il était parvenu à un tel résultat. Eustace réfléchit à la proposition, comme il se devait. Puis il renvoya l'étudiant en lui transmettant ce message laconique à l'intention de sa brave enseignante : « Dites-lui que je suis parvenu à un tel résultat à force de me crever le cul ».

Gérer l'île de la Tortue n'était pas une mince affaire. La seule exploitation de la ferme (sans même tenir compte des programmes éducatifs) nécessitait un travail considérable. Il fallait s'occuper des vaches, des chevaux et des dindes, nettoyer l'étable et l'écurie, réparer les clôtures, labourer les pâturages et cultiver le potager, sans oublier d'engranger du foin. Rien que l'entretien du domaine réclamait un temps fou. Avant de se lancer dans ses équipées à cheval, Eustace confia sa propriété à ses apprentis, non sans appréhension. Il leur remit des listes de points à surveiller et leur infligea même un ou deux sermons afin de s'assurer qu'ils comprenaient bien leur mission. Au bout du compte, il limita toutefois ses recommandations à deux principes incontournables : « S'il vous plaît, supplia Eustace. Ne laissez mourir aucune de mes bêtes et ne mettez pas le feu aux bâtiments ».

À son retour, aucune bête n'était morte et pas un seul bâtiment n'avait pris feu, mais l'île de la Tortue sombrait dans le chaos. De mauvaises herbes envahissaient le potager. Il fallait réparer les ponts. Les chèvres ne paissaient pas là où elles l'auraient dû. Des ronces masquaient les chemins. Personne n'avait pensé à distribuer de brochures aux écoles : aucun groupe scolaire ne viendrait donc à l'automne ; ce qui signifiait qu'Eustace se retrouverait à court d'argent l'hiver suivant.

Ses employés ne manquaient pourtant pas de cœur à l'ouvrage ! Le hic, c'est qu'Eustace n'en avait pas encore rencontré un seul qui lui parût assez digne de sa confiance pour assumer la direction de l'île de la Tortue en son absence en permettant à son domaine de prospérer. Bien entendu, ça ne doit pas être simple de dénicher quelqu'un qui soit prêt à consacrer autant de temps qu'Eustace à sa ferme. Certains de ses apprentis faisaient merveille auprès des visiteurs. D'autres s'en sortaient mieux avec le bétail. D'autres encore étaient d'excellents travailleurs manuels. Certains avaient la fibre commerciale. Mais aucun d'eux ne se sentait la force de se charger de l'ensemble de ce dont s'occupait Eustace, c'est-à-dire d'absolument tout, et aucun d'eux n'accepterait de consacrer une journée entière à la construction d'une étable pour passer la nuit suivante au téléphone ou à remplir de la paperasse.

Il lui fallait un clone, ni plus ni moins.

Au lieu de quoi, il engagea un gestionnaire de projets : un jeune botaniste de talent qui prendrait en charge le camping et la colonie de vacances en laissant Eustace se concentrer sur ce qui lui tenait le plus à cœur : ses apprentis. À l'entendre, ceux-ci lui offraient une occasion unique d'exercer une influence indirecte des plus salutaires sur l'ensemble de ses contemporains. À vrai dire, Eustace se demandait depuis belle lurette s'il parviendrait un jour à changer la société américaine en ne s'occupant que de groupes de campeurs arrivés là au petit bonheur la chance.

« Me voilà assis sur l'herbe fraîchement tondue au pied du noyer du parking, confia-t-il à son journal en pleine crise morale, peu après l'ouverture au public de l'île de la Tortue. Il va falloir que je prépare à souper pour les délinquants du groupe de “jeunes à risques”. Je n'ai pas envie de me confronter à eux. Tant pis s'ils en souffrent ! Ils peuvent bien mourir, pour ce que je m'en soucie ! Voilà l'attitude que j'en suis venu à adopter vis-à-vis d'eux, compte tenu de leur manque de respect destructeur. Je me sens faible [...]. Je me demande si je souhaite vraiment faire de ce domaine ce dont j'ai tant rêvé. Je sais pourtant que j'en suis capable. Je pourrais très bien y parvenir, mais est-ce que j'y tiens pour de bon ? »

Eustace souhaitait s'investir dans une relation intime de maître à élève qu'il ne pourrait développer à long terme qu'avec les stagiaires placés sous sa responsabilité directe. À la fin, ceux-ci retourneraient chez eux en possession d'un savoir-faire qu'ils transmettraient à leur entourage, qui à son tour diffuserait le message, et ainsi de suite. Au final, le changement se produirait bel et bien, plus lentement, sans doute, qu'Eustace le rêvait à vingt ans, mais il se produirait tout de même.

Eustace n'en doutait pas. Enfin… presque pas.

Il était une fois une fille. Une hippie. Qui se prénommait Alice. Alice, qui aimait la nature plus que tout, souhaitait vivre dans les bois en autarcie. Sa sœur, qui connaissait Eustace Conway, lui dit : « Alice, voilà l'homme qu'il te faut ». Alice entra en contact avec Eustace. Elle lui exprima son souhait de vivre en harmonie avec la nature, comme lui. Un après-midi, elle vint à l'île de la Tortue. Eustace l'emmena faire le tour de la propriété puis il lui remit quelques dépliants en lui proposant de l'engager comme apprentie. Alice embrassa du regard les ruisseaux qui clapotaient, les arbres qui ondoyaient sous le vent, les animaux de la ferme qui paissaient dans les champs et la pancarte à l'entrée qui souhaitait la bienvenue aux visiteurs (*Pas de chemise, pas de chaussures, pas de problème !*). Elle se dit alors qu'elle venait de débarquer au paradis.

Sans prendre le temps de réfléchir à sa proposition comme il venait cependant de le lui conseiller, Alice écrivit à Eustace que « mon instinct me pousse à dire OUI ! À en juger par le peu que j'ai vu et lu, l'île de la Tortue saura combler mes aspirations les plus profondes. On dirait un rêve devenu réalité. Je tiens aussi à te remercier de ton accueil. Ce serait un honneur pour moi de m'installer, d'apprendre, de travailler et de m'amuser avec toi dans ton domaine. Je me rappelle que, petite fille, je regardais *La Petite Maison dans la prairie* en rêvant qu'un jour, je mènerais le même genre de vie. Je me consacrerais à ma famille en plein cœur de la nature. Ah… La belle existence que voilà ! ».

Au bout de sept mois à l'île de la Tortue, Alice fit parvenir à Eustace une lettre au ton quelque peu différent :

« À mon arrivée ici, j'ai demandé un jour de repos par semaine. Tu m'as répondu que je ne le méritais pas. Et pourtant, Jennie a obtenu un jour de congé dès la deuxième semaine qu'elle a passée ici. Tu lui as montré comment dépouiller un cerf alors que j'ai dû me casser le cul pour que tu me considères comme l'une de tes apprenties […] ; tu m'obliges à trimer tellement dur […] ; tu me donnes le sentiment que je ne vaux rien […] ; je ne me sens pas la bienvenue ici […] ; tu prétends que, plus tu apprends à me connaître, plus je te déçois […] ; tu m'as obligée à travailler dix à douze heures par jour […] ; il me semble que je n'ai pas ma place ici. »

Là-dessus, Alice tourna les talons. Congédiée. Fichue à la porte.

D'où venait le problème ? Comment a-t-on pu passer en sept mois du « Ah… La belle existence que voilà ! » à « il me semble que je n'ai pas ma place ici » ?

Si l'on en croit Eustace, le problème venait d'Alice : une hippie, une rêveuse et, surtout, une tire-au-flanc. Elle conservait des séquelles de sa consommation antérieure de drogues : elle réfléchissait lentement, avait souvent l'esprit ailleurs et surtout du mal à retenir ce qu'on lui expliquait. Elle manquait de rapidité autant que d'efficacité. Impossible de lui enseigner quoi que ce soit, peu importe le nombre de fois où on lui répétait la leçon. En plus, elle absorbait toute l'énergie d'Eustace : elle voulait sans arrêt s'asseoir dans son bureau pour lui parler de la nature, de ce qu'elle ressentait, des rêves qui lui venaient la nuit et des poèmes qu'elle composait.

Pour couronner le tout, Eustace craignait qu'Alice ne provoque sans le vouloir un accident qui lui coûterait la vie, à elle ou même à quelqu'un d'autre. Elle multipliait les étourderies en laissant par exemple une bougie se consumer sans surveillance sur l'appui de fenêtre d'une construction en bois. À plusieurs reprises, elle s'aventura, perdue dans ses songes, à l'emplacement d'une future prairie où Eustace abattait des arbres. Pire encore : un jour qu'Eustace voulait faire un tour à bord d'un cabriolet tracté par un jeune cheval fougueux qu'il souhaitait dompter, Alice dénoua la longe en oubliant de remettre les rênes à Eustace au préalable. Le cheval partit aussitôt comme une flèche en entraînant Eustace à sa suite. Celui-ci se raccrocha de son mieux au cabriolet en espérant ne pas y laisser sa peau et en se demandant à quel endroit il pourrait bien sauter à terre sans se faire trop mal. Il finit par plonger la tête la première à quarante kilomètres à l'heure dans un buisson où il se blessa grièvement. Le cheval, lui, mit en pièces le cabriolet en l'envoyant valser contre la forge, où il se blessa à son tour.

« Je venais de passer des mois à rafistoler ce cabriolet, une véritable pièce de collection, se rappelle Eustace, et voilà qu'il n'en restait plus rien ! Deux mille dollars partis en fumée ! Et ce n'est pas le pire… Dix mille dollars n'auraient pas suffi à compenser le préjudice psychologique subi par le cheval. Il m'a fallu près d'un an pour le rassurer assez pour qu'il se laisse de nouveau atteler à un cabriolet. Et tout ça, à cause de la négligence d'Alice. »

Deux semaines plus tard, elle commit une fois encore la même erreur ; ce qui décida Eustace à la renvoyer. Cela devenait trop dangereux de la garder, perdue comme elle le semblait en permanence dans le monde enchanteur de *La Petite Maison dans la prairie.*

Ce n'est jamais facile de renvoyer un apprenti ; d'autant qu'Eustace met un point d'honneur à prétendre que n'importe qui peut vivre à la manière des peuples primitifs et qu'il est capable de transmettre ses connaissances à tout le monde sans exception. Il le prend comme un échec, quand il doit annoncer à quelqu'un : « Il faut que tu t'en ailles parce que tu ne retiendras jamais rien » ou « parce que tu nous rends la vie impossible ». Quel moment terrible quand le refrain d'Eustace Conway passe de « Tu en es capable ! » à « Tu n'y arriveras jamais ! ».

J'ai demandé un jour à Eustace quel pourcentage de ses apprentis quittaient l'île de la Tortue déçus et amers ou sur un coup de colère. Sans hésiter, il m'a répondu : « Quatre-vingt-cinq pour cent. Encore que… Mon gestionnaire de projets te donnerait sans doute un chiffre plus proche de quatre-vingt-quinze pour cent. »

Ne chipotons pas : arrondissons à quatre-vingt-dix pour cent. Difficile d'envisager un tel taux d'attrition sans accuser Eustace de mauvaise gestion des ressources humaines. Après tout, l'île de la Tortue, c'est son domaine à lui ; il est responsable de ce qu'il s'y passe. S'il ne parvient pas à conserver la plupart de ses apprentis, c'est que quelque chose cloche dans sa façon de procéder. Si je détenais des actions d'une compagnie où quatre-vingt-dix pour cent des employés démissionnent ou se font licencier chaque année, l'envie me démangerait de poser au P-DG quelques questions bien senties sur sa politique de management.

D'un autre côté, peut-être qu'un tel chiffre ne doit pas surprendre outre mesure. Peut-être qu'il n'y a rien d'étonnant à ce que l'adaptation à l'île de la Tortue n'aille pas de soi. Peut-être qu'une personne sur dix à peine est susceptible de s'y plaire. Et si l'on risquait une comparaison avec les forces spéciales de combat de la marine ? Combien de pertes à déplorer parmi les recrues chaque année ? Or, qui reste-t-il après que la plupart ont baissé les bras ? Les plus forts, non ? Le hic, c'est que ceux qui partent s'installer à l'île de la Tortue ne comptent pas forcément parmi les plus aptes à s'y acclimater.

« Il faut toujours que j'attire des gens qui rêvent de la nature mais n'en ont aucune expérience, se lamente Eustace. Ils débarquent ici, et tout ce qui leur vient à l'esprit comme élément de comparaison, c'est ce qu'ils ont vu à la télé, "Waouh !" qu'ils me disent, "on se croirait sur la chaîne Nature". »

L'un des apprentis qui m'a le plus touchée à l'île de la Tortue se nommait Jason. Jeune et plutôt futé, il s'exprimait d'une voix douce et avait grandi en banlieue au sein d'une famille aisée jouissant d'un certain confort, en fréquentant des écoles privées hors de prix. Quand j'ai demandé à Jason pourquoi il voulait passer deux années de sa vie auprès d'Eustace Conway, il m'a répondu : « Parce que j'ai toujours été malheureux et que je ne savais pas où aller pour trouver mon bonheur ».

Accablé par la disparition prématurée de son père qu'il adorait, déçu par « l'étroitesse d'esprit typiquement chrétienne » de sa mère, exaspéré par ses professeurs « bons à rien », écœuré par ses condisciples « qui – bande d'ignares ! – ne veulent pas écouter mes chansons truffées de mises en garde contre la destruction de l'environnement », Jason venait d'abandonner ses études universitaires. Quand il entendit parler d'Eustace, il se convainquit que l'illumination qu'il espérait tant lui viendrait à l'île de la Tortue. Eustace lui apparut sous les traits d'un héros plus vrai que nature qui « se lance dans le monde à la rencontre de son destin sans crainte des obstacles semés sur son chemin et qui réussit à faire fonctionner ce que la plupart des gens se contentent de voir péricliter ».

Jason prit la décision pleine de panache de se rendre à l'île de la Tortue à pied depuis Charlotte pendant les vacances de Noël, mais il renonça au bout de huit kilomètres : il pleuvait à verse, son sac à dos lui sciait les épaules et il ne savait ni où passer la nuit ni comment rester au sec. Le moral dans les chaussettes et l'estomac dans les talons, il contacta sa petite amie depuis une station-service. Bien entendu, elle vint aussitôt le conduire à l'île de la Tortue en voiture.

Jason rêvait de vivre en parfaite autarcie. Il ne voulait pas avoir affaire à des Américains bêtement matérialistes dépourvus de la moindre authenticité. Il envisageait de s'installer en Alaska pour y établir son domaine à l'orée de l'ultime frontière. Il ne voulait tirer ses ressources que de la terre et il espérait qu'Eustace lui montrerait comment s'y prendre. Il s'imaginait qu'il mènerait une vie meilleure en Alaska où « un homme peut encore chasser pour se nourrir, lui et sa famille, sans s'embarrasser d'une bureaucratie tatillonne qui lui réclame un permis de chasse ».

« Tu as déjà chassé ? ai-je demandé à Jason.

– Eh bien, non ; pas encore », m'avoua celui-ci en esquissant un sourire un peu gêné.

Jason offre le parfait exemple du jeune gars en manque de repères qui s'attend à trouver une boussole auprès d'Eustace. Il voulait que quelqu'un lui indique un moyen de devenir un homme au sein d'une société qui ne lui en proposait aucun. À l'instar d'Eustace qui, adolescent, s'était mis en quête d'un rite de passage à l'âge adulte, Jason désirait accomplir une espèce de cérémonie qui orienterait son évolution ultérieure. Il ne connaissait personne sur qui prendre modèle. Sa culture ne lui proposait aucune forme d'initiation et son milieu social ne lui avait pas inculqué une seule des compétences qui le fascinaient tant. En somme, et de son propre aveu, il se sentait perdu.

Son cas illustre à merveille le problème culturel ô combien dérangeant sur lequel Joseph Campbell a passé tant d'années à attirer l'attention. Que deviennent les jeunes dans une société en mal de rituels ? L'adolescence, dans la mesure où elle marque une période de transition, comporte de nombreux écueils. Or, au cours des phases de transition, notre culture est censée nous protéger, nous maintenir à l'abri du danger et nous fournir des réponses aux questions troublantes qui nous hantent à propos de notre identité et de notre évolution – et ce, afin de nous éviter de nous détacher de la communauté lors de nos voyages intérieurs les plus éprouvants.

Dans certaines sociétés primitives, un jeune garçon subissait parfois une année entière de rites initiatiques avant de devenir enfin adulte. On lui imposait des scarifications ou des épreuves physiques, quand on ne l'envoyait pas méditer dans la solitude. Il revenait ensuite parmi les siens, qui le considéraient dès lors comme un homme nouveau. Il savait quand il quittait l'enfance et ce qu'on attendait de lui : il lui fallait assumer un rôle clairement établi. À quoi un Américain de nos jours est-il censé comprendre qu'il vient d'atteindre l'âge adulte ? À l'obtention de son permis de conduire ? À son premier joint ? À sa première relation sexuelle sans protection avec une jeune fille qui ne sait pas si elle est fondée à se considérer comme une femme ou non ?

Jason, lui, ne savait plus quoi penser. Il n'était certain que d'une chose : il aspirait à une sorte de ratification de son entrée dans l'âge adulte. Or, sa vie d'étudiant ne la lui apportait pas. Il ignorait où trouver ce qu'il cherchait, mais il était persuadé qu'Eustace saurait lui venir en aide. Jason avait une petite amie très belle. Il caressait l'idée romantique de s'établir un jour avec elle en Alaska, mais, apparemment, elle avait d'autres projets en tête. Jeune, riche, brillante et féministe par réflexe, comme la plupart des filles de sa génération, elle brûlait d'envie de découvrir le vaste monde. D'infinies possibilités s'ouvraient à elle. Jason espérait qu'elle finirait par « se poser », mais ça me semblait peu probable : au bout de quelques mois, sans surprise, elle le quitta. Ce qui n'aida pas Jason à se sentir mieux dans sa peau d'homme en devenir.

Le mal-être de Jason me paraît symptomatique des jeunes Américains qui voient les filles de leur âge se lancer à l'assaut d'un monde nouveau en peinant à ne pas se laisser distancer. À quoi Jason se trouve-t-il confronté quand il se penche sur la société où il évolue ? À un monde en bouleversement constant miné par une crise environnementale et consumériste qui le révolte. Les hommes détiennent encore l'essentiel du pouvoir (tiens donc !), mais ils ne cessent de perdre du terrain. Les hommes diplômés de l'enseignement supérieur aux États-Unis ont vu leurs revenus diminuer de vingt pour cent en un quart de siècle. Leurs condisciples du sexe opposé font de meilleures études qu'eux. De nouvelles opportunités s'offrent chaque jour à elles. Une femme sur trois gagne plus que son mari. Sans compter que les femmes exercent un contrôle de plus en plus étendu sur leur destin économique et biologique : il n'est pas rare qu'elles choisissent d'élever leurs enfants seules, de ne pas en avoir du tout ou de se passer d'un géniteur grâce au miracle de la banque de sperme. En d'autres termes : notre société n'accorde plus aux hommes le rôle indispensable que leur réservait la tradition (et qui consistait à fonder une famille et à la protéger en subvenant à ses besoins).

J'ai assisté récemment à un match de basket féminin à New York. Plus jeune, je jouais assez bien au basket, mais, à l'époque, la WNBA (une ligue américaine professionnelle de basket-ball féminin) n'existait pas encore. J'ai donc suivi sa récente évolution avec beaucoup d'intérêt. Je me réjouis de voir s'affronter des athlètes de talent qui se battent aussi pour obtenir des revenus décents. Surtout, j'adore observer les spectatrices : une majorité d'adolescentes débordantes d'enthousiasme, qui reflètent la santé. À New York, ce soir-là, j'ai assisté à quelque chose d'incroyable. Une poignée de fillettes d'une dizaine d'années ont déplié une banderole où l'on pouvait lire :

W.N.B.A. = Who needs boys, anyhow ? (Qui a encore besoin des garçons ?)

Une clameur déchaînée s'est aussitôt élevée de la salle. Sur le coup, tout ce qui m'est venu à l'esprit, c'est que le grand-père d'Eustace Conway devait se retourner dans sa tombe.

En résumé : vu notre culture actuelle, il ne faut pas s'étonner qu'un gars comme Jason souhaite s'installer en

Alaska en revendiquant un noble et antique idéal de virilité. Cela dit, il restait à Jason une immense distance à parcourir, et pas seulement en termes de kilomètres, avant de mériter le titre de pionnier ou même de découvrir à quoi son destin l'appelait. Dieu sait pourtant que Jason se montrait de bonne foi ! Eustace appréciait sa compagnie, son sourire irrésistible et ses chansons où il appelait à préserver l'environnement, mais Jason possédait un ego aussi sensible qu'une plaie à vif ; ce qu'il compensait par un surcroît d'arrogance le rendant rétif à la moindre tentative de lui enseigner quoi que ce soit. En plus, il manquait du bon sens le plus élémentaire. La faute à son éducation surprotégée, sans doute. Peu après son arrivée à l'île de la Tortue, il emprunta l'une des camionnettes d'Eustace pour se rendre en Caroline du Sud. Sans y prendre garde, il roula du début à la fin à cent vingt kilomètres à l'heure en quatrième.

Comme me le confierait par la suite Eustace, qui n'en revenait toujours pas : « Je n'arrive pas à croire que ma camionnette ait tenu le coup aussi longtemps dans de telles conditions. »

Quand Jason parvint à destination, le moteur était mort.

« Tu n'as rien remarqué d'étrange ? lui demanda Eustace lorsque Jason lui passa un coup de fil pour l'avertir que le moteur venait "subitement" de rendre l'âme.

– Le moteur faisait un bruit fou, reconnut Jason. Ça m'a paru bizarre. Il a fallu que je tourne le volume de l'autoradio à fond pour couvrir son vrombissement. »

La remise en état de sa camionnette coûta des milliers de dollars à Eustace.

Au cours des neuf mois suivants (Jason s'en irait bien avant la date initialement prévue, faute de trouver le bonheur sous la férule d'Eustace), il apprit à exploiter une ferme dans le respect des traditions et acquit une foule de compétences à une vitesse impressionnante, mais il bousilla aussi deux autres véhicules appartenant à Eustace. Quand celui-ci demanda à Jason s'il comptait le dédommager, l'apprenti en prit ombrage. De quel droit ce soi-disant amoureux de la nature se souciait-il de problèmes matériels ? Quel hypocrite que cet Eustace !

« Ne me balance pas ta merde, Eustace ! lui écrivit Jason peu après son départ de l'île de la Tortue. Je n'ai pas besoin de me sentir plus mal encore. Il me faut des relations qui m'enrichissent ; pas qui me démolissent. J'ai l'impression que ta camionnette compte plus pour toi que ce que je suis [...]. Pour citer Lester, le père dans *American Beauty*, "Ce n'est rien qu'un putain de canapé !". »

Le même phénomène ne cesse de se reproduire. Eustace passe pour un Dieu vivant aux yeux de ses adorateurs, jusqu'à ce qu'ils découvrent avec horreur qu'il ne correspond pas en tout point à leur idéal. Beaucoup de ceux qui se tournent vers Eustace attendent une solution à leurs problèmes. Quand ils rencontrent enfin celui qu'ils prennent pour une icône charismatique, ils se persuadent que leur quête vient d'aboutir, qu'ils ont trouvé la réponse à leurs questions et ils remettent aussitôt leur vie entre les mains d'Eustace. Or, le phénomène ne touche pas que de jeunes hommes.

« Pendant cinq jours, j'ai baigné dans l'infini, lui écrivit une femme sous le charme, comme tant d'autres, à l'issue d'une visite à l'île de la Tortue. Mon haleine se mêlait aux ramures des pins et des sassafras. Loué soit le créateur ! Loué sois-tu, Eustace ! J'en resterai marquée jusqu'à la fin de mes jours. Voilà le cadre de vie où je souhaite m'épanouir ! Si jamais tu as besoin d'un coup de main, fais-moi signe et j'arrive tout de suite ! »

Après un commencement aussi exaltant, quelle déconvenue de découvrir que l'on mène une vie rude à l'île de la Tortue et qu'Eustace n'est qu'un être humain bardé de défauts comme tout le monde, hanté par des questions dont il ne connaît pas la réponse ! Peu d'adorateurs survivent à un tel choc, que je qualifie désormais de « retour de manivelle de l'île de la Tortue ». (Eustace vient d'avaliser l'expression et se demande par ailleurs s'il ne devrait pas distribuer des minerves à ses apprentis à titre préventif afin de les aider à surmonter le traumatisme d'une désillusion plus que probable. « Ils vont me demander : "Pourquoi faut-il que je porte une minerve, Eustace ?" » plaisante-t-il. « Je hocherai la tête d'un air pénétré en leur répondant : "Oh, vous verrez bien." »)

Voilà aussi pourquoi Eustace a tant de mal à entretenir des amitiés durables. Il occupe une place essentielle dans la vie de centaines, si ce n'est même de milliers de personnes, mais la plupart appartiennent hélas à l'une des deux catégories suivantes : disciples zélés ou renégats amers. Rares sont ceux qui acceptent de renoncer à l'image idyllique qu'ils se forment d'Eustace pour s'attacher à lui en tant qu'individu. Il pourrait sans doute compter sur les doigts d'une main ceux qu'il considère comme ses amis intimes. Or, même ses relations avec ces rares élus sont entachées par la phobie de la trahison dont Eustace souffre depuis tout petit (et qui le retient de s'ouvrir complètement à qui que ce soit) et par sa conviction inébranlable que personne ne le comprend vraiment (ce qui n'aide pas non plus). À en croire Eustace, même celui qu'il tient pour son meilleur ami (Preston Roberts : un montagnard généreux et plein de bon sens dont il a fait la connaissance à l'université) ne le comprend pas autant qu'il le souhaiterait.

Encore étudiants, Preston et Eustace rêvaient d'aménager ensemble une réserve naturelle où ils fonderaient chacun une famille auprès de leur camarade Frank Chambless, le compagnon de randonnée d'Eustace le long du sentier des Appalaches. Quand vint l'heure de se retrousser les manches à l'île de la Tortue, Preston et Frank ne prirent toutefois qu'une modeste part à l'acquisition du terrain. Frank acheta une petite parcelle qu'il revendit des années plus tard, au grand dépit d'Eustace, afin de disposer d'un peu de liquidités. Là-dessus, Frank disparut pour ainsi dire de la vie d'Eustace, sans que celui-ci comprenne pourquoi.

Preston Roberts, lui, acquit un terrain qui se trouve encore aujourd'hui en sa possession, non loin de l'île de la Tortue, où il participa d'ailleurs à la construction de nombreux bâtiments. Il lui est aussi arrivé de travailler comme moniteur aux colonies de vacances. De temps à autre, Eustace et lui se lancent dans une randonnée à cheval ou à pied, le temps de goûter la compagnie l'un de l'autre et de savourer la splendeur de la nature. Preston ne tarit pas d'éloges sur le compte d'Eustace. Il serait prêt à se faire trouer la peau pour son ami. Cependant, il n'a toujours pas accepté l'invitation d'Eustace à s'installer à l'île de la Tortue avec sa famille. Comme l'explique la femme de Preston : « Mon mari a toujours eu peur que son amitié pour Eustace ne résiste pas au travail sous ses ordres au quotidien ».

Il faut reconnaître qu'une trop grande proximité avec Eustace semble mettre beaucoup de bonnes âmes à rude épreuve. Surtout dans le cadre d'une formation d'apprenti. Et d'autant plus que la majorité des apprentis à l'île de la Tortue se montrent dès le départ fragiles sur le plan émotionnel.

« Certains de ceux qui aspirent à vivre ici, a reconnu un jour Eustace, font partie des personnes les plus malheureuses et les plus mal adaptées à la société. Ils s'imaginent que leur séjour à l'île de la Tortue va leur apporter le bonheur comme par magie. Dans leurs lettres, ils me confient leur dégoût de l'humanité... Bon sang ! Tu imagines établir un planning avec des énergumènes pareils ? Des adolescents en fugue me demandent la permission de venir vivre auprès de moi. Il y a même un type incarcéré à la prison d'État qui m'inonde de courriers sous le prétexte qu'il souhaite me rejoindre à l'île de la Tortue. Voilà le genre de marginaux mal dans leur peau que je récolte. »

Lors d'une de mes visites à Eustace, en août 1999, il s'occupait d'un jeune apprenti qu'il surnommait Twig, issu d'une famille à problèmes absolument catastrophique de l'Ohio. Chassé d'un foyer d'accueil à l'autre, il n'arrêtait pas de s'attirer des ennuis avec la police. Eustace lui réserva toutefois un bon accueil, convaincu que n'importe qui peut vivre à la manière des peuples primitifs pour peu qu'il le souhaite et qu'on lui explique comment s'y prendre. Cela dit, Twig était vraiment chiant : une petite crapule, toujours prêt à se battre, auquel on ne pouvait pas se fier. Plusieurs autres apprentis (au nombre de trois à ce moment-là, garçons et filles mêlés ; le chiffre habituel) supplièrent Eustace de le chasser tant son mauvais esprit nuisait à leur travail. Inutile de préciser que Twig ne savait rien faire de ses dix doigts. Eustace tenait tout de même à lui laisser sa chance. Il passa des heures auprès de lui à le calmer, lui enseigner le maniement des outils et l'art de se faire accepter en société.

Twig accomplit des progrès considérables. Il était arrivé à l'île de la Tortue rachitique, pâlichon et fainéant. Ses muscles se dessinèrent peu à peu à mesure qu'il s'échinait à la tâche. (La métamorphose d'un jeune homme sans ressort en athlète éclatant de santé se reproduit régulièrement à l'île de la Tortue. Or, c'est sans doute le phénomène dont Eustace apprécie le plus d'être témoin.) Ce gosse abîmé par la vie savait désormais atteler un cheval à une charrue, s'occuper des cochons et cuisiner au feu de camp. Un soir, il me prépara même de la soupe de larves de guêpes en s'inspirant d'une ancienne recette cherokee. Mais l'ampleur de ce qu'il lui restait à apprendre défiait l'entendement.

Un jour, j'ai accompagné Eustace à un champ à la limite de son domaine : il voulait y apprendre à Twig à se servir d'une charrue à disques. Pour cela, il était nécessaire d'amener la charrue jusqu'à la parcelle en passant par les bois à l'aide d'une mule, d'un cheval de trait et d'un vieux traîneau des Appalaches ; ce qui présentait de nombreux dangers. Il fallait en effet harnacher à l'aide de cordes et de harnais en cuir des animaux récalcitrants à un traîneau pas toujours très stable, qui transporterait un lourd outil aux bords aiguisés comme une lame de rasoir. Sachant tout cela, après six mois de séjour à l'île de la Tortue, Twig ne trouva rien de mieux que d'enfiler des tongs.

« Pour ma part, je ne mettrais pas de tongs pour labourer un champ plein de cailloux à l'aide d'une charrue à disques tractée par une mule aussi capricieuse que Peter Rabbit, commenta Eustace, qui observait Twig auprès de moi. Mais si ça l'amuse de se couper un pied, ma foi !

– Tu ne comptes rien lui dire ? » m'étonnai-je.

Eustace me parut soudain à bout.

« Il y a dix ans, je lui aurais fait la remarque. Je lui aurais infligé un sermon sur les chaussures les plus appropriées aux travaux de la ferme, en lui expliquant comment se protéger des animaux, mais, aujourd'hui, j'en ai assez ; assez d'avoir affaire à des gamins dépourvus de bon sens. Je pourrais le reprendre ; à propos de ça et d'une centaine d'autres détails du même genre, mais non. Je n'en ai plus la force. Le peu d'énergie qu'il me reste, j'aime autant l'employer à l'empêcher de se blesser ou de me blesser moi ou Dieu sait qui d'autre encore. Tu sais, à son arrivée ici, Twig m'a supplié de le lâcher au beau milieu d'une forêt sauvage parce qu'il voulait vivre au plus près de la nature. Sauf qu'il ne connaît rien à rien. Il ne tiendrait pas cinq minutes dans une forêt sauvage. Il ne soupçonne même pas l'ampleur de son ignorance. Voilà le genre de difficultés que je dois sans arrêt gérer ; pas seulement de la part de Twig mais d'une centaine d'autres personnes qui ne valent pas mieux que lui. »

Puis, à l'intention de Twig qui commençait à labourer le champ en formant de drôles de cercles concentriques, Eustace s'écria :

« Hé, Twig ! Réfléchis un peu : chaque fois que tu imposes aux animaux de changer de direction, tu les fatigues, et toi aussi, en usant tes outils. Si tu cherchais un moyen plus efficace de procéder ? Que dirais-tu de suivre une ligne droite d'un bout à l'autre du champ plutôt que de multiplier les détours ? Tu pousserais ainsi ta charrue dans la même direction, en continuant sur ta lancée. Tu comprends ce que je te dis ? Si tu te sens de taille à t'attaquer à la pente, je te conseille de partir du bas, vu que tu manques encore d'expérience et que tu ne tiens sans doute pas à devoir retenir ta charrue dans les descentes pour éviter qu'elle n'écrase les bêtes. »

Alors que Twig s'en allait plus ou moins suivre les conseils d'Eustace, celui-ci me confia :

« Il va lui falloir un temps fou ! J'aimerais autant m'occuper dans mon bureau des centaines de courriers qu'il faut que j'envoie et de mes impôts fonciers en souffrance, mais non ! Il faut que je reste ici le surveiller : pour l'instant, il ne mérite pas encore que je lui confie mes bêtes ou mes outils. Pourquoi est-ce que je me donne autant de peine ? Parce que j'espère qu'un jour, il saura se débrouiller seul. À ce moment-là, je n'aurai plus qu'à lui dire : “Va labourer ce champ”. Il comprendra ce que j'attends de lui et je pourrai compter sur lui pour m'obéir. Cela dit, on en est encore loin ! C'est vrai, quoi ! Regarde-le : il a enfilé des tongs. »

Et un bermuda par-dessus le marché. Pas de chemise, en revanche. Mais il s'est coincé une cigarette derrière l'oreille.

« Je me plais à penser que je leur transmets un savoir-faire qui leur servira un jour. Pourtant, à mon avis, pas une seule des centaines de personnes qui ont séjourné ici à un moment ou un autre ne serait capable d'adopter aujourd'hui le mode de vie des peuples primitifs. Quoique… Christian Kaltrider à la rigueur. Il avait des dispositions. Ces temps-ci, il se construit une cabane en rondins sur son terrain. Tant mieux : voilà une bonne chose, au moins ! Il a tout appris ici. J'ai eu un autre apprenti qui m'a donné beaucoup de satisfaction ; il s'appelait Avi Aski. En ce moment, il cherche à s'établir dans le Tennessee. Peut-être qu'un jour, il exploitera sa propre ferme. Je dis bien “peut-être”. »

Twig, qui labourait plus ou moins en zigzag, passa soudain à proximité de nous.

« Bravo ! le complimenta Eustace d'un ton plat qui ne trahissait aucun enthousiasme. Tu t'en sors beaucoup mieux que je ne l'aurais cru. »

Sous les louanges de façade perçait ce soupçon de rage, d'impatience et de déception mal contrôlées que je décèle souvent dans la voix d'Eustace à l'heure où le soleil se couche alors qu'il reste encore du pain sur la planche et que quelqu'un bâcle une fois de plus la besogne. Le soir venu, Eustace n'a manifestement plus qu'une envie : nous aligner en rang d'oignons pour nous mettre un peu de plomb dans la cervelle à coup de baffes bien senties.

Sauf que, bien entendu, jamais il n'oserait…

« Beau travail, Twig, conclut-il. Merci pour tes efforts. »

Eustace accueille régulièrement à l'île de la Tortue des apprentis qui n'ont jamais porté un seau de leur vie. Il leur confie la tâche la plus simple au monde (« va remplir un seau d'eau ») puis, consterné, les voit transbahuter le seau plein à ras bord. Ils ne savent pas s'y prendre : ils le tiennent à bout de bras, le plus loin possible d'eux, en gaspillant une énergie folle rien qu'à maintenir le seau en l'air et leur bras à l'horizontale. Eustace en a mal aux muscles rien qu'à les regarder. Et les marteaux, alors ! À l'île de la Tortue débarquent des jeunes qui n'ont jamais été au contact d'un marteau de leur vie et n'ont aucune idée de la manière dont il convient de s'en servir. Ils se tournent vers Eustace parce que, à les entendre, ils aspirent à vivre en autarcie, mais, quand il leur demande de planter un clou, ils attrapent le marteau sous la tête en serrant le poing. C'est tout juste s'ils n'enfoncent pas le clou en appuyant dessus.

« Quand je vois ça, reconnaît Eustace d'un ton on ne peut plus sérieux, je n'ai qu'une envie : me laisser mourir. »

Lorsqu'il se rend dans les écoles publiques, il propose parfois aux jeunes enfants un ancien jeu amérindien qui consiste à lancer des bâtons à l'intérieur d'un cerceau en train de rouler. C'est ainsi qu'il a constaté que les jeunes écoliers d'Amérique ne savaient plus faire rouler un cerceau.

« C'est fou, pour un enfant, de ne pas savoir jouer au cerceau ! se lamente-t-il. Je leur montre comment faire, je leur remets le cerceau et ils le laissent tomber. Ils le lancent au hasard et, bien entendu, il atterrit par terre, à leurs pieds. Alors ils le fixent. *Pourquoi il ne roule pas ?* Ils ne pigent pas. J'ai beau leur montrer, ils ne comprennent pas. Au bout d'un long moment, un gamin se rend enfin compte qu'il faut lui donner de l'élan pour qu'il roule et, les jours où j'ai de la chance, un génie se dit : *Ah ! Et si on essayait de le pousser ?*

« J'assiste à la même scène à longueur d'année. J'observe ces gamins et je finis par me demander si je ne rêve pas. Quel genre d'enfants élevons-nous donc aux États-Unis ? Écoute... Je peux te garantir que n'importe quel gosse en Afrique sait jouer au cerceau, mince alors ! C'est une question d'intuition des lois de la physique. Quelques principes de base régissent le monde qui nous entoure (la force d'inertie ou la conservation de l'énergie, pour n'en citer que quelques-uns). Or, ceux qui n'en ont aucune notion n'arriveront jamais à planter un clou, porter un seau ou pousser un cerceau. Ils ont perdu contact avec la nature et donc avec leur propre part d'humanité et vivent dans un environnement auquel ils ne comprennent rien. Tu imagines à quel point ça me fait froid dans le dos ? Peux-tu seulement te figurer l'ampleur de ce qui est passé à la trappe en quelques générations ? Il a fallu à l'espèce humaine un million d'années pour apprendre à faire tourner une roue, mais il ne nous a fallu que cinquante ans pour l'oublier. »

Si nous l'avons oublié, c'est en vertu d'un des principes les plus anciens au monde : les compétences qui ne servent à rien finissent par ne plus se transmettre. Les enfants ne savent pas se servir des outils même les plus simples parce qu'ils n'en ont plus besoin. Ils ne leur sont d'aucune utilité dans leur vie douillette pourvue de tout le confort moderne. Quant à leurs parents, ils ne peuvent pas leur enseigner la dextérité qu'eux-mêmes ne possèdent plus : ils ne l'ont jamais acquise pour la bonne raison qu'elle ne leur servirait pas à grand-chose.

Pourtant, il n'en a pas toujours été ainsi. Il y a un siècle à peine, pas un seul homme en Amérique ne se déplaçait sans un couteau ; peu importe qu'il serve à dépouiller des ours ou à couper le bout d'un cigare. Personne ne pouvait s'en passer. Le premier venu était capable de l'aiguiser. Qui a encore besoin d'un couteau de nos jours ?

Et, tant qu'on y est, qui a encore besoin d'un cheval ? À quoi bon, d'ailleurs, se rappeler à quoi ressemble un cheval ? Eustace s'est aperçu au cours de ses randonnées qu'il n'y avait plus que les personnes âgées élevées à la ferme (ou au sein d'une famille où l'on parlait de chevaux) qui se sentaient à peu près à l'aise en présence d'un cheval. La simple idée d'un cheval paraît de plus en plus incongrue (si ce n'est franchement bizarre) à chaque nouvelle génération. Les plus jeunes n'ont aucune idée de l'attitude qu'il convient d'adopter en présence d'un animal. Ils ignorent comme s'en protéger. Ils ne se rendent même pas compte qu'ils ont affaire à un être vivant.

« Comment réagiront leurs enfants ? s'inquiète Eustace. D'ici vingt ans, un cheval produira le même effet qu'un chameau aujourd'hui ; celui d'une curiosité tout juste bonne pour le zoo. »

L'incompétence gagne du terrain à mesure que les générations se succèdent. Eustace finirait par s'y résigner si seulement les Américains de nos jours (quel que soit leur âge) ne possédaient pas ce gros défaut de ne jamais écouter. Ils ne prêtent attention à rien. Ils ne savent pas se concentrer. Même quand ils affirment vouloir s'instruire, ils manquent de discipline.

« Le plus dur, c'est d'amener les jeunes à me faire confiance et à m'obéir, explique Eustace. Quand quatre personnes travaillent ici sous mes ordres et que je leur dis : "Écoutez, tout le monde ! Je compte jusqu'à trois et on fait rouler ce tronc d'arbre", l'une d'elles se met à le pousser tout de suite, deux autres attendent que je compte jusqu'à trois pour le tirer dans le mauvais sens et la quatrième s'en va Dieu sait où en se curant le nez. Ils remettent sans cesse en question mon autorité en exigeant de savoir : *Pourquoi on s'y prend comme ci ou comme ça ?* Moi, je sais pourquoi ; c'est tout ce qui compte. Je n'ai pas le temps de justifier l'ensemble de mes décisions. Ils ne me croient pas quand j'affirme que j'ai raison. Pourtant, si j'affirme que j'ai raison, c'est que j'ai vraiment raison, vu que je ne me trompe jamais. Quand je ne suis pas sûr de moi, je l'admets, mais, la plupart du temps, je suis sûr de moi. Mes apprentis, ça les rend fous. Je les entends se plaindre : "Eustace estime qu'il n'y a que sa manière de procéder qui vaille". Eh bien, c'est vrai : ma manière de procéder est bel et bien la seule qui vaille. On n'atteint un maximum d'efficacité qu'à condition de se soumettre à une autorité supérieure, comme à l'armée. Si j'occupais un poste de général de brigade, la discipline régnerait autour de moi. J'exigerais que chacun suive mes instructions à la lettre et tout irait comme sur des roulettes. »

Pour que l'île de la Tortue continue à prospérer, Eustace a pris le contrôle (suivant en cela l'exemple de son grand-père) du moindre aspect de la vie de ses apprentis.

« On en arrive à un point, commente un apprenti, où on a l'impression qu'il faut demander à Eustace la permission de faire caca. Parce qu'à Dieu ne plaise qu'on se retrouve en train de faire caca dans les bois au moment où il doit nous apprendre à nous servir d'une meule ou à remplacer un fer à cheval ! »

Eustace ne lui donnerait sans doute pas tort. Je l'ai entendu sermonner ses apprentis sur la meilleure manière de lacer leurs chaussures : pourquoi faudrait-il perdre du temps à refaire des nœuds de lacets quand il reste tant de pain sur la planche ? Voilà comment les communautés utopiques d'Amérique (celles, en tout cas, qui ont duré plus d'une semaine) ont toujours fonctionné. Ce sont la discipline, l'ordre et la soumission qui assurent leur longévité. Dans les dortoirs des femmes shakers, au XIXe siècle, figurait la pancarte suivante :

« Chacune d'entre vous doit sortir du lit au son de la première trompette. Agenouillez-vous en silence là où vous aurez posé le pied. Ne dites rien à moins que vous ne souhaitiez poser une question à la sœur en charge du dortoir. Dans ce cas, exprimez-vous à voix basse. Et levez le bras droit au préalable. Au son de la seconde trompette, avancez-vous en ordre, sur la pointe des pieds, en posant le pied droit le premier. Repliez la main gauche sur votre ventre. Laissez pendre votre main droite sur le côté. Rendez-vous à l'atelier en bon ordre. Ne posez pas de questions inutiles. »

Ah lala ! Eustace Conway adorerait que l'ordre règne à ce point à l'île de la Tortue. Hélas ! Le contrôle qu'il exerce sur son petit monde se heurte à certaines limites. Pour l'instant, il s'estime déjà heureux quand ses apprentis réussissent à faire rouler un tronc d'arbre après qu'il a compté jusqu'à trois.

En vérité, la plupart des apprentis craignent Eustace. Ils parlent de lui en chuchotant quand il se trouve hors de portée de voix, tels des courtisans au désespoir s'efforçant de deviner l'humeur de leur souverain. Ils s'échangent des conseils pour tenir bon en se demandant qui sera le prochain à se retrouver à la porte. Trop intimidés pour oser s'adresser directement à lui et ne sachant comment se concilier ses bonnes grâces, ils grappillent des conseils auprès des amis ou des frères d'Eustace. *Qu'attend-il de moi ?* demandent-ils à ces associés privilégiés. *Pourquoi faut-il toujours que je m'attire des ennuis ? Comment le satisfaire ?* Eustace sait qu'on discute de lui dans son dos et il a horreur de ça. Il y voit le comble de l'insubordination.

Voilà pourquoi il a punaisé ce message sur le panneau de liège réservé à la communauté de l'île de la Tortue, à l'été 1998 :

« Note au personnel et aux résidents de l'île de la Tortue. Moi, Eustace Conway, j'en ai par-dessus la tête. Ma petite amie Patience vient de passer cinq jours ici. Nombre d'entre vous sont allés la voir pour lui parler des problèmes qu'ils rencontrent avec moi ; ce qui lui a pesé inutilement en portant préjudice à notre relation naissante. Ce genre d'attitude a le don de m'agacer. Si vous n'êtes pas content de moi, adressez-vous à moi, pas à Patience. Quand bien même votre problème ne trouverait pas de solution, vous n'avez pas à vous tourner vers elle. Si vous ne pouvez pas vous empêcher de ressasser ce qui ne va pas, fichez le camp ! Je ne tolérerai pas ce genre d'attitude plus longtemps. Cela me blesse et m'attriste que quelque chose d'aussi lamentable ait pu se produire. Pour ma part, je vous démolirais volontiers la figure plutôt que de vous autoriser à mêler Patience à nos problèmes. Si ma réaction vous paraît excessive, eh bien tant pis : j'en assume la responsabilité. J'espère avoir été clair. Merci d'avance pour votre considération. Votre humble serviteur, Eustace Conway. »

Pas de chemise, pas de chaussures... Et pas de putain de messes basses !

On pourrait croire que les seules personnes en mesure de s'acclimater à l'île de la Tortue sont celles qui ne possèdent aucune volonté propre et qu'il n'y a rien de plus facile que d'abuser d'elles dans la mesure où elles obéissent au doigt et à l'œil sans jamais se plaindre. Eh bien, pas du tout. Les faibles de caractère s'effondrent à l'île de la Tortue et, en général, sans tarder. Ils se mettent en quatre pour satisfaire Eustace et, lorsqu'ils se rendent compte qu'ils n'obtiendront jamais la reconnaissance à laquelle ils aspirent, ils craquent, anéantis, en s'estimant floués. (Ces apprentis-là finissent le plus souvent en larmes : *J'ai tout donné, mais ça n'a pas suffi !*) Seuls les arrogants qui cherchent la confrontation et refusent de fléchir perdent pied plus vite encore que les faibles, persuadés que cela les tuerait de se plier à l'autorité d'un tiers ne fût-ce qu'une minute. (Ces apprentis-là finissent le plus souvent par se disputer avec Eustace : *Je ne suis pas ton esclave !*)

Ceux qui s'épanouissent à l'île de la Tortue (on n'en dénombre pas beaucoup) forment une espèce à part : celle des individus les plus modestement conscients de leur valeur que j'aie jamais rencontrés. Ils ont en commun une profonde quiétude intérieure, ne parlent pas beaucoup et ne cherchent pas les compliments, mais ils ne manquent pas pour autant de confiance en eux. Ils acceptent de devenir les réceptacles d'un savoir en veillant à ne pas se laisser déborder. Comme s'ils décidaient, en arrivant à l'île de la Tortue, de mettre de côté leur ego sensible et vulnérable, le temps de mener à bien leur apprentissage. Telle est en tout cas l'attitude adoptée par le meilleur apprenti de tous les temps à l'île de la Tortue : Christian Kaltrider.

« Je suis arrivé ici dans un état d'esprit très humble, explique Christian Kaltrider, et surtout enthousiaste. Je me suis comporté comme un buvard. Je venais engranger des connaissances, voilà tout. Eustace allait m'enseigner un savoir-faire que je tâcherais d'assimiler. Je n'ai pas perdu de temps à discuter. Je me suis contenté d'écouter, d'observer et de suivre les instructions d'Eustace. Bien entendu, il a exercé sur moi une emprise sans relâche, mais ça ne m'a pas frustré pour autant. Je me suis dit que je ne la lui laissais que dans l'intérêt de mes progrès et qu'au fond il ne contrôlait que ma formation, pas celui que je suis vraiment. La distinction, subtile, a son importance. Vaut-il mieux s'en remettre à Eustace ou le laisser prendre le dessus ? Moi, j'ai décidé de m'en remettre à lui en tant qu'apprenti ; ce qui explique qu'il m'est resté de mon séjour ici un souvenir si différent de celui qu'en gardent la plupart. Beaucoup arrivent ici en vénérant Eustace. Ils aspirent tellement à lui plaire qu'ils lui laissent prendre l'ascendant sur leur être tout entier. C'est à partir de là que le ressentiment commence à s'accumuler ; lentement, au fil du temps. Ce qui use les apprentis, c'est moins le travail physique que le traumatisme psychologique lié à la dissolution de leur identité. Heureusement pour moi, un tel danger ne m'a jamais guetté.

– Si tu ne te protèges pas d'Eustace, précise Candice, une autre apprentie à l'île de la Tortue, résolue à mener sa formation à terme, il te pompera jusqu'au bout. Il me semble impératif de maintenir une part de soi (son ego, j'imagine) hors de sa portée. Et, surtout, il faut s'y tenir. J'ai pris ma décision. Je resterai ici jusqu'à la fin des deux années de mon apprentissage ; tant pis si j'en bave. Pas question pour moi de m'ajouter à la liste des DIT.

– Des quoi ? relevai-je.

– Des Déçus de l'Île de la Tortue, m'expliqua-t-elle. Je suis venue ici pour apprendre. Or, j'en apprends, des choses. Eustace se montre toujours juste et patient vis-à-vis de moi, même quand je réagis comme une idiote. J'essaye de ne pas faire de vagues et de préserver mon intimité parce qu'il n'y a pas d'autre moyen de tirer quelque chose de son séjour ici. C'est lui le patron. Il faut accepter ses décisions et prendre son autorité au sérieux sans s'en formaliser pour autant. »

Voilà comment on devient un bon petit soldat : en obéissant non pas bêtement mais en pleine connaissance de cause. Ce qui explique sans doute qu'une jeune femme, dénommée Siegal, ayant servi dans l'armée israélienne avant de venir en Caroline du Nord, ait été l'une des apprenties qui a le mieux réussi à l'île de la Tortue. La mise en condition idéale ! Siegal a survécu à la férule d'Eustace Conway comme elle a survécu à son service militaire : « Il faut se faire tout petit », m'a-t-elle expliqué comme si ça allait de soi.

Ce n'est pourtant pas aussi simple. Bien peu parviennent à mettre de côté leur ego. Les jeunes Américains en particulier ont un mal fou à se soumettre. Ils ont grandi au sein d'une culture qui les a convaincus depuis leur plus tendre enfance du caractère sacré de leur moindre désir. Leurs parents, leurs enseignants et même les médias leur demandent depuis le berceau : « Qu'est-ce que tu veux ? » Je le voyais bien quand je travaillais comme serveuse dans un restaurant ; ça ou autre chose ! Les parents interrompaient la commande de la tablée pour se pencher sur leur bébé en lui demandant : « Qu'est-ce que tu veux, mon poussin ? » Puis ils guettaient la réponse du petit, suspendus à ses lèvres. *Oh, Seigneur !*

Qu'est-ce qu'il va dire ? Qu'est-ce qu'il veut ? Le monde entier retient son souffle ! Eustace Conway a raison d'affirmer que les parents n'accordaient pas tant de pouvoir à leurs enfants un siècle plus tôt. Ni même il y a un demi-siècle à peine. Je peux vous affirmer sans mentir que, les rares fois où ma mère et ses six frères et sœurs élevés dans une ferme du Middle West dînaient au restaurant, si l'un d'eux avait osé exiger une chose ou une autre de leur père... Oh, jamais ils n'auraient osé.

Les Américains ne reçoivent plus la même éducation aujourd'hui. Or, c'est la culture du « Qu'est-ce que tu veux, mon poussin ? » qui a façonné les gamins qui affluent à l'île de la Tortue. Quel choc quand ils s'aperçoivent (et sans tarder, le plus souvent) qu'Eustace se fiche éperdument de ce qu'ils veulent ! Entre quatre-vingt-cinq et quatre-vingt-dix pour cent d'entre eux ne s'en remettent jamais.

Puis il y a la nourriture.

Un aspect en particulier de la formation d'apprenti à l'île de la Tortue peut sembler difficile à supporter : la nourriture qui, dans les montagnes, manque bien souvent... comment dire ? de substance. J'ai savouré là-bas quelques-uns des meilleurs repas de ma vie à l'issue d'une journée de travail acharné et d'un bain revigorant dans l'eau d'un ruisseau : installée à une solide table en chêne auprès des camarades qui venaient de me donner un coup de main, j'ai dégusté une tranche de pain de maïs encore tout chaud et des légumes frais du jardin avec une côte de l'un des fameux porcs de Will Hicks cuite à même la braise dans une marmite en fonte. De quoi s'en lécher les babines ! Il m'est arrivé aussi de me régaler de délicieuses morilles sauvages en agaçant Eustace parce que je m'extasiais à chaque bouchée. (« Tu sais combien ça coûte, à New York ? » « Non, me répondait-il, et tu sais quel goût délicieux ça a, en Caroline du Nord ? ») En revanche, je me rappelle aussi avoir dû me contenter de ragoût de cerf, matin, midi et soir pendant une semaine entière en janvier. Du cerf coriace, qu'il fallait réchauffer à chaque repas en s'efforçant de ne pas s'arrêter au goût de brûlé et de rouille du fond de la marmite, accompagné d'un oignon et de cinq haricots ; pas un de plus, pas un de moins.

Alors que les hôtes payants (les jeunes campeurs essentiellement) se régalent d'une excellente cuisine préparée par des professionnels engagés pour l'occasion, rien de tel n'est prévu pour les apprentis dont l'estomac se trouve parfois mis à rude épreuve, surtout l'hiver. La courge, par exemple ; l'ordinaire des apprentis à la morte-saison... Ceux-ci mettent la courge à toutes les sauces imaginables. Ils en font du pain, des tartes, des lasagnes et même de la soupe. Puis, au bout d'un moment, ils renoncent et se contentent de purée de courges en attendant que d'autres légumes recommencent à pousser au printemps. Un peu comme des marins du XVIe siècle condamnés aux biscuits de mer s'ils ne voulaient pas mourir de faim. Il y a eu des mutineries rien qu'à cause de la courge. Et aussi des crises de nerfs quand des apprentis qui avaient jusque-là résisté à la fatigue physique se sont rebellés en protestant à l'unisson : « Ça suffit, la courge ! »

Cela dit, ces apprentis ne doivent pas s'attendre à beaucoup de compassion de la part d'Eustace. Ce n'est pas comme s'il se planquait dans sa cabane pour se régaler d'un canard à l'orange tandis que les autres se farcissaient encore et toujours de la courge. S'il n'y a rien d'autre à se mettre sous la dent, eh bien lui aussi s'en contentera. Pas de quoi geindre pour si peu ! Eustace n'exige de ses apprentis rien de plus que ce qu'il exige de lui-même. (Pas comme Peter Sluyter, un utopiste sans scrupule à la tête d'une communauté des plus strictes dans l'État de New York au XVIIe siècle, qui interdisait à ses disciples d'allumer un feu chez eux alors qu'il en brûlait toujours un dans sa cheminée.) Eustace Conway a froid quand ses apprentis ont froid, il a faim quand ils ont faim et il travaille quand ils travaillent. (Et il travaille aussi souvent quand ils dorment déjà.) Eustace a connu la faim. À certains moments de sa vie, une purée de courges lui aurait paru un festin, une chère de roi ! Ce qui explique qu'il ne prête qu'une oreille distraite aux plaintes de ses apprentis. Et puis, s'ils n'en peuvent vraiment plus, rien ne les empêche de se rendre à Boone pour une expédition à la benne à ordures.

La fouille des poubelles relève chez les Conway d'une tradition familiale ; une pratique (sans doute la plus réjouissante de toutes) héritée de M. Conway en personne. Eustace senior est un grand artiste de la récupération devant l'éternel. Fourrer son nez dans les poubelles des autres flatte à la fois ses penchants à la frugalité et à l'aventure. Il n'y a pas de monceau d'ordures assez répugnant pour le dissuader d'y jeter un coup d'œil dans l'espoir d'une trouvaille. Eustace, Walton et Judson ont repris l'habitude de leur père mais en la perfectionnant au point qu'ils cherchent dans les poubelles non seulement de vieux tourne-disques ou des climatiseurs mais aussi de la nourriture. De quoi se régaler, s'offrir une orgie. Les bennes à ordures des immenses supermarchés qui incarnent le rêve américain sont un peu les cantines en libre-service de ceux qui ne manquent pas de ressources.

Naturellement, Eustace Conway a élevé la fouille des poubelles au rang d'un art. Il a maté sa faim au cours de ses années de fac en assaisonnant les animaux morts qu'il ramassait le long de la route des restes alléchants des rayons de supermarché. Il a mis au point une technique imparable : on peut toujours compter sur lui pour atteindre la perfection, quel que soit le domaine auquel il a décidé de se consacrer.

« L'essentiel consiste à bien choisir son heure, explique-t-il. Autant fouiner dans la benne au meilleur moment de la journée. Dans un premier temps, je recommande de traîner aux alentours du magasin en prenant note de l'heure à laquelle sortent les poubelles afin de mettre la main dessus quand le contenu en est encore à peu près frais. Le truc, c'est de s'approcher de la benne d'un air sûr de soi, comme si on avait une bonne raison de s'y affairer, mais en gardant un profil bas. Et surtout, sans perdre de temps. À chaque fois, la première chose que je cherche, c'est un carton solide muni de poignées avec lequel je plonge dans la benne. Ça n'avance à rien de se pencher par-dessus bord en fouinant par-ci, par-là. Je ne perds pas de temps avec les produits de mauvaise qualité. Il y a une nuance entre ce qui a été jeté et ce qui est bon à jeter. J'écarte tout ce qui est pourri ou qui ne m'inspire pas confiance. Il m'arrive de tomber sur trois pommes impeccables dans un cageot de fruits abîmés. Je les dépose aussitôt dans mon carton. Souvent aussi, je trouve un melon en parfait état auprès d'autres en compote, ou une caisse entière de raisins mis au rebut parce que les grains se sont détachés des grappes. Quant à la viande... J'ai ramené chez moi des dizaines de steaks sous emballage plastique dont la date limite de consommation était passée d'une journée. Je récupère aussi souvent des packs entiers de yaourts (je raffole du yaourt !) pour les mêmes raisons. À mon avis, c'est un péché de gaspiller autant ! Ça me rappelle ce que me répétait mon vieux voisin des Appalaches, Lonnie Carlton : "Dans le temps, on se contentait de moins que ce que les gens jettent de nos jours." »

Un fameux incident se produisit un jour qu'Eustace fouillait comme à son habitude la benne à ordures du supermarché de Boone, d'un air sûr de lui mais en gardant un profil bas. Il venait de mettre la main sur un carton où il entassait sans perdre de temps « le plus bel assortiment de fruits et légumes qu'on ait jamais vu » quand il entendit une camionnette s'arrêter à l'arrière du magasin. Suivit un bruit de pas. Tous aux abris ! Eustace se blottit dans un coin de la benne en se faisant le plus discret possible. Là-dessus, un homme (un monsieur d'un certain âge très correct et propre sur lui) se pencha par-dessus bord en fouinant de-ci de-là. Flûte ! Un concurrent ! Eustace retint son souffle. L'inconnu ne le remarqua pas, mais il ne tarda pas à repérer le carton d'Eustace rempli des produits les plus appétissants que tout l'or du monde n'aurait pas pu acheter.

« Miam ! » fit l'inconnu, ravi de l'aubaine.

Il se pencha, ramassa le carton et s'en fut, le carton sous le bras. Eustace entendit la camionnette démarrer. Il resta blotti dans son coin à réfléchir. Valait-il mieux qu'il continue à se cacher en attendant que la camionnette s'éloigne ? Afin de ne courir aucun risque ? Pour recommencer ensuite à fouiller ? Attendez une minute ! Ce type lui volait ses provisions ! Il lui avait bien fallu un quart d'heure pour les dénicher. Or, il ne trouverait rien de mieux ce jour-là. Eustace n'allait pas laisser passer ça. On n'ôte tout de même pas le pain de la bouche des gens ! Il bondit de la benne, comme monté sur ressorts, et se lança à la poursuite de la camionnette en hurlant et en agitant les bras à l'intention du conducteur. Celui-ci s'arrêta, blême, effrayé par la créature déchaînée qui venait de surgir en gesticulant des entrailles de la benne à ordures du supermarché.

« Bonjour, monsieur, commença Eustace en décochant à l'inconnu l'un de ses sourires les plus irrésistibles. Il faut que vous sachiez, monsieur, que ce sont mes fruits et légumes que vous emportez là. »

L'inconnu le dévisagea. L'air de se demander s'il n'allait pas avoir une crise cardiaque.

« Oui, mon ami. J'ai réuni ces provisions dans l'intention de les consommer plus tard ; ce qui m'a d'ailleurs pris un certain temps. Je serais ravi de vous en laisser une partie mais une partie seulement. Et si vous attendiez ici que je vous trouve un carton avant de procéder à un partage équitable ? »

Là-dessus, Eustace courut à la benne où il dénicha un autre carton solide muni de poignées. Il retourna en quatrième vitesse à la camionnette où il se hissa sur la plateforme arrière, le temps de diviser en parts égales le fruit de son expédition. Puis il bondit à terre, l'un des deux cartons sous le bras, avant de se poster devant la vitre du conducteur. L'homme le regardait bouche bée, abasourdi. Eustace lui adressa un autre sourire dévastateur.

« Et voilà, monsieur. Un bel assortiment de provisions pour vous et un autre pour moi. »

L'inconnu ne bougea pas.

« Vous pouvez y aller, monsieur, conclut Eustace. Passez une bonne journée. »

Lentement, l'inconnu s'éloigna. Sans piper mot.

Voilà. Vient un moment du séjour de tout apprenti à l'île de la Tortue où s'impose l'acquisition d'une technique efficace de fouille des poubelles. La plupart des apprentis y prennent vite goût : on dirait des rats dans une décharge. Ils y voient une occasion rêvée d'aller en ville faire la nique à la société en se livrant à un acte subversif. Ils parlent de leurs expéditions comme de « virées shopping à la benne » et, quand la purée de courges figure au menu depuis quatre semaines d'affilée, ils brûlent de céder à la tentation du fruit défendu du supermarché. Voilà qui explique la diversité des produits que j'ai goûtés à l'île de la Tortue. Bien sûr, on y trouve du pain d'épice maison et de la compote de pêches du verger. Bien sûr, on y mange des épinards du jardin. Mais il m'est arrivé aussi de savourer là-bas des mets résolument étrangers aux traditions des Appalaches comme des ananas, des noix de coco, de la mousse au chocolat et, en une occasion mémorable, un truc que j'ai déniché dans un emballage en polystyrène dont l'étiquette indiquait : « cornets pâtissiers fourrés d'une délicieuse crème jaune ».

« Depuis des mois que je vis ici, m'a confié l'apprentie Candice, je n'ai pas encore compris par quel miracle on survit. Honnêtement, je ne sais pas comment on se débrouille. La fouille des poubelles, ça ne met du beurre dans les épinards que jusqu'à un certain point. En hiver, c'est la misère. Parfois, des visiteurs nous amènent à manger ; tant mieux, vu qu'on n'a le droit de rien acheter. J'ai dû m'occuper de la cuisine pendant l'essentiel de mon séjour ici. Eustace ne m'a remis de l'argent qu'à deux reprises, pour des produits de base comme des flocons d'avoine, de l'huile ou du poivre. Sinon, on grappille ce qu'on peut, où on peut. »

J'ai demandé un jour à Candice de quels ingrédients se composait son excellent pain. Elle m'a répondu : « De farine de blé complet. Plus (et là, elle a plongé la main dans une vieille boîte à café remplie de céréales moulues) d'une poignée de ce machin-là que j'ai trouvé dans l'une des mangeoires de l'étable. Je ne sais pas ce que c'est, mais on n'en sent pas le goût dans le pain. Or, ça permet à la farine de durer plus longtemps. »

Un après-midi, alors que je prêtais main-forte à Candice à la cuisine en plein air, Jason nous a rejointes.

« Hé, Jason ! s'est écriée Candice. Ça t'embêterait de nous débarrasser de Barn Kitty ? »

Barn Kitty n'était autre que le plus grand pourfendeur de souris de l'île de la Tortue : un chat endurant qu'on trouvait en général dans la grange ou sur les étagères du dessus de la cuisine en plein air. Tiens ! me suis-je dit en mon for intérieur. Voilà un bout de temps qu'on n'a plus vu Barn Kitty !

« Où est-il ? lui demanda Jason.

– C'est vrai ça ! renchéris-je. Où est-il ?

– Sous l'abreuvoir, nous indiqua Candice. Les chiens n'arrêtent pas de jouer avec en le traînant partout. Or, il dégage une puanteur atroce. »

Je me penchai sous l'abreuvoir. Oh ! Voilà pourquoi on ne voyait plus Barn Kitty depuis un certain temps : ce n'était plus qu'un cadavre infect sans pattes. Candice m'expliqua qu'un lynx s'était attaqué à lui un soir, quelques semaines plus tôt. Depuis, ses restes reparaissaient un peu partout à l'île de la Tortue, là où diverses créatures vivantes les traînaient. Jason les ramassa du bout d'un bâton et les jeta sur le toit en étain de la cuisine où le soleil les sécherait hors de la portée des chiens.

« Merci, Jason ! conclut Candice en grommelant : Bon sang ! Je me demande pourquoi ce vieux chat n'a pas fini dans notre assiette. Eustace nous donne à manger toutes les satanées bêtes qui rendent l'âme dans les parages. »

Un jour, j'ai surpris une conversation d'Eustace au téléphone avec un jeune homme qui l'appelait du Texas parce qu'il voulait devenir apprenti à l'île de la Tortue. Ça s'annonçait plutôt bien : le gars en question, un certain Shannon Nunn, avait grandi dans un ranch et, à l'entendre, il travaillait à la ferme depuis tout petit. Il s'y connaissait aussi en mécanique automobile. Et, cerise sur le gâteau, il pratiquait beaucoup de sport en s'imposant une discipline très stricte. Eustace évite en général de se monter la tête, mais ces simples informations l'incitaient à espérer de Shannon Nunn mille fois plus que du genre d'étudiants idéalistes, romantiques et bons à rien qui arrivent à l'île de la Tortue « incapables d'ouvrir une portière de voiture ». Shannon affirmait avoir lu un article sur Eustace dans le magazine *Life*. Il le contactait parce qu'il voulait se lancer un nouveau défi. Peut-être que, en apprenant à tirer ses seules ressources de la terre, il échapperait à une vie sans relief au sein de la société moderne où « tout le monde se noie dans l'autosatisfaction ».

Jusque-là, tout semblait pour le mieux.

Eustace passa tout de même une heure à expliquer à Shannon à quoi il devait s'attendre à l'île de la Tortue. Il lui tint un discours lucide, d'une honnêteté indiscutable.

« Je ne suis pas quelqu'un de normal, Shannon, l'ai-je entendu dire. La plupart des gens ne me trouvent pas facile à vivre et n'apprécient pas non plus de travailler sous mes ordres. Certains arrivent ici convaincus qu'ils ont beaucoup à m'offrir en termes de compétences, mais il en faut déjà pas mal pour m'impressionner. Si tu viens, attends-toi à trimer dur. L'île de la Tortue n'est pas une école. Personne ne délivre de cours ici. Je ne vais pas t'emmener en forêt un nombre donné d'heures chaque jour pour t'enseigner ceci ou cela en suivant un programme établi. Si c'est ce que tu recherches, adresse-toi à quelqu'un d'autre. Il existe d'autres structures plus à même de combler tes attentes en prenant en compte tes besoins et tes désirs. Je pense notamment aux centres Outward Bound de formation à la vie en plein air ou encore à la National Outdoor Leadership School. Là-bas, on t'inculquera des connaissances en échange d'une certaine somme d'argent. Moi, je ne fonctionne pas comme ça. Jamais tes désirs ni tes besoins ne passeront en premier, Shannon. La priorité, je la donne toujours aux nécessités de la ferme. La plupart des tâches que je te confierai te paraîtront monotones et ennuyeuses et tu auras l'impression de ne rien apprendre, mais je te promets que, si tu restes ici jusqu'au bout de tes deux années d'apprentissage et si tu m'obéis sans discuter, tu acquerras des compétences qui te donneront un niveau d'autonomie unique au sein de notre culture. Si je vois que tu ne demandes qu'à progresser et que le travail ne te fait pas peur, je te consacrerai de plus en plus de temps au fil des mois, mais tu devras te montrer patient, car je ne renoncerai jamais à mon autorité sur toi.

« Si je te dis tout ça, c'est parce que j'en ai assez. Ras le bol de ceux qui viennent ici en espérant autre chose que ce que je viens de t'expliquer et qui repartent déçus. Je n'ai pas de temps à perdre avec eux. Voilà pourquoi j'aime autant que ce soit clair. J'exigerai plus de ta part que tu n'as jamais exigé de toi-même. Si tu n'es pas prêt à travailler d'arrache-pied ni à faire exactement ce que je te dirai, s'il te plaît, reste chez toi.

– Je comprends, affirma Shannon Nunn. Je souhaite quand même venir. »

Shannon arriva un mois après son coup de fil, prêt à retrousser ses manches. Rien, à l'entendre, ne l'avait encore autant enthousiasmé. Ce jeune homme en quête d'une vie spirituelle plus authentique dans les bois pensait avoir trouvé son maître. Il aspirait, affirmait-il, « à boire de cette eau qui, une fois qu'on en a trouvé la source, ne laisse plus jamais sur sa soif ».

Une semaine plus tard, il boucla ses valises et quitta l'île de la Tortue, profondément en colère, déçu et meurtri.

« Je me suis présenté là-bas, m'a expliqué Shannon un an plus tard, en croyant savoir à quoi m'attendre. Eustace m'avait promis que, si je travaillais pour lui, il me montrerait comment tirer ma subsistance de la terre. Je pensais qu'il m'apprendrait à survivre dans les bois grâce à la chasse et la cueillette, qu'il m'expliquerait comment construire un abri ou faire du feu ; qu'il me transmettrait ses compétences, en somme. Ça m'avait coûté de m'installer à l'île de la Tortue, en temps et en énergie. Je ne me sentais pas rassuré : je venais de tout quitter, mon foyer, ma famille, mon école pour suivre l'enseignement d'Eustace. Une fois là-bas, tout ce qu'il m'a demandé, ça a été un travail routinier, mécanique. Il ne m'a rien appris du tout. Il m'obligeait à planter des clôtures ou à creuser des fossés. "Hé ! je lui ai dit. Je pourrais aussi bien creuser des fossés chez moi. Là-bas, au moins, on me paierait pour ça. Ce n'est pas ce que j'attends." »

Shannon essuya une déconvenue si sévère que, moins d'une semaine après son arrivée, il alla voir Eustace pour discuter des problèmes que lui posait son apprentissage. Eustace l'écouta jusqu'au bout et lui répondit : « Si ça ne te plaît pas, va-t'en. » Là-dessus, il tourna les talons. Shannon entra dans une rage folle, au point que les larmes lui vinrent aux yeux. Attendez un peu ! Pourquoi Eustace lui opposait-il un mur d'indifférence ? Il ne voyait donc pas que Shannon était hors de lui ? Ne pourraient-ils pas en parler ? Chercher une solution ?

Eustace venait de livrer ce qu'il avait sur le cœur. Il ne souhaitait rien ajouter. Il avait eu la même conversation à d'innombrables reprises avec des quantités de Shannon Nunn au fil des ans. Il ne lui restait plus rien à dire. Eustace s'en est allé parce que la lassitude le gagnait et qu'il lui restait encore du pain sur la planche.

Il ne dort que quelques heures par nuit.

Parfois, il rêve du Guatemala, où il a vu des enfants se servir d'une machette dès l'âge de trois ans. Parfois, il rêve des fermes impeccables et des paisibles familles des mennonites.

Parfois, il rêve de renoncer à sauver l'espèce humaine pour, comme il l'a noté dans son journal, « faire de l'île de la Tortue un sanctuaire réservé à mon usage personnel exclusif, où je tenterais de survivre au ridicule du monde actuel ».

Il rêve aussi de son grand-père, qui a écrit un jour : « Il y a plus durable encore que les gratte-ciel, les ponts, les cathédrales et autres symboles matériels de la réussite des hommes : les monuments invisibles de la sagesse dont l'exemple s'est enraciné dans les cœurs et les esprits. Quand vous faites pencher la balance, par le poids de votre influence, du côté du bien, du vrai et du beau, votre vie devient d'une splendeur infinie. »

Il rêve également de son père. Il se demande combien de réussites époustouflantes il lui faudra encore compter à son actif pour arracher un compliment à son paternel.

Puis il se réveille.

Chaque matin, il se réveille dans le même contexte : celui d'une crise nationale. Il ouvre les yeux au cœur d'une nation qui court à sa ruine, impuissante, en détruisant tout ce qui se dresse sur son chemin. Il se demande s'il reste un espoir d'inverser la tendance. Il se demande pourquoi il a engagé la lutte en se promettant de sauver le monde entier. Pourquoi il laisse des empotés saccager sa terre sacrée en la traitant par-dessus la jambe. Il se demande comment il est passé du rôle d'amoureux à celui de maquereau de la nature. Il tente de saisir la différence entre ce qu'il a l'obligation et ce qu'il a la possibilité d'accomplir. Si seulement il pouvait réaliser son vœu le plus sincère, il vendrait l'île de la Tortue (un fardeau, en fin de compte) pour acheter un grand terrain en plein cœur de la Nouvelle-Zélande ! Là, il pourrait vivre en paix dans la solitude la plus complète. Eustace adore la Nouvelle-Zélande : un pays spectaculaire encore intact, loin de tout, sans la moindre créature venimeuse, très peu peuplé (et seulement de gens honnêtes et fiables). Au diable, l'Amérique ! songe Eustace. Peut-être ferait-il mieux de renoncer à la course à la réussite dans les montagnes en abandonnant ses compatriotes à leur triste sort.

En voilà, un fabuleux rêve ! Eustace se demande tout de même s'il trouvera un jour le courage de le réaliser. Peut-être qu'il songe à s'installer en Nouvelle-Zélande comme les citadins endurcis qui travaillent dans la haute finance songent à ouvrir une quincaillerie dans le Vermont. Peut-être que lui non plus ne franchira jamais le pas. Peut-être qu'il a trop investi dans son style de vie pour en changer.

« Si ça se trouve, mon message arrive trop tard, admet-il. Ou alors trop tôt. Tout ce que je peux affirmer, c'est que ce pays traverse selon moi une crise fatale. J'ai l'impression de vivre un cauchemar. Si nous n'y changeons rien, nous irons droit dans le mur. Or, je ne sais même plus quoi suggérer. J'en ai assez de mes propres discours. »

CHAPITRE 9

Nous sommes nombreux et c'est à toute vitesse – j'allais dire à une vitesse effrayante, même – que se poursuit notre expansion !

John Caldwell CALHOUN, 1817

Il m'arrive de me pinter avec Eustace Conway. Il s'agit d'ailleurs d'une des activités que j'aime le plus pratiquer en sa compagnie. Bon, c'est vrai que j'aime aussi me pinter en compagnie d'à peu près n'importe qui, mais avec Eustace plus encore que les autres : l'alcool lui apporte une sorte de paix intérieure (grâce à ses fameuses propriétés sédatives, j'imagine) seule à même de tempérer la fièvre qui le consume. L'abus de gnôle éteint un petit moment la flamme qui brûle en lui ; ce qui vous permet de vous approcher de lui sans que la chaleur insoutenable de son ambition ni de ses convictions vous roussisse le cuir. Rien de tel qu'une bonne rasade de whisky pour qu'Eustace Conway se détende et devienne soudain plus drôle, plus léger... et se mette à ressembler à Judson Conway.

Rien de tel qu'une bonne rasade de whisky pour qu'Eustace vous narre par le menu ses aventures les plus époustouflantes et les plus cocasses en rugissant de plaisir. Avec un verre dans le nez, il est capable d'imiter n'importe quel accent, de vous raconter des craques et même de s'amuser des plaisanteries les plus idiotes. Quand Eustace Conway se met à boire, il lui arrive d'éclater de rire en ponctuant ses phrases d'expressions qui ne lui ressemblent pas du tout et qu'il a glanées au fil des ans, du genre, « ça me fait kiffer », « c'est trop de la balle » ou (ma préférée) « pourquoi tu crois qu'on m'arrose de thune ! ».

« Bon. Un été que je randonnais au parc national de Glacier, commence-t-il, sitôt débouchée la bouteille, et je lui souris en me penchant vers lui, tout ouïe, je me suis aventuré dans un champ de neige à l'étage alpin. Personne ne savait où me trouver et je ne suivais même pas de sentier ; il n'y avait que de la neige et de la glace à perte de vue, plus des à-pics vertigineux de chaque côté. Bien entendu, je n'avais pas emporté de matériel adéquat : je me débrouillais donc tant bien que mal ! Enfin ! Me voilà en train de marcher quand, tout à coup, je perds l'équilibre en dévalant la pente sur le dos. La plupart des randonneurs qui s'aventurent jusque-là emmènent un piolet mais moi, non : pas moyen de ralentir ma glissade. Je tente de m'appuyer de tout mon poids sur mon sac à dos ; en vain. J'enfonce mes talons dans la glace, mais, là non plus, rien n'y fait ! Puis, au bout d'un moment, la neige et la glace cèdent la place à des gravillons et je rebondis d'une pierre sur l'autre à toute berzingue. Je dégringole en me disant *ça y est, je vais y passer !* quand soudain... Boum ! Je m'arrête. Voilà bien la meilleure ! Je me redresse et là, je m'aperçois que je viens de rentrer dans une mule crevée. Je le jure devant Dieu ! Une mule crevée ! Ma chute a été stoppée net par la carcasse gelée d'une mule. Tout doucement, je me relève pour jeter un coup d'œil pardessus et là, qu'est-ce que je vois de l'autre côté ? En plein cœur du parc national de Glacier ? Un à-pic de plus de cinq cents mètres ! Je me mets à rire et à rire. C'est tout juste si je n'embrasse pas la mule. Merde alors ! Cette mule est mon sauveur ! Si j'étais tombé au fond du précipice, personne ne m'aurait retrouvé ! Du moins, pas avant un millier d'années ;

pas avant que des randonneurs ne tombent par hasard sur ma carcasse et pondent un article à la con dans le *National Geographic* ! »

Après quelques gorgées de whisky supplémentaires, Eustace évoque souvent Dorothy Hamilton, l'Afro-Américaine qui s'est ruée hors du fast-food où elle travaillait au fin fond de la Géorgie en agitant son tablier au passage des Cavaliers au long cours. Elle a sauté au cou des frères Conway en les suppliant de la laisser dire un mot dans leur journal sur cassette. Elle savait que les Cavaliers au long cours se rendaient en Californie (elle les avait vus à la télé). Or, elle avait un message pour la côte Ouest : « Salut les surfeurs ! l'imite alors Eustace en retrouvant l'intonation enjouée de la serveuse. C'est Dorothy Hamilton qui vous fait un petit coucou ; la fille de la baraque à nuggets ! »

Un soir, Eustace et moi sommes passés dire bonjour à ses chers voisins des Appalaches, Will et Betty Jo Hicks. Will et Eustace ont commencé à parler d'un pistolet à double « barié » que Will possédait autrefois. J'ai tenté de suivre la conversation, mais j'ai bientôt dû m'avouer, comme à chacune de mes visites aux Hicks, que je ne comprenais pas un mot sur dix que prononçait Will Hicks. Je ne sais pas si c'est à cause des dents qui lui manquent ou de son patois des Appalaches, mais ses propos demeurent pour moi un mystère.

De retour à la cabane d'Eustace, ce soir-là, je me suis lamentée autour d'une bouteille de whisky de ne rien saisir à ce maudit accent des Appalaches.

« Comment parviens-tu à comprendre Will ? Je suppose qu'il faudrait que j'étudie d'un peu plus près son espèce d'appa-patois. »

Eustace s'est écrié en rugissant :

« Hé ! Il faudrait plutôt que tu l'écoutes appa-plus attentivement !

– Je ne sais pas trop, Eustace. Je crois qu'il va me falloir un temps appa-fou avant de capter quoi que ce soit à ce que racontent Will Hicks et compagnie.

– Sacré nom ! Ce vieux montagnard voulait juste te donner une appa-leçon.

– Oh, j'imagine qu'on pourrait épiloguer là-dessus encore appa-longtemps, conclus-je en gloussant.

– Tu ne serais pas en train de te payer l'appa-tête de Will, rassure-moi ? » reprit Eustace.

À ce moment-là, lui et moi, nous riions comme des appa-bossus. Enfin ! Eustace commençait à se détendre en souriant de toutes ses dents qui étincelaient à la lueur du feu de camp. J'adore le voir comme ça ! J'aurais voulu qu'il me reste encore dix bouteilles de whisky et autant d'heures à passer avec lui au chaud dans sa cabane à savourer sa compagnie, sans qu'il se soucie encore de sauver le monde et que, au contraire, il se laisse aller, pour une fois.

« On s'amuse tant avec toi Eustace, quand tu es d'humeur à plaisanter ! Tu devrais mettre plus en avant cet aspect de ta personnalité.

– Je sais, je sais. Patience me le répétait sans arrêt. À l'en croire, mes apprentis me craindraient moins si je leur montrais mon côté spontané, plein d'humour. À un moment, j'ai réfléchi à un moyen d'y arriver. Peut-être que chaque matin, avant de se mettre au travail, on devrait passer cinq minutes ensemble à rire de tout et de rien ?

– Cinq minutes, Eustace ? Pas quatre ni six ?

– Argh ! »

Il se prit soudain la tête entre les mains.

« Je sais. C'est terrible ! Tu imagines un peu le calvaire que je vis ? Tu imagines ce qui se passe dans ma tête ?

– Hé, Eustace ! La vie n'est pas simple, hein ? »

Son visage se fendit d'un franc sourire puis il porta son verre à ses lèvres.

« Alors là… tu l'as dit ! »

Eustace n'a pas encore renoncé à ses ambitions. Il n'en a pas terminé. Quand il a emmené sa petite amie Valarie à l'île de la Tortue pour la première fois, au cours de ses jeunes années, il lui a expliqué, comme en suivant un plan établi, le futur aménagement de son domaine. Des constructions ici, un pont là ; une cuisine, un pré, des pâturages. Aujourd'hui, tout est tel qu'il le décrivait à l'époque. Sa propriété traduit dans la réalité physique la plus concrète ce qu'Eustace avait en tête à l'origine. Les constructions, le pont, la cuisine… les voilà désormais en place !

Je me rappelle que, à l'occasion de ma première visite à l'île de la Tortue, Eustace m'a montré une prairie qu'il venait de défricher ; une simple parcelle boueuse parsemée de souches. « La prochaine fois que tu viendras, m'a-t-il affirmé, une grange se dressera au centre de ce champ. Tu imagines ? Un beau pré verdoyant où paissent les chevaux ? » Quand je suis retournée à l'île de la Tortue, comme par enchantement, une grange se dressait au centre du champ ; un beau pré verdoyant où paissaient les chevaux. Eustace m'a emmenée au sommet d'une colline qui nous offrait un meilleur point de vue. Il a embrassé du regard les alentours en affirmant : « Un jour, il y aura un verger ici. »

Je connais assez bien Eustace pour parier qu'un jour, ce sera effectivement le cas.

En résumé : non, il n'en a pas encore fini avec l'île de la Tortue. Il souhaite y construire une bibliothèque et acquérir une scierie afin de produire lui-même le bois dont il a besoin. Sans parler de la maison de ses rêves ; celle où il habitera un jour. Eh oui : à l'issue de plus d'une vingtaine d'années dans les bois, après avoir trimé d'arrache-pied pour acquérir quatre centaines d'hectares et malgré l'édification de plus d'une dizaine de constructions sur son domaine, Eustace ne dispose toujours pas d'une maison à lui. Pendant dix-sept ans, il a vécu sous un tipi et, pendant deux ans, dans les combles d'une remise à outils. Depuis peu, il a emménagé dans une petite cabane rustique qu'il appelle « la maison d'hôtes » : un lieu public où apprentis et invités se réunissent deux fois par jour aux heures des repas quand les rigueurs de l'hiver empêchent de se servir de la cuisine en plein air. Eustace, qui affirme pourtant tenir à son intimité plus qu'à tout au monde, ne s'est jamais aménagé d'espace privé à l'île de la Tortue. Sa priorité ? Trouver un toit aux autres, depuis les porcs jusqu'aux apprentis en passant par les outils et les livres.

Cela dit, il réfléchit à la conception de sa future maison depuis des dizaines d'années. Il y a donc fort à parier qu'un jour elle existera pour de bon. Il en a conçu les plans en Alaska, coincé sur une île où il devait attendre que la houle se calme pour rejoindre le continent en kayak sans danger. Un après-midi, je lui ai demandé s'il pourrait me la décrire en détail. « Mais oui ! » m'a-t-il assuré.

« La maison de mes rêves repose sur la même philosophie que ma relation avec mes chevaux : aller au-delà du strict nécessaire par amour du beau. Ma maison aura un côté tape-à-l'œil, mais pas question de lésiner sur la qualité ! Si j'ai envie d'un toit en ardoise, eh bien va pour un toit en ardoise ! Même principe si je souhaite des vitres en verre taillé, des finitions en cuivre, des poignées en fer forgé ou que sais-je encore ! La charpente reposera sur de longues poutres ; j'en ai déjà sélectionné quelques-unes dans les forêts des environs. Du bois, donc, et beaucoup de pierre aussi ; le tout, fait pour durer.

« Quand je pousserai la porte d'entrée apparaîtra une cascade d'une dizaine de mètres de haut fonctionnant à l'électricité solaire, qui s'écoulera au fond d'un bassin en pierre en contribuant au chauffage de la maison. Le sol sera en pierre ou revêtu d'un carrelage aussi agréable à l'œil qu'au contact sous la plante des pieds. La pièce principale disposera d'une dizaine de mètres de hauteur sous un plafond à la charpente apparente. Au fond : un âtre à demi enterré, en pierre, entouré de bancs de pierre maçonnés dans le sol. J'y allumerai de grands feux où mes amis viendront se réchauffer le dos et les fesses les longues soirées d'hiver. À gauche, une porte donnera sur mon atelier ; une pièce carrée de six mètres de côté. L'un des murs se composera de deux portes massives montées sur des charnières en fer d'un mètre cinquante de long qui s'ouvriront sur l'extérieur. Comme ça, quand j'y travaillerai l'été, je profiterai du grand air, du soleil et du chant des oiseaux.

« La pièce principale donnera accès à deux vérandas : je cultiverai des légumes en serre toute l'année dans l'une et l'autre servira de salle à manger, à la conception simple mais mûrement réfléchie. Chaque chose y aura sa place, comme sur un bateau. Une banquette circulaire entourera une grande table en bois. Des panneaux de verre offriront une vue sur la vallée, l'étable, les prés et le jardin. Une porte contiguë à celle de la salle à manger donnera sur la cuisine : un plan de travail en marbre, des placards fabriqués sur mesure aux poignées en bois de cerf, un poêle à bois mais aussi une gazinière, un évier équipé d'un robinet d'eau chaude et d'un autre d'eau froide, fonctionnant à l'énergie solaire, plus des tas de trucs de fabrication artisanale et des ustensiles en fonte. Une autre porte mènera à une cuisine en plein air dont je me servirai l'été. Une terrasse couverte la prolongera ; il y aura une table et l'eau courante et même une arrivée de propane pour que je n'aie pas à retourner sans arrêt à l'intérieur. Et la terrasse surplombera un magnifique à-pic.

« À l'étage : deux petites chambres mansardées plus (mais ça, on la verra depuis la pièce principale) une mezzanine en prolongement de ma chambre, de la même taille que l'atelier au rez-de-chaussée, sauf qu'il n'y aura pas de bric-à-brac ; rien qu'un vaste espace dégagé, magnifique. Le couloir sur lequel s'ouvrira ma chambre donnera aussi accès à des toilettes à compost, un sauna et aux deux autres chambres. Je prévoirai un couchage sur une terrasse couverte en plus d'un lit extralarge dans ma chambre, sous une verrière qui me permettra de contempler les étoiles la nuit. Sans oublier, bien entendu, d'immenses placards-penderies intégrés.

« Il y aura des œuvres d'art partout chez moi. Sur la balustrade de la mezzanine pendront des tapis navajo. Un peu comme le style “Santa Fe” qui a tellement la côte en ce moment, sauf qu'il s'agira d'authentiques œuvres de valeur ; pas des contrefaçons sans intérêt que collectionnent ceux qui n'y connaissent rien. En résumé, je disposerai d'une maison lumineuse et spacieuse où l'on se sentira en paix, en sécurité ; où le beau se joindra à l'utile. Autant te dire que la revue *Architecture d'intérieur* lui consacrerait volontiers un reportage ! Je serais tout à fait capable de la construire moi-même, mais pas question de creuser les fondations avant mon mariage : j'aime autant être pendu si je me lance dans une telle entreprise sans la compagne idéale auprès de moi ! »

Là-dessus, Eustace se tut. Puis il se laissa aller au fond de son siège en souriant.

Moi-même, je ne me sentais pas la force d'ajouter quoi que ce soit.

Non parce que je me demandais où Eustace avait bien pu entendre parler de la revue *Architecture d'intérieur.* Ni parce que cela me choquait d'entendre Eustace exprimer son désir d'une maison sur laquelle n'aurait pas craché un roi du pétrole à la retraite alors qu'il affirmait depuis des années que le bonheur ne tient pas aux possessions matérielles. Ni parce que Eustace me faisait soudain penser à Thomas Jefferson ; un idéaliste solitaire soucieux du bien-être de la société, renonçant pour un temps à ses obligations vis-à-vis de la république pour se perdre dans ses rêves d'une habitation idéale à l'écart du monde. Ni même parce que je me demandais où les treize enfants auxquels Eustace compte encore et toujours donner la vie trouveraient leur place dans une maison de trois chambres à peine. Tout ça, je me le figurais à peu près. Ça ne m'étonnait pas outre mesure.

La cause de ma stupeur était beaucoup plus simple.

Je savais que je devais m'attendre à bien des bizarreries de la part de ce montagnard des temps modernes à la personnalité ô combien complexe. Cela dit, je n'arrivais toujours pas à croire que je venais d'entendre Eustace employer le mot : « placard-penderie intégré ».

Voilà Eustace Conway en train d'inspecter le barillet de ce revolver qu'est le passage de la quarantaine. S'il faut en croire les statistiques des compagnies d'assurances, il a déjà vécu la moitié de sa vie. Il compte un grand nombre de réussites à son actif. Il possède une connaissance du monde plus approfondie que celle que nos lectures fourniront jamais à la plupart d'entre nous. Combien de fois n'a-t-il pas réussi là où tant d'autres lui prédisaient un échec assuré ? Il s'est emparé du terrain qu'il convoitait et qu'il a su maintenir dans son intégrité. À force de prêter attention aux lois de l'univers, il a acquis une impressionnante diversité de compétences. Il a créé une association d'enseignement à son image qui lui permet de répandre autour de lui la bonne parole. Il jouit aujourd'hui d'une notoriété considérable : son entourage le craint et le vénère en même temps. Le voilà en somme au pinacle. Il se considère lui-même comme un montagnard hyperactif; l'homme d'un destin en action, le reclus le plus médiatisé du monde, le P-DG des bois.

Hélas ! Un tel portrait comporte aussi ses failles... qui se creusent parfois au point de se changer en gouffres. Eustace semble tout aussi incapable qu'il y a dix ans de nouer avec ses proches des relations à même de le satisfaire. Ceux qui travaillent sous ses ordres à l'île de la Tortue finissent en général par lui en vouloir ou par le comprendre de travers. À peu près tous les apprentis que j'ai rencontrés l'ont quitté bien avant la date prévue ; et, le plus souvent, en larmes. Même Candice, pourtant déterminée à ne pas s'ajouter à la liste des Déçus de l'Île de la Tortue, a bouclé ses valises de but en blanc, frustrée par le refus d'Eustace de lui confier l'entretien du potager.

Eustace ne s'en sort pas mieux avec sa famille. Au premier plan de ses préoccupations s'impose encore et toujours son père, qui n'a eu de cesse de l'humilier. L'ombre de cet homme dépité pétri d'amertume se profile sur la vie de son fils aîné en permanence. Quand Eustace Conway se tourne vers son père en quête d'affection ou de reconnaissance, il se heurte à un mur contre lequel il manque de peu se casser le nez.

Cela dit, un curieux incident s'est produit l'an dernier.

Eustace m'a passé un coup de fil le jour de son trente-neuvième anniversaire. Comme d'habitude, nous avons discuté une bonne heure des dernières nouvelles à l'île de la Tortue. Il m'a touché un mot de ses nouveaux apprentis et de la grange avant de m'annoncer la naissance d'une magnifique pouliche baptisée Luna.

Puis il m'a confié, d'une drôle de voix :

« Oh, et ce n'est pas tout ! J'ai reçu une carte d'anniversaire, cette semaine.

– Ah bon ? De qui ?

– De mon père. »

Un long silence s'est installé. J'ai posé ma tasse de thé pour m'asseoir.

« Raconte-moi. Dis-moi tout.

– Je la tiens en main, en ce moment même.

– Lis-la-moi, Eustace.

– C'est marrant, tu sais ? Mon père... eh bien... il l'a dessinée lui-même. Il a représenté trois ballons rouges qui montent au ciel, attachés par une ficelle verte. Et il a libellé le message à l'encre bleue.

– Qu'est-ce qu'il dit, ce message ? »

Eustace s'est éclairci la voix avant de me le lire :

« "J'ai peine à croire que trente-neuf années se sont déjà écoulées depuis ta naissance, depuis que nous avons fondé ensemble une famille. Merci pour toutes les joies que tu nous as apportées au fil des ans. Nous comptons sur toi pour nous combler encore à l'avenir. Ton papa qui t'aime." »

Un autre silence s'est installé.

« Répète un peu », ai-je demandé à Eustace, qui s'est aussitôt exécuté.

Ni lui ni moi n'avons ouvert la bouche avant un long moment. Eustace m'a précisé qu'il venait de recevoir la carte, deux jours plus tôt.

« Je l'ai lue, puis je l'ai rangée dans son enveloppe. Ça m'a tellement secoué que mes mains en tremblaient. Voilà bien la première fois que mon père m'adresse un mot gentil ! À mon avis, personne ne peut se figurer ce que je ressens. Je ne viens d'y jeter de nouveau un coup d'œil qu'à l'instant. Il m'a fallu deux jours pour trouver le courage de la relire. Je redoutais ne serait-ce que de la toucher : je croyais rêver.

– Comment tu te sens ?

– Je ne sais pas trop. Oh, Seigneur ! J'ignore comment ouvrir mon cœur meurtri par la crainte ou ce qu'il faut que j'en pense. C'est vrai, quoi ! Qu'est-ce qu'il se passe, bon sang ? Qu'est-ce que ça signifie, papa ? Qu'est-ce que tu mijotes encore ?

– Il ne mijote peut-être rien du tout, Eustace.

– Je crois que je vais mettre la carte de côté un moment.

– Pourquoi pas ! Qui sait si tu ne souhaiteras pas la relire demain ?

– Qui sait… » a conclu Eustace avant de raccrocher.

Ce redoux inattendu des relations entre les deux Eustace m'a rappelé un terme abscons que j'ai découvert ces derniers temps, un jour que je feuilletais le dictionnaire en y cherchant le prénom d'Eustace, curieuse de connaître son étymologie. À la place d'un éventuel « eustace », j'ai trouvé le nom « eustatisme » qui désigne « une variation globale du niveau des mers, sur plusieurs millénaires, liée à la formation ou à la fonte des glaciers ».

Un lent réchauffement, en d'autres termes. Il n'en faudrait pas moins pour que fluctue un tant soit peu le niveau d'un océan.

La famille Conway ne se limite pas au père. Eustace entretient avec ses proches des relations loin d'être apaisées. Il adore sa mère, mais il déplore sa vie rude et sans joie de femme mariée au point que son dépit mine son aptitude à trouver le bonheur. Il se sent plus attaché à son petit frère

Judson qu'à n'importe qui d'autre au monde, mais l'observateur même le plus neutre doit admettre qu'ils se sont éloignés l'un de l'autre au fil des ans, en particulier depuis la randonnée des Cavaliers au long cours. Judson vit aujourd'hui non loin d'Eustace dans une cabane en rondins qu'il a lui-même construite et qu'il partage avec sa fiancée (une fille indépendante qui n'a pas froid aux yeux, une bûcheronne qui chasse le cerf à l'arc et répond – croyez-le ou pas ! – au doux prénom d'Eunice). Judson pourrait facilement passer voir Eustace tous les jours s'il le voulait, mais il n'y tient pas. Les deux frères ne se fréquentent que rarement. Eustace aimerait que Judson s'ouvre plus à lui, mais Judson veille à maintenir ses distances vis-à-vis de son frère.

« Je m'en suis aperçu quand on a traversé l'Amérique à cheval, m'a confié Judson. Eustace a hérité de papa : il se prend beaucoup trop au sérieux ; ce qui ne le rend pas facile à vivre. En plus, papa et lui se considèrent comme des communicateurs-nés. Ils se croient en mesure de délivrer un message plus efficacement que n'importe qui d'autre. Bon, Eustace, au moins, écoute ce qu'on lui dit et s'adresse aux autres d'un ton humble, comme leur égal, mais au fond, il ne vaut pas mieux. Il faut sans arrêt qu'il n'en fasse qu'à sa tête. Inutile d'épiloguer là-dessus ! J'adore mon frère, mais je ne m'y habituerai jamais. Voilà pourquoi je maintiens mes distances. Je n'ai pas le choix. N'empêche que je trouve ça dommage. »

Walton Conway, le cadet, n'habite pas loin d'Eustace non plus ; à une heure de route de l'île de la Tortue. Brillant, polyglotte et réservé, il vit dans une maison équipée de tout le confort moderne et d'une collection d'œuvres de Nabokov et Dickens. Walton enseigne l'anglais. Il écrit des romans sans prétention et dirige depuis son domicile une entreprise d'importation de produits artisanaux russes. Il a épousé une femme généreuse et pleine de vie qui lui a donné une fille alors qu'elle en avait déjà deux d'une précédente union. Walton mène aujourd'hui une vie tranquille, mais il a pas mal bourlingué, plus jeune. En ce temps-là, il écrivait sans cesse à son grand frère Eustace, qu'il admirait profondément, tant il aspirait à son respect.

« Je répugne à te l'écrire, confia Walton à Eustace en 1987, à l'issue d'un long séjour dans une ferme en Allemagne où il avait décroché un petit boulot, mais il me semble que tu pourrais être fier de moi. Je n'ai pas eu peur de me salir les mains en travaillant et j'ai attrapé des cals là où je n'aurais jamais cru qu'il pouvait s'en former. »

En 1992, il lui écrivit de Russie : « J'ai changé d'air, le week-end dernier, en allant planter des concombres loin de la ville, et ça m'a fait un bien fou. J'ai manié la pelle toute la journée, en pensant à toi et à Tolstoï et à cet été où tu bossais sur un chantier (Qu'est-ce que tu faisais, d'ailleurs ? Du balayage ?) en Alabama par une chaleur de tous les diables. (Tu vois : j'ai vécu tes aventures par procuration, comme si je t'observais par le trou d'une serrure.) Dans l'ensemble, tu ne te plairais pas du tout ici à Moscou. C'est tellement sale ! Quelle misère, quand on voit ce que la ville est devenue et ce que les hommes s'infligent à eux-mêmes ! Je ne t'imagine pas dans un tel décor. Je rêve de l'île de la Tortue. »

À présent que Walton habite à deux pas de l'île de la Tortue, il ne rend presque jamais visite à son frère ; ce qui mine Eustace, lui qui aimerait passer plus de temps en compagnie de Walton. Cela le blesse de constater que son frère ne souhaite pas occuper plus de place dans sa vie.

« Si je garde mes distances, explique Walton, c'est à cause de son ego, que je ne supporte pas. Il y a des matins où je me réveille en songeant : *Ah lala ! Qu'est-ce que ce serait chouette d'avoir un frère qui connaisse autant de choses qu'Eustace mais en restant humble !* J'adorerais passer du temps en compagnie d'un type aussi instruit qui me communiquerait son savoir. J'aimerais tant randonner avec Eustace et qu'on passe ensemble un bon moment, mais ce n'est pas simple de surmonter ce problème d'ego. Souvent, j'ai envie de lui dire :

“Tu t’imagines te lancer dans une équipée à cheval sans t’en vanter sur tous les toits ? Faut-il vraiment que tu te donnes en spectacle en permanence ?” »

Quant à la sœur d’Eustace, Martha… Ma foi ! Je la considère comme la plus énigmatique des Conway. Elle mène une vie si éloignée des aventures de ses frères qu’on en viendrait presque à oublier son existence. Les Conway prétendent en blaguant qu’on a dû l’échanger au berceau, vu que personne ne comprend comment elle a pu « mal tourner à ce point ». Martha vit avec son mari et leurs deux filles dans un pavillon de banlieue d’une propreté telle qu’un chirurgien pourrait opérer ses patients dans sa cuisine.

« Tu sais, la plupart des parents doivent planquer les bibelots quand leurs enfants sont encore petits, pour limiter la casse…, a commencé Judson en essayant de me décrire sa sœur. Eh bien, chez Martha, ça ne se passe pas comme ça. Elle a interdit à ses filles de toucher aux bibelots sur le guéridon et tu peux être sûre qu’elles n’y touchent pas. »

Martha est une fervente chrétienne, beaucoup plus pieuse que n’importe qui d’autre dans sa famille. Titulaire d’un master en gestion d’entreprise, je suis convaincue qu’elle pourrait diriger General Motors si elle le voulait sauf qu’elle n’en a aucune envie. Sa finesse d’esprit et ses facultés d’organisation ne lui servent qu’à remplir au mieux son rôle de maîtresse de maison, de mère sévère mais juste et de paroissienne indispensable à sa communauté. Je ne connais pas bien Martha : je n’ai passé qu’un après-midi auprès d’elle. Cela dit, elle m’a beaucoup plu. Je l’ai trouvée plus douce et d’un abord plus aimable que je ne m’y attendais, compte tenu de ce que ses frères m’avaient raconté de sa rigidité. Cela m’a touchée qu’elle m’accueille chez elle, d’autant qu’elle considère son foyer comme une sorte de sanctuaire. J’ai senti à son regard qu’il lui en coûtait de m’ouvrir sa porte : son sens de l’hospitalité chrétienne a dû lutter contre sa volonté de préserver son intimité.

Quand j'ai demandé à Martha de se définir, elle m'a répondu : « Le plus important, dans ma vie, c'est mon cheminement au côté du Christ, qui rejaillit sur le moindre aspect de mon existence : la manière dont j'élève mes enfants, dont je m'efforce d'honorer les vœux que j'ai prononcés en me mariant, de ne pas me mettre en avant et de maîtriser mes émotions en contrôlant ma voix. Ma foi oriente mes moindres décisions. Je ne veux pas que mes enfants fréquentent une école publique : je m'en méfie depuis que la prière a été supprimée en classe. Je tiens à ce que mes enfants grandissent avec une foi solide, qu'ils ne pourront acquérir qu'ici, auprès de moi. Le relativisme prédomine aujourd'hui. Or, je ne veux surtout pas que mes enfants en subissent l'influence. De nos jours, plus personne ne croit à l'existence d'un absolu alors que je reste persuadée qu'il existe une manière de vivre absolument bonne et une autre absolument mauvaise. Ici, chez moi, je peux au moins transmettre mes convictions à mes enfants. »

La famille Conway aime aussi blaguer sur le gouffre qui sépare Eustace de Martha. « Attends un peu de voir la vie qu'elle mène ! m'ont-ils mise en garde. On ne croirait jamais que c'est la sœur d'Eustace. » Malgré tout le respect que je dois aux Conway, je ne suis pas d'accord. Dès que j'ai mis les pieds dans le séjour de Martha, je me suis dit : *Ah pardon, les amis, mais ces deux-là sont bien du même sang !* La société américaine paraît aussi corrompue à Eustace qu'à Martha. L'un comme l'autre se sont construit un petit univers rien qu'à eux, tellement à l'écart du monde qu'ils pourraient aussi bien vivre sous globe. L'un comme l'autre exercent un pouvoir inconditionnel sur leur royaume sans se plier au moindre compromis. Celui d'Eustace couvre quatre centaines d'hectares alors que celui de Martha ne dépasse pas cent mètres carrés, mais ils le dirigent de la même poigne de fer : en maîtres absolus.

Une excellente chose, d'ailleurs, lorsqu'il s'agit d'abattre de la besogne. En revanche, quand deux maîtres absolus se confrontent l'un à l'autre, bonjour les dégâts ! Voilà qui explique qu'Eustace et sa sœur ne se sont jamais sentis proches. Le plus triste, c'est qu'ils ne demanderaient pourtant pas mieux que de ressouder les liens qui les unissent. Hélas ! Ils ne réussissent qu'à se froisser. Eustace fait de son mieux pour respecter les valeurs de Martha et son emploi du temps bien réglé en multipliant les mises en garde avant chacune de ses visites, en lisant la Bible à ses enfants et en essayant de ne pas semer la pagaille dans son intérieur chéri. Ce qui n'empêche pas Martha d'accuser Eustace de dureté et d'égoïsme ; reproches qui le blessent d'autant plus qu'il lui semble que Martha (qui n'a emmené sa famille à l'île de la Tortue qu'à deux reprises en dépit des invitations répétées d'Eustace) ne s'intéresse pas à lui. Martha, à l'inverse, prend ombrage de l'attitude dominatrice de son aîné qui, à l'entendre, s'attend à ce que le monde entier se prosterne à ses pieds à la moindre de ses apparitions. Par fierté autant que par habitude, Martha refuse de s'incliner.

En résumé : non, les relations d'Eustace avec sa famille ne le satisfont à aucun point de vue. Or, pas moyen de passer outre ! Ce qui le chagrine toutefois le plus, c'est qu'il n'a pas encore fondé sa propre famille. À quarante ans, comme à trente, Eustace se penche sur son univers, et là, quel choc ! Bien qu'il ait beaucoup accompli par la seule force de sa volonté, il n'a toujours ni femme ni enfant. À son âge, il devrait pourtant se consacrer à sa progéniture au sein des liens sacrés du mariage. À quel moment a-t-il pris un mauvais tournant ? Voilà qui le dépasse !

Un jour, Eustace et moi sommes allés rendre visite à son mentor, Hoy Moretz, un vieux fermier des Appalaches, dompteur d'animaux de génie. Nous avons passé un excellent après-midi dans la cuisine de Hoy à manger du pain à la farine de maïs en compagnie de son épouse Bertha en écoutant ses vieilles histoires à dormir debout et en feuilletant ses albums photo où ne figurent que des mules, des taureaux et des chevaux. Hoy est un petit malin qui ne manque pas de repartie. (Le jour où j'ai fait sa connaissance, je lui ai demandé comment il allait et il m'a répondu : « À pied ou à cheval, ça dépend du temps. ») Ce n'est pas un fin lettré (son père lui confiait ses troupeaux de bœufs quand il n'avait encore que six ans), mais, pour ce qui est de gérer une ferme, il n'a pas son pareil. Il possède cent vingt hectares des prés les mieux entretenus qu'on ait jamais vus. Hoy n'a cependant pas d'enfant. Eustace lui a demandé ce que deviendrait son magnifique domaine après leur décès, à lui et Bertha. Hoy a répondu qu'il n'en savait trop rien mais qu'il supposait que « l'oncle Sam mettra[it] la main dessus avant de le revendre à ces fichus promoteurs qui viennent de planter neuf cents baraques de l'autre côté de ma montagne ».

Plus tard, en voiture, j'ai demandé à Eustace si le magnifique domaine de Hoy ne lui faisait pas envie. Après tout, la ferme Moretz ne se trouve qu'à trois quarts d'heure de route de l'île de la Tortue. Bien sûr, m'a répondu Eustace, qu'il aimerait la racheter ! Évidemment que ça lui déplairait de la voir transformée en cimetière pavillonnaire !

« Mais bon ! Ainsi va le monde. D'abord apparaissent des routes, puis des fermes, et les fermiers vendent leur terrain à des promoteurs qui le saucissonnent et le souillent en y aménageant d'autres routes jusqu'à ce qu'il n'en reste plus que des miettes. Je ne peux quand même pas sauver toute la Caroline du Nord ! C'est au-dessus de mes forces.

– Que ferais-tu du domaine de Hoy si tu mettais la main dessus ? lui demandai-je en pensant qu'il y récolterait du foin ou qu'il y mènerait paître ses chevaux de plus en plus nombreux.

– Je prendrais soin de l'entretenir avant de le léguer à l'un de mes fils pour qu'il l'exploite dans le respect des traditions. »

La déclaration d'Eustace produisit un changement d'atmosphère notable. Elle sous-entendait qu'un jour Eustace donnerait naissance à une flopée d'enfants (dont un ou deux garçons au moins), qu'ils ne s'en ficheraient pas tous éperdument d'exploiter une ferme dans le respect des traditions et qu'ils ne décevraient donc pas Eustace (« tout le contraire de ce que j'espérais ! ») comme celui-ci avait déçu son père (ou ses oncles, son grand-père) et que la ferme de Hoy serait encore là dans un quart de siècle. Même Eustace me parut conscient que ses projets reposaient sur de nombreuses incertitudes.

« Mes fils, reprit-il, d'un ton écœuré. Écoute-moi un peu ! Où est-ce que je vais les trouver, mes fils ? »

Eh oui : où ça ? Et qui les mettra au monde ? Telle est la question à mille dollars qui hante Eustace mais aussi tous ceux qui le connaissent, au point que c'est devenu une sorte de passe-temps national de se demander qui finira par épouser Eustace Conway (en admettant qu'il se marie un jour !). Ces dernières années, les Conway m'ont tous prise à part à un moment ou un autre pour me confier en secret qu'ils ne souhaitaient pas voir Eustace devenir père vu que, comme le craint Martha, il se montrerait « bien trop redoutable » dans ce rôle.

Certains amis d'Eustace cherchent sans arrêt à lui coller entre les pattes de jeunes amoureuses de la nature au teint mat qui pratiquent l'alpinisme et aspirent à une vie calme au grand air. D'autres lui conseillent de retourner au Guatemala épouser la plus jolie et la plus douce adolescente maya qu'il y trouvera. Quelques-uns estiment à l'inverse qu'il lui faudrait une femme moderne qui « en a » et qui n'hésiterait pas à lui botter le train. L'une de ses amies (une artiste qui n'a pas pour habitude de prendre des gants) l'accuse de ne pas désirer d'enfants. « Hé, Eustace ! » lui répète-t-elle tout le temps, « pourquoi n'admets-tu pas que tu n'aimes pas les enfants ? En présence de gamins, tu n'as qu'une hâte : t'enfuir au plus vite ».

Comme tout le monde, j'ai ma petite idée sur la vie amoureuse d'Eustace. Selon moi, il lui faut une femme à la fois résistante et docile ; ce qui peut paraître contradictoire, sauf qu'il n'en a pas toujours été ainsi. Une capacité de résistance teintée de docilité a été la norme chez les femmes pendant des siècles, en particulier le long de la frontière en Amérique. Prenez l'exemple de Mme Davy Crockett, dont l'aptitude à se tirer d'affaire dans la nature sauvage n'avait d'égale que sa soumission envers son mari. Voilà ce qu'il faudrait à Eustace ! Hélas ! Davy Crockett vivait à la fin du XVIIIe. Il n'aura échappé à personne que les temps ont changé depuis. Je suis donc d'avis qu'Eustace Conway aura du mal à se trouver une épouse (ou, ainsi qu'il le dit parfois, une « âme sœur »). Comme s'en plaignait un jour l'un de ses amis citadins, en imitant l'accent traînant des montagnards du Sud : « Un siècle de ce satané féminisme a fourré de mauvaises idées dans la tête des demoiselles. »

Tel la plupart des hommes de destin qui l'ont précédé, Eustace n'a connu l'échec que par rapport à la subtile alchimie que suppose l'élection d'une partenaire. De ce point de vue, son infatigable énergie ne lui a pas été plus utile que ses innombrables compétences. Comme le malheureux Meriwether Lewis l'écrivait à son cher ami William Clark, quelques années après leur traversée du continent afin de le cartographier : « Me voilà désormais veuf pour ce qui touche à l'amour [...]. Je ressens à présent l'agitation, l'inquiétude, ce quelque chose d'indescriptible commun aux vieux garçons, dont je ne peux m'empêcher de songer, mon cher ami, qu'il provient de ce vide en nos cœurs qui aurait pu ou dû être mieux rempli. Comment l'expliquer ? Je n'en sais rien, mais il est certain que je ne me suis jamais moins senti dans la peau d'un héros qu'en ce moment. Ce que sera ma prochaine aventure, Dieu seul le sait ! En attendant, je suis bien décidé à me trouver une femme. »

On ne peut pourtant pas dire qu'Eustace manque d'occasions. Il ne laisse pas les femmes indifférentes. Or, il en rencontre des quantités, même en vivant à l'écart du monde. De ravissantes campeuses, apprenties ou randonneuses, débarquent chaque année à l'île de la Tortue, des étoiles plein les yeux. La plupart ne demanderaient pas mieux que de s'ébattre dans les sous-bois avec un homme de la montagne, un vrai, pour peu que l'occasion se présente. Si Eustace voulait simplement assouvir ses appétits charnels, il n'aurait aucune peine à cueillir des partenaires comme on cueille des mûres dans les ronces. C'est tout à son honneur de ne jamais avoir profité de l'île de la Tortue comme d'une utopie où il prônerait l'amour libre dans son propre intérêt. Jamais il n'a exploité les contingents de charmantes demoiselles qui affluent sur son domaine en tirant d'elles un plaisir physique sans lendemain. Au contraire, il s'efforce de se détacher des jeunes filles qui l'idolâtrent en tant qu'archétype de l'homme des bois viril parce qu'il estimerait malhonnête d'abuser de leurs sentiments. Il aspire à une union exclusive et inviolable entre deux êtres possédant chacun l'étoffe d'un héros. À vrai dire, sa quête repose sur une conception de l'amour bien arrêtée mais surtout d'une naïveté déchirante à peine croyable.

« Ça m'a fasciné de faire ta connaissance et d'avoir la chance d'échanger avec toi, écrivit-il à une jeune femme qui ne s'attarda pas assez longtemps à l'île de la Tortue pour mériter de s'ajouter à la liste des petites amies d'Eustace. Je ne sais pas au juste ce que tu penses de moi, mais j'espère que nous aurons l'occasion d'apprendre à nous connaître. Je cherche une compagne. Les femmes énergiques, intelligentes qui, comme toi, aiment l'aventure, m'attirent beaucoup. J'aimerais réaliser mon idéal d'une union inviolable où se mêleraient amour, tendresse et compréhension. Je veux une relation "idyllique", débordante de passion ; fidèle au rêve américain, si tu préfères. Voilà ce pour quoi je me réserve. [...] Il y aura bientôt dix ans que je songe à me marier. Je n'ai pas encore trouvé "la bonne personne". Dieu sait pourtant si je l'ai cherchée ! [...] Si tu fais preuve d'un discernement suffisant, tu découvriras en moi quelqu'un de profondément attentif, capable mais surtout désireux de t'offrir plus que ce dont tu as jamais rêvé en termes de relation essentielle dans l'odyssée de la vie, "l'expérience humaine". Voilà ce que je te propose. Je t'en prie, crois en ma sincérité et ne laisse pas un bête réflexe de défense t'empêcher de trouver en moi ce que ton cœur désire vraiment. Dans la mesure où je me sens libre de t'offrir mon amour, je t'assure de mes sentiments les plus sincères, Eustace. »

L'idée de soumettre ses éventuelles partenaires à un test grandeur nature (de procéder avec elles à un essai dans la soufflerie de son amour, pour ainsi dire) n'a pas non plus réussi à Eustace. Il n'en revient toujours pas du vide autour de lui, du manque dont il souffre, de son échec à fonder la famille idéale seule capable de l'aider à surmonter son enfance sans joie. Or, le temps presse ; il ne le sait que trop. Il vient d'entamer une liaison avec Ashley, une ravissante hippie de vingt-quatre ans qu'il connaît depuis des années ; la personne la plus aimante et chaleureuse qu'il m'ait été donné de fréquenter. Eustace l'a rencontrée il y a six ans, chez des amis communs : il a passé la soirée à la dévorer des yeux tandis qu'elle discutait avec les invités. Elle lui a paru « tellement vivante, tellement débordante d'amour, comme une cascade qui rejaillirait aux alentours dans une nappe de brume, qu'il a suffi d'un regard pour que je me dise : *C'est elle. Il faut que je l'épouse.* »

Ashley, âgée d'à peine dix-huit ans à l'époque, connaissait déjà quelqu'un. Sur le point de quitter les siens et de se lancer à l'aventure, elle ne se sentait alors pas du tout prête à devenir la compagne d'Eustace Conway. Depuis, elle est retournée à Boone, célibataire. Eustace est de nouveau tombé amoureux d'elle et, cette fois, elle le lui a bien rendu.

Eustace considère Ashley comme un ange, et on comprend facilement pourquoi : elle témoigne en toutes circonstances d'une profonde gentillesse teintée d'humanité. Ashley me conduisait à Boone un après-midi quand un sans-abri s'est approché de sa voiture à un feu rouge pour lui demander de l'argent. Ashley qui, depuis des années, survit plus qu'elle ne vit, d'espoir et de coupons alimentaires, a cherché dans sa voiture de la monnaie sans en trouver beaucoup.

« Je ne peux pas vous donner plus, s'est-elle excusée, mais je vous promets de prier pour vous.

– Merci, lui a répondu le sans-abri en souriant, comme si elle venait de lui tendre un billet de cent dollars. Je vous crois. »

Ashley a suffisamment de place dans son cœur pour assumer l'amour et le besoin d'affection dont Eustace l'abreuve sans sourciller. Mais il y a un hic. Au cours de ses aventures, elle a donné naissance à trois jeunes enfants : un fils de cinq ans et des jumelles encore en bas âge.

Quand je l'ai appris, j'ai tout de suite dit à Eustace : « Tu as toujours voulu treize enfants, non ? Voilà un bon début : déjà trois de faits ! Plus que dix à mettre en route. »

Eustace n'a pas pu s'empêcher de rire. « Oui, mais s'imaginer avec treize enfants, ce n'est pas comme en avoir trois dans la réalité. »

Ashley, une jeune femme calme, affectueuse, pleine d'humour, prévenante et bien équilibrée, apporte à l'île de la Tortue une quiétude et un sens de l'hospitalité des plus appréciables. Sans compter qu'elle est tout à fait capable de s'accommoder du genre de vie que mène Eustace. Elle a passé plusieurs années dans une communauté hippie qui battait de l'aile, à côté de laquelle l'île de la Tortue ressemble à un hôtel Hilton. Elle a mené deux grossesses à terme sans consulter un seul médecin. (« On le sait, quand on est en bonne santé, m'a-t-elle expliqué. Je n'avais besoin de personne pour me dire que tout allait bien. ») Elle a donné naissance à ses jumelles en pleine nuit, sur le sol glacial du Colorado, à l'abri d'une bâche. Ça ne la rebuterait sans doute pas de devoir tuer des cochons ou fouiller les poubelles pour se nourrir.

Eustace jure qu'il épouserait Ahsley sans hésiter si elle n'avait pas déjà une famille. Il renâcle à l'idée d'élever les gamins turbulents d'un autre, surtout si cet autre est un hippie encore bien présent dans leur vie. Eustace ne veut pas qu'une mauvaise influence s'exerce sur des enfants qu'il pourrait un jour prendre sous son aile. Précisons tout de même que les jumelles d'Ashley lui inspirent moins de réserves que son fils tête de mule qui a de l'énergie à revendre.

« Comment adopter un petit garçon que quelqu'un d'autre a déjà commencé à éduquer ? Il a subi une influence corruptrice sur laquelle il n'est pas en mon pouvoir de revenir. J'ai eu les pires rapports possible avec mon père. Si je dois avoir un fils, autant établir dès le début avec lui une relation parfaite. Je ne tiens pas à ce qu'un moment d'énervement nous dresse l'un contre l'autre. Imaginons que je consacre dix années de ma vie à montrer au fils d'Ashley la voie à suivre. Rien ne me garantit qu'à quatorze ans, il ne se retournera pas contre moi en me disant "De la merde, papa ! Maintenant, je vais m'éclater et me rouler un joint".

– Eustace, lui répondis-je, personne ne peut te promettre que tes fils biologiques ne réagiront pas comme ça, eux aussi. À vrai dire, je parierais même que ce sera le cas. Tu en es conscient, non ?

– Oui, mais ça se passera probablement mieux avec mes propres enfants vu que je veillerai dès le début à leur enseigner ce que j'estime acceptable ou pas. Ça me paraît mal engagé avec les enfants d'Ashley. Ils manquent de discipline. Ashley est une excellente mère, mais ses enfants la manipulent en semant le chaos, partout où ils passent. J'ai du mal à les supporter vu qu'ils n'ont pas l'habitude d'obéir. Ils se mêlent toujours de tout en réclamant son attention. Quand elle les amène ici, je m'occupe d'eux. Je les emmène se promener à cheval, mais ça ne m'amuse pas. Eux s'amusent, pas moi. »

Eustace ne veut pas renoncer à Ashley parce qu'elle est belle et douce et qu'elle lui offre ce délicieux amour inconditionnel auquel il aspire depuis toujours, mais il ne tient pas à s'engager outre mesure parce qu'elle représente trop de paramètres qu'il ne maîtrise pas dans son petit monde bien ordonné. Il l'incite sans cesse à imposer plus de discipline à ses enfants. Il lui a prêté des livres amish de sa collection personnelle sur l'art et la manière de « dresser » un enfant, un peu comme on dresse un cheval. Ashley, que ses petits mènent par le bout du nez, a étudié ces ouvrages attentivement en s'efforçant de mettre en pratique leurs conseils. Elle a même transmis leurs recommandations désuètes à ses amies hippies qui ont elles aussi une famille à charge afin de les aider à retrouver un minimum de stabilité au sein de leurs foyers désorganisés. Le succès a été au rendez-vous. En s'appuyant sur les antiques préceptes amish, Ashley a imposé un emploi du temps strict à ses enfants qui piquent aujourd'hui moins de crises de nerfs. N'empêche qu'ils ne sont pas faciles. D'une part parce qu'ils sont trois mais aussi parce que ce sont encore des enfants !

En résumé, Eustace ne sait pas quoi penser d'Ashley. Sans doute finira-t-il par trancher entre ses deux aspirations les plus profondes : à un amour absolu et à un contrôle absolu. Le choix ne va pas de soi. Jusqu'ici, l'amour a plus souvent pris le dessus, mais il existe des gens à qui il faut autre chose encore. Eustace a déjà vécu sans amour ; il en a même pris l'habitude. Alors qu'il n'a pas passé un seul instant de sa vie d'adulte à ne pas tout contrôler.

Le voilà donc encore et toujours célibataire. À se demander vers quel genre de femme il aurait intérêt à se tourner. Il se dit aujourd'hui qu'il devrait se montrer plus méfiant vis-à-vis de ses partenaires. Peut-être a-t-il trop souvent laissé le hasard décider pour lui ? Peut-être faut-il y voir la cause de ses échecs à répétition ? Résolu à relever le défi (comme s'il s'agissait de résoudre un problème d'organisation quelconque !), Eustace a dressé une liste des qualités de sa partenaire idéale. À l'en croire, la possibilité d'évaluer les candidates en fonction de critères déterminés lui permettra d'effectuer un choix plus rationnel. Ce serait bien le diable s'il continuait à souffrir encore longtemps de sa solitude !

En parfaite santé, commence sa liste. Viennent ensuite (dans le désordre) :

N'hésite pas à ouvrir son intimité

Belle

Aborde la sexualité avec confiance et plaisir

Possède une foi solide

A envie de vivre chaque instant à fond, consciente du caractère sacré de la vie

Généreuse, aimante, prévoyante, féminine dans le sens où l'entend la tradition

Attachée à un style de vie non matérialiste ; le sens des valeurs

Sensible, confiante en elle, énergique, optimiste, et surtout sociable

Indépendante, capable de s'assumer seule, prête à s'engager dans une union sanctifiée par les liens du mariage

Maîtrise plusieurs langues vivantes

Penchants artistiques à la danse, au théâtre, à la littérature, etc.

Accorde la priorité à sa famille

Comprend l'art de gérer au mieux un budget

Aime travailler à la ferme, s'occuper de la terre, du jardin

Et la liste continue à n'en plus finir. Vous saisissez le problème. Si on Lui remettait un bon de commande aussi détaillé, Dieu lui-même avouerait piteusement : *Navré, mon petit gars, mais je ne dispose pas de ce modèle-là en stock.* Cela dit, Eustace se montre beaucoup plus optimiste que Dieu. Et, surtout, il souffre beaucoup plus de sa solitude.

Quand Eustace m'a montré pour la première fois sa fameuse liste, je la lui ai rendue en lui disant :

« Je le regrette, Eustace, mais ce n'est pas comme ça que ça marche, en amour.

– Je ne sais pas comment m'y prendre autrement », m'a-t-il alors avoué, d'un air démuni (une fois n'est pas coutume).

Autant l'admettre : la liste d'Eustace prouve qu'il n'est pas encore près de s'épanouir dans le cadre d'une relation sentimentale. Nous cherchons tous certains traits de caractère chez nos partenaires, mais une liste comme la sienne me donne l'impression d'une antisèche à un examen qu'il n'y a pourtant pas lieu de potasser. La plupart d'entre nous n'estiment pas nécessaire de comparer les qualités de leurs partenaires à un inventaire préétabli. Nous savons si nous sommes amoureux ou pas. Eustace, lui, n'en est jamais sûr. Il lui manque certaines aptitudes élémentaires pour affronter les tempêtes de l'amour entre deux êtres admirables mais humains et donc bardés de défauts. Il reconnaît lui-même qu'il a trop souffert, qu'il est trop sensible et je trouve cela courageux de sa part de persister envers et contre tout à ouvrir son cœur à d'autres.

Faut-il imputer ses problèmes à l'image du mâle viril et ambitieux que lui a inculquée la culture américaine ou aux traumatismes de son enfance ? Difficile à dire ! En tout cas, quand je vois Eustace Conway s'aventurer dans la jungle des relations intimes en se raccrochant à sa liste exhaustive, il me fait affreusement penser au gars jamais sorti de sa banlieue qui se prépare à un week-end de chasse bardé de tout l'équipement imaginable mais, au fond, démuni et mort de peur.

Voilà des années qu'Eustace participe au festival de musique folk de Merlefest chaque été dans l'ouest de la Caroline du Nord. Eustace s'exprime moins souvent en public qu'autrefois. Il préfère rester chez lui, loin des foules, à l'île de la Tortue, mais il continue tout de même d'intervenir chaque année à Merlefest, en plantant son tipi sur la prairie où se déroule le festival et où il parle aux visiteurs de sa vie dans la nature. On le paye pour ses interventions (plutôt bien, d'ailleurs) qui lui donnent l'occasion de s'adresser à un public averti et d'entendre en concert les musiciens des Appalaches qu'il admire tant, comme Doc Watson et Gillian Welch.

J'ai accompagné Eustace à Merlefest à l'été 2000. J'ai décelé dans son attitude vis-à-vis de ses auditeurs plus de lassitude que jamais auparavant. Je ne dirais pas qu'il répétait mécaniquement son numéro, mais il ne semblait plus habité par le feu sacré. Je n'ai pas eu de peine à me figurer, en l'espace d'un week-end, en quoi la réalité du monde actuel avait pu étouffer la flamme qui l'animait jadis.

Eustace savait qu'il allait devoir partager la scène de Merlefest avec un autre intervenant de premier plan : Jim Billy, « un véritable chef indien du parc national des Everglades en Floride ». Eustace appréhendait leur rencontre.

« Je connais beaucoup d'Amérindiens ; en général, ils me réservent un bon accueil, m'a-t-il expliqué, mais certains se montrent hostiles. Ils se demandent : *Pour qui se prend-il, ce blanc-bec sous son tipi ?* Il leur arrive (surtout à ceux qui se mêlent de politique) de s'offusquer de mes prises de position. Bien entendu, je comprends leurs réticences. C'est pourquoi je redouble de prudence en prenant garde à ne surtout pas leur manquer de respect. »

Eustace n'avait pourtant pas à s'inquiéter : Jim Billy, un grand type sympathique au sourire chaleureux, lui serra la main à la manière vigoureuse d'un homme naturellement doué pour le commerce. Sa tribu venait d'engranger des profits colossaux grâce aux jeux d'argent. Au premier abord, il émanait de lui le genre d'aisance et de contentement que seule procure une heureuse fortune. Son numéro, qu'il n'exécutait plus que pour le plaisir depuis qu'il ne cherchait plus à s'enrichir, consistait à entonner sur scène des « chansons rock pour les gamins » à propos des animaux sensationnels du parc des Everglades.

« Hé ! les parents ! mettait-il en garde une partie de son auditoire entre deux chansons. Ne laissez pas vos enfants se promener seuls dans les bois : il rôde là-bas des animaux qui ne demandent qu'à les mordre ! Qu'est-ce que je dis, "les mordre" ? Les dévorer tout crus, oui ! »

À l'issue de son numéro, Jim Billy se mêla au public. Il prêta une oreille attentive à l'intervention concise mais néanmoins captivante d'Eustace à propos de sa vie en harmonie avec la nature. Eustace montra aux spectateurs des paniers et des habits en matériaux naturels de sa conception en leur expliquant comment tisser des cordes à l'aide d'herbes et de cheveux. À la fin, Jim Billy, très impressionné, prit Eustace à part.

« Je vais te dire un truc, a-t-il commencé en serrant Eustace contre lui. C'est super, ce que tu fais. Tous les trucs que tu connais… Ça m'épate. Faudrait que tu viennes en Floride montrer tout ça à ma tribu ; là-bas, personne n'y connaît plus rien, à l'artisanat. Tu es plus indien que n'importe lequel d'entre nous ! Mince ! Mes proches ne sont plus bons qu'à prendre un avion jusqu'à Miami pour s'y bronzer les fesses ! J'exagère un peu, d'accord, mais franchement, tu devrais passer nous dire bonjour à la réserve. D'autant qu'on s'en sort pas mal, ces temps-ci. On a organisé un safari dans les marécages à l'intention des touristes. Ils raffoleraient d'un type comme toi : ce qu'ils veulent, c'est de l'authentique. Or, toi, tu es cent pour cent authentique. On essaye de leur en donner un avant-goût en les emmenant se balader dans le parc, mais on aime bien s'amuser aussi. L'un des nôtres a l'habitude d'enfiler un déguisement qui fiche la trouille et de courir à proximité du bateau en bondissant partout. J'aime autant te le dire : ça te plairait ! Si un jour l'envie te prend de venir nous dire bonjour, appelle-moi. Je m'occuperai personnellement de toi ; tu seras reçu comme un roi. Tu as le téléphone dans tes bois, Tarzan ? Tant mieux ! Appelle-moi, alors. Tu peux compter sur moi. Je viendrai te chercher dans mon avion ; un jet privé, modèle G-4. Je t'assure que ça va te plaire ! »

Là-dessus, Jim Billy serra une fois de plus Eustace contre lui en lui tendant sa carte.

« Tu trouveras là-dessus tous les renseignements utiles, conclut cet exubérant chef des Séminoles. Mon numéro de fixe et de portable, mon e-mail… Appelle-moi quand tu veux ! Je trouve ça sensas, ce que tu fais. »

Eustace et moi nous éloignâmes en silence pour rejoindre son tipi parmi les autres stands. Deux gamins d'une dizaine d'années jouaient à l'intérieur. Leurs minimotos stationnaient devant la trappe d'aération. C'est tout juste s'ils ne fondirent pas à bras raccourcis sur Eustace quand celui-ci apparut.

« On a entendu dire que tu pouvais nous montrer comment allumer un feu ! » s'écria l'un d'eux, les cheveux noirs, plutôt petit pour son âge. L'autre (en surpoids) portait un tee-shirt « Journée de la terre ».

Décidé à leur réserver un bon accueil, Eustace s'empara de deux bouts de bois en leur expliquant que « les arbres recèlent en eux du feu qui leur vient du soleil. À l'intérieur de chaque arbre se cache un petit morceau de soleil que l'on peut libérer pour peu qu'on y consacre de l'énergie ». Eustace frotta les bouts de bois l'un contre l'autre jusqu'à ce qu'il obtienne une braise qu'il laissa tomber dans un petit nid d'amadou au creux de sa paume. « Voici un bébé braise, un petit bout de feu nouveau-né. Si nous n'en prenons pas soin, si nous ne le nourrissons pas avec de l'oxygène, il mourra. » Il invita le gamin aux cheveux noirs à souffler sur l'amadou. Comme par magie, une flamme s'en éleva. Un cri de joie échappa au petit. Puis un crépitement électronique retentit sous le tipi. Le gamin joufflu au tee-shirt « Journée de la terre » sortit un talkie-walkie de sa poche arrière.

« Quoi ? beugla-t-il dans le récepteur, irrité.

– Où es-tu, Justin ? Terminé, lui demanda une voix de femme.

– Dans un tipi, m'man ! lui cria Justin. Terminé !

– Je t'entends mal, Justin. Où es-tu ? répéta le talkie-walkie. Terminé. »

Justin roula des yeux avant de s'époumoner :

« Je viens de te dire que j'étais dans un tipi, m'man ! Terminé. Un tipi ? Un tipi, m'man ? Tu piges ? Terminé ! »

Je suis sortie prendre l'air en songeant qu'il restait du pain sur la planche à Eustace s'il tenait à sauver la société pour de bon. Face au tipi qu'il examinait avec intérêt se tenait un homme d'une quarantaine d'années vêtu d'une chemise en flanelle. Nous avons entamé une conversation.

« Je m'appelle Dan, s'est-il présenté. J'habite dans le Michigan, mais je viens tous les ans à Merlefest et je ne manque jamais de saluer Eustace. J'aime bien l'écouter parler de sa vie. Il me fait envie. Il me rend même un peu jaloux. Dieu sait que je m'installerais dans les bois sur-le-champ si je le pouvais ! Mais ce n'est pas possible. J'ai cinq enfants en âge scolaire ; il faut bien que je subvienne à leurs besoins. J'ai un bon boulot dans une grosse entreprise du secteur agroalimentaire. Je dois verser une pension à mon ex-femme. Je ne vois aucun moyen de renoncer à ma sécurité financière ou à ma mutuelle pour vivre comme Eustace et, pourtant, je jure devant Dieu que ça ne me déplairait pas ! J'y pense tous les ans, quand je viens ici, à chaque fois que je le croise. Il force le respect, vous savez ? Regardez un peu comme il reflète la santé ! Pas comme nous autres. »

Dan sourit d'un air gêné en tapotant sa panse rebondie.

« Eustace a toujours l'air de dire qu'on peut y arriver, poursuivit-il, mais moi, je me demande par quel miracle ! Je viens de faire bâtir une grande maison remplie d'un tas de trucs. Je ne m'explique même pas comment ils sont arrivés là ! Je le jure devant Dieu, je ne comprends pas qu'on en vienne à accumuler tant de choses autour de soi ! Parfois, l'envie me vient de mettre le feu chez moi et de tout laisser tomber pour repartir ailleurs de zéro. Mener une vie simple en pleine nature, loin du monde. Vous comprenez ce que je ressens ? Ça vous arrive aussi de souhaiter disparaître de la surface de la terre ?

– Bien sûr ! Tout le monde en a envie, à un moment ou à un autre.

– Oh, pas Eustace Conway, j'imagine.

– À votre place, Dan, je ne parierais pas là-dessus. »

Tout ça pour dire que, à près de quarante ans, Eustace doit reconnaître qu'il n'a pas provoqué le changement radical qu'il espérait, plus jeune, au sein de notre société. (Et qu'il se prétendait pourtant certain de déclencher un jour.) Les légions d'Américains ne demandant qu'à lui emboîter le pas en pleine nature et qu'il comptait déjà voir débouler vingt ans plus tôt se font toujours attendre. Le monde est resté tel qu'il était, en empirant peut-être même un peu.

Quand il se penche aujourd'hui sur les deux décennies qui viennent de s'écouler, Eustace m'avoue : « Je m'attendais sincèrement à changer le monde. *Confiez-moi l'Amérique !* que je me disais. *Laissez-la-moi et j'arrangerai tout !* Je pensais qu'il me suffirait de me donner un peu de mal. Or, je me sentais prêt à me donner plus de mal que n'importe qui d'autre. Je ne m'attendais pas à ce que l'ensemble de la population opte pour un mode de vie plus en accord avec la nature, mais je pensais qu'une soixantaine ou une centaine de personnes au moins viendraient chaque année à l'île de la Tortue et qu'elles transmettraient mon enseignement à leur entourage en aidant mon message à se diffuser de proche en proche, comme l'onde que provoque la chute d'un caillou dans un plan d'eau. Aujourd'hui, je me rends compte que ce n'est pas simple d'influencer ses concitoyens quand on n'est ni président des États-Unis ni sénateur et qu'on ne peut compter que sur sa seule énergie. Comment un individu isolé ferait-il pencher la balance ? Ce n'est pas possible et encore moins probable et, surtout, c'est épuisant d'essayer. »

En attendant, l'Amérique continue d'absorber plus de terre que jamais auparavant. Eustace se réjouit de constater que la sensibilité à l'environnement (qui, pendant longtemps, n'a été une priorité que pour lui) a aujourd'hui la cote, mais l'engouement pour le recyclage ne lui semble pas de taille à lutter contre la croissance sans fin de l'industrie, la surpopulation et le consumérisme à tout-va qui caractérisent notre société. Il se peut que l'île de la Tortue, d'ici un siècle, ne soit plus, comme l'imaginait Eustace, « qu'une minuscule cuvette intacte cernée d'autoroutes et de béton. Ceux qui grimperont au sommet des collines aux alentours pour y jeter un coup d'œil auront au moins une idée de l'aspect que présentait jadis le monde ».

Sans doute y a-t-il du vrai dans une telle prophétie. Sans doute que, en préservant l'intégrité d'une parcelle de forêt des Appalaches, Eustace se comporte comme les moines du Moyen Âge qui copiaient des manuscrits antiques. À une époque d'obscurantisme, qui ne valorise pas le savoir, il s'entête à défendre ce qu'il estime précieux dans l'espoir qu'une génération future plus éclairée lui en sera reconnaissante. Si ça se trouve, c'est là tout le sens de son engagement.

Autrefois, Eustace entendait son entourage lui dire : « Il suffit de toucher une seule personne pour exercer un impact sur le monde entier ! » Seulement, il n'a jamais voulu se contenter de si peu. Il comptait infléchir le destin de l'humanité et non se borner à toucher quelqu'un au hasard, quand l'occasion se présentait. Parfois, il arrive qu'un jeune homme l'interpelle : « Dites ! Vous ne seriez pas Eustace Conway ? Je me souviens ! Vous êtes intervenu dans mon lycée, il y a quinze ans. Je vous ai trouvé formidable ! Vous avez changé ma vie ! »

Eustace se met alors à frétiller de joie mais l'autre lui explique : « Eh oui, depuis que je vous ai rencontré, je ne laisse plus couler l'eau du robinet en me brossant les dents. Je veille à ne pas gaspiller les ressources naturelles. »

Il ne reste plus à Eustace qu'à en rire en se cachant le visage derrière ses mains, en secouant la tête. « Ne te méprends pas ! m'avertit-il. J'ai envie de leur dire : hé ! Je suis ravi que vous ne laissiez plus couler l'eau du robinet en vous brossant les dents. Sincèrement ! C'est important de ne pas gaspiller les ressources naturelles, mais vous savez quoi ? J'avais plus d'ambition pour vous. »

Eustace a renoncé aux convictions de sa jeunesse : il se demande aujourd'hui si tout le monde est vraiment capable de vivre dans les bois. Plus jeune, il n'aurait jamais refusé un candidat apprenti à l'île de la Tortue. À l'entendre, n'importe qui arriverait à se débrouiller dans la nature avec un peu d'entraînement. Depuis peu, Eustace se montre plus circonspect, plus sélectif. Il n'accueille plus volontiers les anciens détenus, les toxicomanes qui sortent à peine de cure ou les adolescents en fugue, pour la simple et bonne raison que leur présence nuit à l'atmosphère qu'il souhaite établir à l'île de la Tortue.

Il lui a en outre semblé nécessaire de donner un tour plus officiel à ses relations avec ses apprentis qui reposaient à l'origine sur un simple accord scellé par une poignée de main, dont les détails variaient d'une personne à l'autre et d'une année sur l'autre. En gros, il suffisait à un jeune homme ou une jeune femme de se présenter à l'île de la Tortue en manifestant un tant soit peu d'enthousiasme pour qu'Eustace le prenne sous son aile contre la promesse de travailler dur sans baisser les bras jusqu'à la fin de son séjour. Depuis peu, Eustace sélectionne au contraire ses apprentis en leur réclamant un CV ainsi que des lettres de recommandation et de motivation. Excédé par le fameux « retour de manivelle de l'île de la Tortue » qui a tant sapé le moral de ses troupes, Eustace remet désormais la note suivante (sobrement intitulée « Relations avec Eustace ») à chaque candidat :

« Ne vous attendez pas à devenir les intimes d'Eustace. Ne le prenez pas mal si vos relations se limitent à celles d'un maître ou d'un patron avec son élève ou son employé. La plupart des apprentis, attirés par la personnalité chaleureuse et généreuse d'Eustace, aimeraient nouer avec lui des relations plus étroites que ce qu'ils peuvent espérer ou qu'Eustace ne le souhaite dans son propre intérêt. Certains apprentis acceptent mal de ne pas entrer dans l'intimité d'Eustace. Celui-ci ne demande pourtant pas mieux que de vous consacrer du temps mais dans la mesure où vous aurez convenu avec lui de ce que vous pouvez escompter de sa part. Votre relation se résumera au final à celle d'un maître avec les élèves auxquels il transmet ses connaissances. »

Les apprentis d'Eustace l'ont tellement déçu ces derniers temps qu'il se demande s'il ne va pas renoncer à en engager de nouveaux. Deux d'entre eux l'ont quitté au printemps, au bout de six mois (et non au terme de l'année initialement prévue) en se plaignant, pour ne pas changer, qu'ils travaillaient trop, qu'ils ne s'accommoderaient jamais de l'autorité d'Eustace, qu'ils attendaient autre chose de leur séjour à l'île de la Tortue et qu'il leur fallait « poursuivre leur développement personnel » (et tant pis s'ils manquaient ainsi à leur parole).

« Prendre un engagement ne signifie donc plus rien pour personne ? s'étonne Eustace, abasourdi. Aurais-je tort, naïf et vieux jeu comme je suis, d'attendre des autres qu'ils fassent ce qu'ils ont annoncé ? Comment ont-ils pu s'en aller au bout de six mois au mépris de leur promesse de rester un an ? Ils ne se rendent pas compte des efforts auxquels j'ai consenti pour eux. Ça ne les a pas effleurés un instant que je tablais sur leur engagement. Ils m'ont laissé en plan en me faisant faux bond. Pourquoi faut-il que le même phénomène se reproduise sans cesse ? »

Eustace ne s'en remet pas. Le pire n'est pas que le départ de ses apprentis suive un enchaînement hélas trop connu de circonstances (de grands espoirs auxquels succède une amère désillusion) mais que même Jennifer, une jeune fille compétente et fiable qu'il tenait pour l'une des plus douées ayant jamais séjourné à l'île de la Tortue (au point même qu'elle promettait de surpasser le légendaire Christian Kaltrider), ait à son tour baissé les bras. Vive d'esprit, elle ne se plaignait pourtant jamais et semblait vraiment partante pour exploiter une ferme dans le respect des traditions. Issue d'une famille de montagnards, elle avait réussi à en remontrer même à Eustace, question compétences techniques. Il lui faisait tellement confiance qu'il lui avait d'ailleurs laissé le soin exclusif du potager de l'île de la Tortue (certes à contrecœur : il n'y consentit qu'à titre d'expérience, curieux de savoir s'il supporterait de ne plus tout contrôler). Les légumes poussèrent à merveille sous la responsabilité de Jennifer alors même qu'elle apprenait à s'occuper des chevaux et à construire des bâtiments. En somme, il n'y avait rien à lui reprocher. Eustace, qui la respectait, comptait sur elle. Or, voilà qu'elle pliait bagage du jour au lendemain !

« Cherche le mot "anéanti" dans le dictionnaire : tu tomberas sur ma photo, m'a-t-il déclaré au téléphone, une semaine après le départ de Jennifer. Ça m'a tellement miné de la voir s'en aller que je ne suis pas sorti de mon lit pendant deux jours. Si quelqu'un comme elle ne supporte pas de rester ici une année entière, qui tiendra le coup ? De qui se moque-t-on ? À quoi bon me décarcasser ? À quoi sert l'île de la Tortue s'il faut toujours que ça se termine de la même façon ? Je me saigne aux quatre veines pour les autres, mais ça ne sert à rien. Mes apprentis n'arrêtent pas de me décevoir en mettant les voiles. J'ai plus envie que jamais de baisser les bras. Je rêve d'accrocher un écriteau à la porte : *L'île de la Tortue a fermé ses portes. Rentrez chez vous*. Bien entendu, je ne m'y déciderai jamais. Quoique... Je ne sais plus trop. »

À mesure qu'il avance en âge, une dure nécessité a contraint Eustace à restreindre son domaine d'activité en renonçant aux idéaux de sa jeunesse et à ses projets les plus audacieux. Ses aspirations actuelles frappent par leur modestie. Fini, les apprentis ! Il se concentre aujourd'hui sur les leçons d'équitation qu'il souhaite proposer à l'île de la Tortue. Il passe des annonces dans les journaux de Boone en invitant les lecteurs à une balade d'une journée sur son domaine. Il espère que les promenades à cheval lui rapporteront de quoi subvenir à l'entretien de ses magnifiques bêtes. Puis voilà une occasion rêvée de nouer des relations humaines d'une simplicité rafraîchissante : Eustace recevra la rémunération d'un service précis sans chercher à convaincre qui que ce soit de venir vivre dans les bois. À la fin de la journée, chacun rentrera chez soi satisfait.

Bon ! en vient-il à se dire. *Peut-être que je ne changerai jamais le monde !* Peut-être Eustace n'exercera-t-il désormais plus qu'une modeste influence sur de petits groupes ou des individus isolés, comme les automobilistes qu'il saluait du haut de son cheval lors de la randonnée des Cavaliers au long cours ou les enfants qu'il enterrait jadis dans l'humus des sous-bois ou encore les dealers de Tompkins Square qu'il a invités à méditer sur la possibilité de confectionner soi-même des habits en matériaux naturels...

Je pense aussi aux jeunes campeurs qui, un jour qu'ils exploraient l'île de la Tortue, y ont découvert la hutte d'un castor. Les moniteurs de la colonie les ont encouragés à se glisser à la nage à l'intérieur des tunnels jusqu'à la hutte proprement dite ; un lieu sacré au sec et au chaud. Combien de garçons de nos jours ont encore l'occasion de se faufiler dans une hutte de castor ? L'expérience a dû les marquer à jamais. Du point de vue d'Eustace Conway, habité par la vision grandiose d'une Amérique métamorphosée, ça ne représente sans doute pas grand-chose, mais, à une époque de conformisme abêtissant comme la nôtre, il ne faut minimiser aucune incitation à considérer sous un autre angle le monde qui nous entoure. Eustace ne saura pas forcément s'en contenter, mais il se pourrait bien qu'il n'obtienne rien de plus. Au bout du compte, ce n'est qu'un enseignant et, comme tous les enseignants, il devra un jour admettre que seuls quelques-uns de ses élèves retiendront ses leçons ; et encore, pas toutes.

Il était une fois un petit gars du nom de Dave Reckford.

Né dans la banlieue de Chicago, d'un père médecin et d'une mère dont les sympathies pour le mouvement hippie se traduisaient essentiellement par sa volonté de ne nourrir son fils que de produits bio et de l'inscrire à des écoles quakers. Quand Caterpillar ferma son usine de l'Illinois, la ville natale de Dave entama son déclin. Ses parents s'installèrent en Caroline du Nord. Dave y suivit les cours d'une école privée hors de prix que fréquentaient les rejetons des plus vieilles familles du Sud. Ce fut à ce moment-là que sa vie bascula. Le père de Dave s'éprit d'une autre femme qui le convainquit de quitter la sienne. La famille vola en éclats mais en finissant tout de même par recoller les morceaux tant bien que mal. Après quelques années difficiles, la mère de Dave se ressaisit en épousant un homme riche et affectueux. Hélas ! Dave passa dès lors au second plan de ses préoccupations. Âgé d'à peine treize ans à l'époque, il en resta profondément marqué. Amer. Et, surtout, à la recherche de ce qui lui manquait.

Quelques années plus tard, un montagnard des temps modernes du nom d'Eustace Conway vint sensibiliser à la nature la classe huppée de Dave Reckford. « Il s'est présenté, vêtu de peaux de daim, se rappelle Dave, et il ne sentait pas la rose. De son ton posé, il s'est mis à parler de son tipi, de son fusil et de sa vie dans la nature sauvage. Son discours m'a captivé. Il a raconté qu'il allait aux toilettes dans les bois : à l'entendre, il valait mieux s'accroupir que prendre place sur un siège vu que la position assise exerce une pression malvenue sur l'appareil digestif. Ça nous a choqués ; nous, la future élite du Sud ! Nous n'avions encore jamais rien entendu de tel ! Puis il a précisé : “Quand je dois utiliser des toilettes classiques, je m'accroupis sur le siège”. Là-dessus, il a bondi sur un bureau pour nous faire une démonstration. Il a ri ; du coup, nous aussi. Au final, il a réussi à éveiller notre intérêt sans trop nous effrayer. »

Un peu plus tard, Eustace échangea quelques mots avec Dave. Devinant le désespoir qui le rongeait, il l'invita à l'île de la Tortue. Dave s'y rendit sans tarder à bord de son « coupé Mercedes de gosse de riche ». Il y resta une semaine ; au tout, tout début, du temps où il n'y avait pas encore grand-chose à l'île de la Tortue hormis le tipi d'Eustace. À l'époque, il n'élevait même pas de bétail. À son arrivée, Dave a trouvé Eustace en train de discuter à l'entrée de son tipi « avec une ravissante jeune femme. Il m'a demandé de bien vouloir le laisser seul une demi-heure en compagnie de la demoiselle puis il s'est éclipsé sous la tente à sa suite pour (ça sautait aux yeux !) lui faire l'amour. Je n'en revenais pas qu'il aborde aussi ouvertement sa sexualité ! Il a fini par sortir du tipi, la fille est partie et là, il a commencé à me transmettre son savoir. Il m'a d'abord montré les braises qui couvaient à l'endroit où il avait l'habitude de faire du feu. Il m'a expliqué que, en les gardant au chaud en permanence, il avait toujours du feu à sa disposition sans avoir à produire une nouvelle flamme à chaque fois ».

Dave reçut la mission de retaper la forge avant d'aider Eustace à creuser les fondations de la remise à outils que ce dernier s'apprêtait alors à bâtir. Eustace apprit à Dave à fabriquer des bardeaux « au maillet ; un travail vraiment pénible ». Ce jeune garçon qui ne s'était encore jamais sali les mains trimerait d'arrache-pied jusqu'à la fin de son séjour.

« Je ne m'attendais pas à ça de la part du maître zen au ton posé que je croyais suivre dans sa montagne, avoue Dave. En réalité, c'était un bourreau d'esclaves ! Il ne lâchait rien ; un vrai maniaque du détail. J'ai travaillé si dur que j'en ai pleuré et que j'ai bien failli me rompre le dos. Chaque matin, je me demandais si je n'allais pas y rester. Heureusement, le soir, je me couchais sur les peaux de bêtes auprès du feu qui couvait toujours sous le tipi d'Eustace. Je n'avais plus dormi d'un sommeil aussi réparateur depuis des lustres. Eustace m'a préparé d'excellents plats pendant que je lui parlais de ma famille. Je ne pense pas que l'on puisse encore établir ce genre de rapports avec Eustace Conway, mais, à l'époque (il n'avait que vingt-sept ans !), l'île de la Tortue ne grouillait pas d'apprentis ni de campeurs et son rôle public ne lui prenait pas tous ses loisirs. Moi, il me manquait un père. Ça m'a profondément marqué de passer du temps en compagnie d'un adulte prêt à dialoguer avec moi et à me transmettre ses connaissances. »

Eustace profita du séjour de Dave à l'île de la Tortue pour lui expliquer l'essence de sa philosophie fondée sur la nécessité de maintenir son esprit sans cesse en éveil. Tu ne mèneras jamais la vie d'un homme digne de ce nom, le prévint Eustace, si tu ne restes pas en permanence à l'affût. Sois à ce que tu fais ! Ne te contente pas d'ingurgiter passivement les idées sans consistance que la société moderne tente de te faire avaler par l'intermédiaire des médias. Ne te satisfais pas d'une vie en hibernation ou dans un coma artificiel en quête de gratifications immédiates. Le don le plus extraordinaire que tu aies jamais reçu, c'est la part d'humanité en toi, qui repose sur la conscience que tu as de toi-même ; fais-lui donc honneur.

Traite tes sens avec égard. Ne les émousse pas en te droguant, en cédant à la dépression ou à un abrutissement volontaire. Essaye de remarquer quelque chose de nouveau chaque jour. Prête attention même aux plus petits détails du quotidien. Tant pis si tu ne vis pas dans les bois ! Garde l'esprit en éveil en permanence. Prends note du goût de ce que tu manges et de l'odeur du rayon produits d'entretien au supermarché. Penche-toi de plus près sur la réaction de tes sens au parfum chimique des détergents. Prends note de ce que tu éprouves en marchant pieds nus. Prête attention à ce que chaque journée est susceptible de t'apprendre. Ne néglige rien. Prends soin d'absolument tout : de ton corps comme de ton esprit, de tes voisins comme de ta planète. Ne pollue pas ton âme en menant une vie apathique, ne nuis pas à ta santé en mangeant n'importe quoi ; pas plus que tu ne souillerais un torrent en y déversant des déchets industriels. Tu ne deviendras jamais un homme si tu négliges ton environnement. En revanche, la maturité accompagnera l'éveil de ta conscience aussi sûrement que le jour succède à la nuit.

Eustace fit ensuite part à Dave d'incidents tragi-comiques survenus à l'île de la Tortue où certains adolescents prêtaient si peu attention à ce qui se passait autour d'eux qu'il ne leur venait même pas à l'esprit de s'abriter de la pluie. Une averse éclatait et ils restaient là sous les trombes d'eau, aussi ahuris qu'un troupeau de moutons trop choyés, incapables de se dire qu'il vaudrait mieux qu'ils courent se mettre au sec. Un jour, Eustace vit un garçon écraser un nid de frelons par mégarde avant de rester planté là, médusé, tandis que l'essaim bourdonnait autour de lui. Apparemment, il ne lui venait pas à l'esprit qu'il avait intérêt à se tirer de ce mauvais pas au plus vite. Résultat : il a fallu qu'Eustace lui crie de prendre ses jambes à son cou pour qu'il déguerpisse enfin.

Reste éveillé ! conclut Eustace (en riant de s'entendre donner un conseil qui tombait à ce point sous le sens). Et tu verras : le succès sera au rendez-vous. S'il pleut, cours t'abriter. Quand un essaim de frelons t'attaque, prends tes jambes à ton cou. Seule une concentration sans faille assurera ton indépendance. Or, seule ton indépendance te permettra de te connaître. Et ce n'est qu'une fois que tu te connaîtras que tu seras en mesure de te poser les questions qui comptent : *À quoi est-ce que m'appelle mon destin ? Comment l'accomplir ?*

Le souvenir qui a toutefois le plus marqué Dave reste celui d'Eustace en train de planter une clôture. Une expérience transformatrice de nature quasi religieuse.

« Ce n'est pas une partie de plaisir de planter une clôture dans un sol rocailleux comme celui des Appalaches. D'abord, il faut enfoncer un poteau en métal dans le sol, en tapant dessus avec un maillet, pour y creuser le trou qui accueillera l'un des montants en robinier. J'ai failli me couper la jambe en essayant. Il faut ensuite coincer le montant en robinier dans le trou à l'aide du maillet. J'en ai planté six à la suite les uns des autres et, je le jure devant Dieu, j'ai cru mourir. On n'imagine pas comme c'est éreintant ! Je me suis écroulé par terre en ayant l'impression que mon cœur allait exploser. Eustace a continué à ma place et, pendant que je reprenais mon souffle, il a planté les vingt montants suivants sans s'arrêter une seule fois. À la fin, il ne haletait même pas !

« Je l'ai observé pendant qu'il travaillait. Comment parvenait-il à un tel résultat ? Il n'est ni aussi costaud ni aussi musclé que moi. Je pratique le triathlon, je suis solidement charpenté et, pourtant, je n'y arrivais pas. Il n'a pourtant pas de gros bras. Comment s'y prenait-il ? À force de l'étudier, j'ai compris qu'il entretenait un rapport physique étroit avec ses outils. Quand il maniait son maillet, il ne se servait pas uniquement de ses bras ; il l'enfonçait d'un seul mouvement, sans gaspiller d'énergie, en faisant appel à l'ensemble de son corps. Il arquait son dos en concentrant toute sa force dans son geste. Magnifique ! Le voilà tout entier à sa tâche. On aurait dit une chorégraphie. Le ballet du travail manuel. J'ai compris ce qui permettait à Eustace de tout faire plus vite et mieux que personne : la grâce de ses mouvements, sa parfaite concentration. »

Dave se souvient que, un autre jour, il a regardé Eustace planter des clous, vite, en rythme, sans jamais en enfoncer un de travers.

« Comment se fait-il que tu n'en manques jamais un seul ? lui a-t-il demandé.

– Parce que je me suis promis il y a belle lurette de ne jamais en manquer un seul, lui expliqua Eustace. Dont acte. »

Les cadences épuisantes à l'île de la Tortue finirent par infliger un tel traumatisme à l'organisme de Dave qu'il n'y tint plus. Les onze heures de labeur quotidien le rendirent malade. Eustace, conscient du problème, leur accorda une journée de pause dont il profita pour emmener Dave en ville. « Que dirais-tu d'une petite virée ? » lui proposa-t-il d'un ton guilleret. Il entraîna le jeune garçon dans un bar et lui commanda une bière, la première de sa vie. Eustace plaisanta en riant avec le patron sans parler une seule fois du travail qu'il lui restait encore. De retour dans les montagnes ce soir-là, Dave s'effondra en avouant à Eustace qu'il ne s'estimait pas de taille à rester plus longtemps.

« Je lui ai dit que je voulais rentrer chez moi. Sans doute en pleurant. Mes proches devaient me manquer : je n'étais encore qu'un enfant, à l'époque. Eustace a conservé son calme. Nous sommes restés dans sa camionnette où il m'a parlé de la vie et de ce qu'il en coûte de devenir un homme. Il m'a donné un aperçu de sa sagesse et de sa bonté en me prenant au sérieux, alors qu'à mon âge, personne ne me prenait encore au sérieux. Il m'a confié que la plupart des gens ne se sentent pas heureux parce qu'ils ne se parlent pas à eux-mêmes. Il m'a conseillé d'entretenir une conversation en mon for intérieur toute ma vie pour ne pas m'éparpiller mais demeurer mon propre ami. Il m'a confié qu'il se parlait sans arrêt tout seul, que cela l'aidait à se sentir plus fort et mieux dans sa peau. Il m'a conseillé quelques lectures. Puis il m'a serré contre lui. »

Dave Reckford ne peut évoquer cet instant sans que les larmes lui viennent aux yeux, même avec quinze ans de recul.

« Il m'a serré dans ses bras longtemps. Avec chaleur. Comme un ours. Aucun homme ne m'avait encore traité de la sorte. Il m'a semblé qu'une blessure au plus profond de moi cicatrisait. Là-dessus, Eustace m'a déclaré libre de rentrer chez moi. Il m'a souhaité bonne chance en m'assurant que je pouvais revenir à l'île de la Tortue m'installer auprès de lui quand je le voulais, parce que j'avais fait du bon travail et qu'il me considérait comme quelqu'un de bien. Je suis rentré chez moi, mais, à mon retour, je n'étais plus le même. Ma vie venait de prendre un nouveau tournant. »

Dave Reckford ne compte parmi ses proches parents que des avocats, des médecins, des hommes d'affaires ou des diplomates. C'est d'ailleurs ce qu'ils sont censés devenir, ce à quoi les appelle la tradition familiale. Ce n'est pourtant pas la voie qu'a suivie Dave, aujourd'hui âgé de trente ans. Il a pas mal roulé sa bosse, à la recherche de la place qui lui convenait le mieux dans le monde. Il a étudié l'histoire et la musique. Il a songé à devenir écrivain. Il a voyagé à Cuba et en Europe. Il a sillonné le continent américain et s'est même engagé dans l'armée tant il lui tenait à cœur de découvrir le meilleur moyen d'employer le peu de temps qui lui est imparti sur cette terre.

Là, il vient enfin de se poser. Il a résolu le problème qui le turlupinait depuis si longtemps. Il a demandé à la femme qui s'occupe du jardin de ses parents de l'engager en tant qu'apprenti ; ce qu'elle a accepté. Dave Reckford est aujourd'hui ce qu'il estime que son destin l'appelait à devenir : un jardinier. Il entretient des plantes. Il passe ses journées à réfléchir à la terre, à la lumière et à la croissance des végétaux. Une tâche simple en apparence mais gratifiante. Il cherche à comprendre ce qu'il manque aux plantes pour croître et se développer. Il prête attention à ses moindres gestes en faisant honneur à son métier. Il se parle tout le temps à lui-même afin de rester en contact avec son moi le plus profond. Chaque jour de sa vie, il songe à quel point il est impératif de se concentrer sur sa tâche en se laissant toucher par la grâce d'un travail manuel.

Ce qui signifie que, chaque jour de sa vie, il songe à Eustace Conway.

ÉPILOGUE

Tu ne peux pas y remédier. Tu ne peux pas t'en débarrasser.
Je ne sais pas ce que tu vas en faire,
Mais je sais ce que moi, je vais en faire. Je vais
Tout simplement m'en éloigner. Peut-être
Qu'une petite partie mourra si je ne suis plus là
Pour l'entretenir.

Lew Welch

L'histoire d'Eustace Conway n'est autre que l'histoire des progrès de l'homme sur le continent nord-américain.

Au début, il dormait à même le sol en s'habillant de fourrures animales. Il allumait des feux en frottant deux bouts de bois l'un contre l'autre et se nourrissait de ce qu'il chassait ou cueillait. Quand la faim le tenaillait, il abattait des oiseaux en leur lançant des pierres, il tirait à l'arc sur des lapins ou arrachait des racines à la terre afin de survivre. Il confectionnait des paniers à partir des arbres de son domaine. C'était un nomade, il ne se déplaçait qu'à pied. Puis il s'est installé sous un tipi. Il s'est mis à dresser des pièges et à utiliser un silex pour allumer du feu. Une fois la technique du silex maîtrisée, il est passé aux allumettes. Il a pris l'habitude de se vêtir de laine. Il a quitté son tipi pour habiter une cabane en bois. Il a défriché des terres afin d'exploiter une ferme. Il a acquis du bétail. Il a aménagé dans les bois des sentiers qui sont devenus des pistes puis des routes, qu'il a améliorées en construisant des ponts. Il s'est mis à porter des jeans.

D'Amérindien à l'origine, il est passé au statut d'explorateur puis de pionnier. Il s'est alors construit une cabane où il a vécu en authentique colon. Habité par une vision utopique, il nourrit l'espoir que d'autres que lui achèteront des terres aux environs de l'île de la Tortue pour y fonder une famille comme lui-même y fondera un jour la sienne. Ses voisins travailleront la terre à l'aide de machines tractées par des bêtes. Ils se viendront en aide les uns aux autres à la saison des moissons et danseront ensemble pour se distraire. Ils passeront se dire bonjour à cheval en se rendant des services mutuels.

À ce moment-là, Eustace aura créé autour de lui un village, comme il le souhaite d'ailleurs. Une fois le village en place, il bâtira la maison de ses rêves. Il renoncera à sa cabane au profit d'une immense demeure luxueuse équipée de placards-penderies intégrés et de tout un tas de choses et d'autres. À ce moment-là, Eustace Conway deviendra enfin un homme bien de son temps : l'archétype de l'Américain moderne.

Il ne cesse d'évoluer sous notre regard. Il croît et prospère encore et toujours parce que c'est plus fort que lui. Il faut dire qu'il ne manque ni d'idées ni de ressources. Loin de lui le désir de profiter tranquillement de ce qu'il connaît déjà ; il éprouve le besoin d'aller sans cesse de l'avant. Rien ne peut l'arrêter. De même que rien n'a jamais pu nous arrêter, sur ce continent. Comme l'a noté Tocqueville : nous progressons « tel un déluge d'hommes, qui se relèvent sans jamais se laisser abattre, et que la main de Dieu pousse chaque jour de l'avant. » Nous nous épuisons ; nous autant que les autres. Et nous épuisons nos ressources, à la fois naturelles et personnelles. Eustace n'est que le symbole le plus criant de l'urgence qui nous habite.

Je me rappelle qu'un soir où nous revenions du camp Séquoia, l'ancien royaume de son grand-père, nous nous sommes arrêtés à un carrefour à Boone. Eustace dressa la tête en me demandant : « Ce bâtiment, il était déjà là, quand on est partis pour Asheville, il y a deux jours ? »

Il m'indiqua le squelette d'un immeuble de bureaux flambant neuf. Non, je ne l'avais pas remarqué, deux jours plus tôt. Il semblait cependant presque achevé. Il ne manquait plus que les vitres aux fenêtres. Un bataillon d'ouvriers quittaient justement le chantier, à l'issue de leur journée de travail.

« Quand même ! s'étonna Eustace. Tu crois que c'est possible de construire un bâtiment à une telle vitesse ?

– Je n'en sais rien, lui répondis-je en songeant que si quelqu'un devait détenir la réponse à sa question, c'était bien lui. Je suppose que oui. »

Un soupir lui échappa.

« Ah ! Ce pays… »

Et pourtant, Eustace Conway et ce pays ne font qu'un. Que reste-t-il au bout du compte ? Que reste-t-il après un tel déploiement d'activité ? Telle est la question que s'est jadis posée Walt Whitman. Considérant le rythme trépidant de la vie quotidienne en Amérique, la croissance de l'industrie et l'ampleur des ambitions de ses compatriotes, il s'est demandé : « Après qu'on a été au bout de ce que peuvent apporter le commerce, la politique, la vie en société et ainsi de suite – et qu'on s'aperçoit que rien de tout ceci ne satisfait vraiment ni ne dure – que reste-t-il ? »

Comme toujours, ce brave vieux Walt nous a donné la réponse : « La nature. »

Voilà ce qu'il reste aussi à Eustace. Bien que, comme nous autres (ce qui ne manque pas d'ironie, quand on y songe), Eustace ne dispose pas d'autant de temps qu'il le souhaiterait pour célébrer la nature.

Un soir d'hiver, il m'a confié au téléphone : « Une tempête de neige a balayé l'île de la Tortue, la semaine dernière. Un ami qui passait me voir m'a dit : "Hé, Eustace ! Tu travailles trop. Tu devrais t'accorder une pause et faire un bonhomme de neige. Ça ne t'a jamais tenté ?" Bien sûr que si que ça me tentait, et pas qu'un peu ! Il a suffi que je mette le nez dehors pour me dire que c'était le moment ou jamais de construire un bonhomme de neige. Je me représentais déjà celui que je ferais si jamais je me décidais. En un clin d'œil, j'ai évalué la consistance de la neige et décidé du futur emplacement de mon bonhomme et de sa taille en passant mentalement en revue les charbons de ma forge qui pourraient lui servir d'yeux. Je me suis figuré mon bonhomme dans les moindres détails, jusqu'à la carotte qui lui tiendrait lieu de nez. En un éclair, je me suis demandé : *Reste-t-il assez de carottes pour que j'en plante une sur le visage de mon bonhomme de neige ? Une fois qu'il aura fondu, pourrai-je récupérer la carotte et la cuire en ragoût ? Un animal ne risque-t-il pas de la croquer auparavant ?* Il m'a fallu cinq secondes à peu près pour réfléchir à tout ça, en estimant le temps que me prendrait la construction du bonhomme ; je l'ai mis en balance avec le plaisir que j'en retirerais et, pour finir, j'y ai renoncé. »

C'est d'autant plus dommage qu'Eustace apprécie de passer du temps au grand air et que le bonhomme de neige lui aurait sans doute apporté plus de joie que ses calculs logiques ne lui en laissaient espérer. Il raffole de la nature. Il adore les sous-bois, les rayons du soleil qui tombent en oblique à travers le dais verdoyant des frondaisons et jusqu'aux sonorités des termes bouleau, peuplier, robinier... Non seulement il en raffole mais, surtout, il en a besoin. Comme l'a écrit le grand-père d'Eustace : « Quand notre esprit se laisse gagner par la lassitude ou notre âme par l'inquiétude, allons donc dans les bois emplir nos poumons de l'air lavé par la pluie qu'a purifié le soleil et combler nos cœurs de la splendeur des arbres, des fleurs, des cristaux et des pierres. »

Eustace ne donne le meilleur de lui-même que lorsqu'il se retrouve dans la solitude des bois. Voilà pourquoi je l'incite à sortir de son bureau chaque fois que je passe à l'île de la Tortue en le suppliant de m'emmener en balade. Bien que le temps lui manque souvent, j'insiste : en général, nous n'avons pas fait dix pas en forêt qu'il m'explique : « Ça, c'est de la bergamote. On peut se servir de la tige creuse comme d'une paille pour aspirer l'humidité des cailloux au fond des ruisseaux trop peu profonds pour y boire. »

Ou : « Tiens ! Un lis martagon ! Une fleur qui ressemble beaucoup à un lis tigré sauf qu'on en rencontre moins fréquemment. Je ne pense pas qu'il y en ait plus de cinq ou six sur les quatre cents hectares de l'île de la Tortue. »

Quand je me plains de mon urticaire, il m'emmène à la rivière et me dit : « Viens faire un tour à ma pharmacie ». Il arrache quelques impatientes dont il étale le baume sur mon poignet irrité et, aussitôt, je me sens mieux.

J'aime la compagnie d'Eustace dans les bois parce que lui-même s'y sent dans son élément et qu'il aime ça. Ce n'est pas plus compliqué ! Voilà pourquoi, un jour qu'on se promenait tous les deux, je lui ai dit de but en blanc :

« Tu m'autorises à te faire part d'une idée révolutionnaire décapante ?

– Pourquoi pas ! m'a répondu Eustace en riant.

– Tu ne t'es jamais demandé si tu n'apporterais pas plus à la société en menant pour de bon la vie dont tu parles sans arrêt ? Après tout, c'est pour ça que nous sommes tous sur terre, non ? Est-ce qu'on ne doit pas tous s'efforcer de vivre le plus honnêtement du monde ? Est-ce que ça ne fiche pas tout en l'air quand nos actions contredisent nos valeurs ? »

Je me suis interrompue en m'attendant à recevoir une gifle, mais Eustace n'a pas bronché. J'ai donc poursuivi :

« Tu rabâches sans arrêt qu'on pourrait être heureux en vivant dans les bois, mais, quand quelqu'un vient séjourner ici auprès de toi, il sent avant tout la tension qui te mine et ta frustration de ne pas te retrouver plus au calme avec moins de responsabilités sur les bras. Du coup, le message ne passe pas. On entend bien ce que tu dis, mais on ne te sent pas toi-même convaincu. Voilà pourquoi le résultat n'est pas à la hauteur de tes espérances. Ça ne t'a jamais chiffonné ?

– Ça me chiffonne en permanence ! explosa Eustace. J'en ai parfaitement conscience, nom d'un petit bonhomme ! Chaque fois que je donne un cours dans une école, j'explique aux élèves que "je ne suis pas le seul dans ce pays à vouloir vivre en accord avec la nature, mais je suis le seul que vous rencontrerez, pour la simple et bonne raison que les autres ne sont pas disponibles". Moi, je me rends toujours disponible. Voilà la différence. Même au détriment de mes choix de vie. Je me présente en public comme un homme des bois qui vient à peine de sortir de sa montagne, mais j'ai bien conscience qu'il s'agit en grande partie d'un rôle que je joue. Je sais que je ne suis qu'un acteur, au fond. Je sais que je montre l'image de la vie que je souhaiterais mener plus que je ne la mène vraiment. Mais qu'est-ce que j'y peux ? Il faut bien que quelqu'un assume ce rôle au bénéfice des autres.

– Je ne suis pas certaine qu'on en retire tant de bénéfice que ça, Eustace.

– Mais si je menais la vie simple et sans éclat à laquelle j'aspire, qui en serait témoin ? Qui est-ce que j'inciterais à suivre mon exemple ? Mes voisins. J'influencerais une quarantaine de personnes alors que je souhaite en toucher quatre cent mille. Tu saisis le dilemme ? Qu'est-ce que je suis censé faire ?

– Et si tu essayais tout bonnement de vivre en paix avec toi-même ?

– Qu'est-ce que ça signifie ? rugit Eustace en riant, soudain dépassé. Qu'est-ce que ça veut dire, bon sang de bonsoir ? »

Bien entendu, ce n'est pas à moi de répondre à une telle question. Tout ce que je puis déterminer avec certitude, c'est quand Eustace me semble le plus en paix. En général, ce n'est pas quand il renvoie des apprentis ou qu'il reste pendu six heures d'affilée au téléphone avec des juristes, des directeurs d'école, des journalistes ou des assureurs. Il me paraît le plus en paix quand il jouit de la relation la plus étroite et la plus intime qui soit avec la nature encore sauvage. Quand il se trouve au cœur du théâtre éblouissant de la nature, c'est là qu'il touche de plus près au bonheur. Quand il vit, autant qu'il est humainement possible d'y parvenir à notre époque moderne, en communion avec ce qui reste de l'esprit de la frontière.

Parfois, j'ai la chance d'entrevoir ce qu'il y a de meilleur en Eustace Conway dans les occasions les plus improbables. Il suffit d'arriver au bon moment. Je pense à ce soir où nous revenions en voiture d'Asheville sans mot dire. Eustace se sentait d'humeur méditative. Nous écoutions de vieilles chansons mélancoliques des Appalaches, où il est question d'hommes âpres et rudes ayant perdu leur ferme et de femmes âpres et rudes dont les maris ont disparu au fond d'une mine de charbon. Il pleuvinait. Au moment de quitter l'autoroute pour nous engager sur la nationale qui nous conduirait au chemin de terre de l'île de la Tortue, la pluie cessa peu à peu. Le soleil n'allait pourtant plus tarder à se coucher. Nous roulions en cahotant dans la pénombre qui envahissait les collines aux pentes abruptes.

Tout à coup, une famille de cerfs déboula sur la route, devant nous. Eustace écrasa la pédale de frein. La biche et ses faons esquissèrent un bond de côté dans les ténèbres, mais le mâle resta planté là devant les phares. Eustace klaxonna. Le cerf ne bougea pas d'un pouce. Eustace sortit de sa camionnette en poussant un grand cri dans l'air humide de la nuit afin d'inciter l'animal à déguerpir, mais celui-ci resta immobile.

« Tu es magnifique, mon frère ! » lui cria Eustace.

Le cerf le considéra un instant. Eustace éclata de rire. Il serra les poings et les brandit en l'air en grognant comme une bête sauvage. Une fois de plus, il cria au cerf : « Tu es magnifique ! Tu m'épates ! Je te kiffe trop ! »

Eustace rit de plus belle. Le cerf, lui, ne se laissa pas décontenancer : pas un mouvement ne lui échappa.

À son tour, Eustace se figea, médusé. Il demeura un long moment immobile ; plus parfaitement immobile que je ne l'avais encore vu jusque-là, éclairé par la flaque de lumière des phares, les yeux rivés sur le cerf. L'un comme l'autre retenaient leur souffle. Pour finir, Eustace rompit le charme en agitant ses poings en l'air et en criant de toute la force de ses poumons :

« Je t'aime ! Tu es magnifique ! Je t'aime ! Je t'aime ! Je t'aime ! »

Remerciements

Je tiens à remercier l'extraordinaire famille Conway pour l'accueil chaleureux qu'elle m'a réservé, le temps de mener à bien mon projet, et surtout Eustace pour le courage dont il a fait preuve en me laissant libre de procéder comme je l'entendais.

Ce fut un honneur pour moi de faire votre connaissance. Je me suis efforcée ici de vous rendre l'hommage que vous méritez.

De nombreuses personnes qui ont joué un rôle dans la vie passée ou présente d'Eustace m'ont généreusement accordé de leur temps afin de m'aider à formuler les idées au cœur de ce livre. Je remercie de leur patience lors de nos innombrables entretiens : Donna Henry, Christian Kaltrider, Shannon Nunn, Valarie Spratlin, CuChullaine O'Reilly, Lorraine Johnson, Randy Cable, Steve French, Carolyn Hauck, Carla Gover, Barbara Locklear, Hoy Moretz, Nathan et Holly Roarke, la famille Hicks, Jack Bibbo, Don Bruton, Matt Niemas, Siegal Kiewe, Warren Kimsey, Alan Stout, Ed Bumann, Pop Hollingsworth, Patience Harrison, Dave Reckford, Scott Taylor, Ashley Clutter et Candice Covington. Un grand merci aussi à Kathleen et Preston Roberts : un couple tout à fait charmant qui nous a laissés, Eustace et moi, traîner devant chez eux en buvant de la bière et en tirant des coups de feu toute la nuit. (« Jamais encore je n'avais tiré au pistolet complètement saoul », a avoué Eustace un soir et Preston lui a répondu : « Et tu te prétends du Sud ? »)

Je souhaite exprimer ma reconnaissance aux auteurs des nombreux livres sur lesquels je me suis appuyée. Je songe à la biographie de Daniel Boone par John Mack Faragher, celle de Kit Carson par David Roberts, celle de Davy Crockett par James Atkins Shatford, celle du jeune Teddy Roosevelt par David McCullough, l'analyse du mouvement beatnik par Rod Phillips et le récit palpitant de l'expédition de Lewis et Clark jusqu'au Pacifique par Stephen Ambrose.

Ceux qui souhaiteraient en savoir plus sur les utopies en Amérique consulteront avec profit l'ouvrage encyclopédique de Timothy Miller : *The 60's Communes : Hippies and Beyond*. Ceux qui aimeraient feuilleter un livre étonnamment drôle au sujet des utopies américaines auront intérêt à mettre la main sur un exemplaire du brillant *Heavens on Earth : Utopian Communities in America, 1680-1880* de Mark Halloway. Les statistiques du chapitre 7 sont extraites du *Decline of Males* de Lionel Tigger. Je remercie en outre R.W.B. Lewis pour la pertinence de son essai *The American Adam* et Richard Slotkin pour son ouvrage tout aussi remarquable, *The Fatal Environment*. Je tiens à assurer Doug Brinkley (la bibliothèque vivante qui m'a conseillé ces titres) de ma reconnaissance et de mon admiration éternelles.

Merci à la librairie Powell de Portland, dans l'Oregon, qui dispose d'un rayon « souvenirs des Européens en visite en Amérique au XIXe siècle » alors que je cherchais justement à me renseigner sur les souvenirs des Européens en visite en Amérique au XIXe siècle. Voilà bien la preuve qu'on ne trouve pas de meilleure librairie aux États-Unis !

J'ai la chance d'avoir d'excellents amis qui sont aussi de grands lecteurs ou éditeurs. Pour leur aide et leur soutien inappréciables lors de la rédaction (et du remaniement) de ce livre, je remercie David Cashion, Reggie Ollen, Andrew Corsello, John Morse, John Gilbert, Susan Bowen, Georgia Peach (qui lit plus vite que son ombre) et John Hodgman (qui a inventé rien que pour moi l'indispensable abréviation STCWR : « Supprime tes conneries à la Will Rogers »). Je remercie John Platter, qui a trouvé la force de lire un premier jet de mon livre au cours des derniers jours de sa vie et qui me manque terriblement chaque fois que, en relevant mon courrier, je me dis qu'il ne m'écrira jamais plus.

Je remercie Kassie Evashevski, Sarah Chalfant, Paul Slovak et l'incroyable Frances Apt pour leurs conseils avisés. Je remercie Art Cooper du magazine GQ pour avoir eu foi en moi quand, il y a quatre ans, je lui ai dit : « Faites-moi confiance : vous devez me laisser écrire un bouquin sur ce type. » Je remercie Michael Cooper d'avoir dit, il y a longtemps de ça, alors que j'hésitais à me lancer dans ce livre : « Tu ne penses pas qu'il vaut mieux se tromper en entreprenant quelque chose plutôt que de se tromper en n'entreprenant rien ? » Une fois de plus, je remercie ma grande sœur Catherine de sa fabuleuse intelligence de l'histoire américaine ainsi que de son soutien sans faille. Une fois encore, je remercie ma chère amie Deborah d'avoir bien voulu me dispenser à toute heure du jour et de la nuit sa grande sagesse et sa subtile intelligence de la psychologie humaine. Il n'y aurait rien à tirer de ce livre si ces deux femmes formidables ne m'avaient pas soufflé certaines idées.

Je ne remercierai jamais assez la fondation Ucross de m'avoir accordé près de neuf mille hectares d'espace privatif en plein cœur du Wyoming pendant les trente jours qui auront sans doute le plus compté dans ma vie.

Enfin, je ne trouverai jamais assez de manières de vous communiquer :

Tout mon amour.

Elizabeth Gilbert est l'auteur d'un recueil de nouvelles, *Pilgrims* (finaliste du prix PEN/Hemingway), d'un roman, *Stern Men*, et d'un essai qui a longtemps figuré sur la liste des meilleures ventes du *New York Times* : *Mange, Prie, Aime*. Pendant cinq ans, elle a tenu pour le magazine GQ une chronique qui lui a valu trois nominations pour un prix national de journalisme. Ses articles ont paru dans *Harper's Bazaar*, *Spin* et le *New York Times Magazine*. Ses nouvelles ont été publiées par *Esquire* et *The Paris Review*. *Le Dernier Américain* a été sélectionné pour le National Book Award et le *New York Times* l'a fait figurer sur sa liste des livres les plus marquants de l'année 2002. Elizabeth Gilbert vit dans le New Jersey.

À paraître en juin 2010

Stern Men

Photocomposition Facompo

Impression réalisée par

La Flèche

pour le compte des Éditions Calmann-Lévy
31, rue de Fleurus 75006 Paris
en mai 2009

N° d'éditeur : 14676/01
N° d'imprimeur : 52967
Dépôt légal : juin 2009
Imprimé en France